TEATRO PERUANO

ESA LUNA QUE EMPIEZA

AYAR MANKO

LA MUERTE DE ATAHUALPA

NO HAY ISLA FELIZ

COLLACOCHA

AGUILAR

TEATRO
CONTEMPORANEO

TEATRO PERUANO
CONTEMPORANEO

Percy Gibson Parra
ESA LUNA QUE EMPIEZA

Juan Ríos
AYAR MANKO

Bernardo Roca Rey
LA MUERTE DE ATAHUALPA

Sebastián Salazar Bondy
NO HAY ISLA FELIZ

Enrique Solari Swayne
COLLACOCHA

Prólogo de
JOSÉ HESSE MURGA

AGUILAR - MADRID

SEGUNDA EDICION, 1963

NÚM. RGTRO.: 483-59.
DEPÓSITO LEGAL. AV. 100.—1963.

Printed in Spain. Impreso en España por Senén Martín, paseo de San Roque, 38, Ávila.

PROLOGO

EL TEATRO EN EL PERU

Como en la mayoría de las repúblicas hispanoamericanas, el teatro en el Perú ha tenido que luchar constantemente contra una serie de circunstancias adversas que han impedido su normal desarrollo, hasta el punto de que resulta casi imposible intentar un estudio sistematizado de la evolución y trayectorias que han seguido los dramaturgos de aquel país desde los tiempos coloniales hasta su incorporación, hace escasamente quince años, a las líneas y modos del teatro occidental. La indiferencia del público, por un lado, y, por otro, la falta de buenas compañías nacionales capaces de representar las obras escritas, junto a la brevedad de las campañas desarrolladas, muy de tarde en tarde, por compañías extranjeras, han sido las causas principales que impidieron al teatro peruano lograr una línea de continuidad. A lo largo de su historia podemos encontrar, es cierto, nombres ilustres, pero vienen a ser como notas aisladas que, al sonar en medio de una general atonía, sirven, más que para otra cosa, para acentuar la falta de acordes armonizados en lugar de dar fe de la existencia de un teatro nacional con vida propia y personalidad individualizada.

Notas de auténtica resonancia y valor, aunque aisladas dentro de la indiferencia del ambiente, son, en los tiempos anteriores a la independencia, los nombres de Pedro de Peralta y Micaela Villegas. Autor el primero de acusados contrastes, entre sus producciones encontramos mezclados los dramas que pudiéramos llamar de tipo clásico, en los que no escapa a la influencia barroca del siglo XVII, y los entremeses y fines de fiesta ágiles y coloristas, donde, en un derroche de gra-

cia y habilidad, hace desfilar ante nuestros ojos los
tipos representativos de la sociedad limeña en la época
colonial. Serranos y mineros, caballeros solemnes, da-
mas encopetadas y beatas de convento se nos presen-
tan perfectamente caracterizados a lo largo de una
serie de piezas breves por su extensión, pero de un
indudable valor no solo folklórico y costumbrista, sino
también teatral y literario.

Micaela Villegas, la *Pericholi*, es uno de los primeros
y escasos nombres de actrices peruanas que conocemos.
Mujer decidida y apasionada, supo despertar el interés
del público limeño por los espectáculos teatrales en
un momento, mediados del siglo xviii, en que estos no
solían ser ni muy frecuentes ni excesivamente selec-
cionados.

Durante el siglo xviii merece también destacarse la
versión, un poco españolizada, del gran drama incaico
Ollantay, indiscutiblemente una de las piezas fundamentales con que cuenta el teatro peruano.

Una vez lograda la independencia, se pretende utilizar
el teatro para dictar, desde él, una lección de patriótico
civismo y ejercer, a través de tipos y situaciones, una
función de crítica que se convierte, frecuentemente, en
sátira mordaz. Nombres característicos de este momento son los de Felipe Pardo y Aliaga y Manuel As-
censio Segura, al que algunos consideran, no sin razón,
como el verdadero padre del teatro peruano.

Durante la segunda mitad del siglo xix y primeros
años del xx vuelve a acentuarse de nuevo la falta de
estímulos, y en ella naufragan los aislados esfuerzos
individuales para pretender ganar lo que ya empieza
a denominarse «la batalla teatral». Durante estos años,
quizá el único nombre de importancia que puede con-
signarse sea el de Felipe Sassone, gran comediógrafo,
pero que por haber vivido casi constantemente en España y haber sido en Madrid donde estrenó la mayoría
de sus obras debe ser considerado más bien como un
autor español que como verdaderamente peruano.

Es solo, como ya hemos dicho, durante los últimos

quince años cuando el teatro logra afianzarse en el
Perú alcanzando una altura, en contenido y extensión,
digna de toda clase de alabanzas. Diversas han sido las
causas que han motivado durante los últimos años esta
evolución rápida y prometedora: de un lado, han ac-
tuado elementos que pudiéramos llamar internos, como
una mayor preparación cultural de los escritores y un
mayor contacto de estos con el moderno teatro norteamericano y europeo, y, por otro, factores externos que
han cambiado la insensibilidad y antigua indiferencia
del público limeño por los espectáculos teatrales, haciendo desaparecer casi por completo las antiguas dificultades que impedían el estreno de obras que, a pesar
de sus méritos, se veían obligadas, con frecuencia, a
permanecer inéditas, siendo tan solo conocidas por
un pequeño círculo de aficionados. Largas temporadas
desarrolladas en Lima por la gran actriz española Mar-
garita Xirgu, que con un repertorio de obras modernas
supo despertar y encauzar de nuevo el decaído ambiente teatral de la capital del Perú, y las acertadas
medidas del Estado al crear la Escuela Nacional de
Arte Escénico y Compañía Nacional de Comedias y al
instituir los Premios Nacionales de Teatro han sido
los elementos externos más importantes que han contribuido a este desarrollo esplendoroso del teatro peruano contemporáneo, desarrollo que no aparece como
algo esporádico, sino con un sello de auténtico y defi-
nitivo afán de superación.

   Al antiguo abandono ha sucedido una preocupación
constante por los problemas de la escena, y no solo
los autores jóvenes encuentran ahora mayores facilida-
des para llegar a la prueba definitiva de un dramaturgo
que es el estreno de sus obras, sino que también los
directores y escenógrafos en frecuentes viajes por Europa, subvencionados frecuentemente por el Estado,
han aprendido a dominar todos los secretos de la mo-
derna técnica teatral, incorporando de esta manera el
teatro del Perú a las nuevas corrientes escénicas que
dominan hoy en los países occidentales, permitiendo

el montaje en los escenarios de Lima de obras como
Nuestra ciudad, de Thornton Wilder, y _Un día de oc-
tubre_, de George Kaiser, cuyas dificultades técnicas
fueron superadas con una precisión y sentido teatral
tal que bastan ellas solas para acreditar a Guillermo
Ugarte, el veterano director de la Escuela de Arte Escénico y Compañía Nacional de Teatro, como un extraordinario _regisseur_ escénico, capaz de resolver con
éxito los más difíciles problemas.

Para dar mayor fuerza y tratar de consolidar esta
renaciente actividad teatral, uniendo los esfuerzos pro-
pios con los realizados por el resto de los países his-
panoamericanos, delegados peruanos asistieron a la
Conferencia Latinoamericana del Teatro que se celebró
en Santiago de Chile a primeros de enero de 1959. En
esta conferencia se estudiaron los problemas comunes
y se tomaron acuerdos que no tardarán en reflejarse,
de una manera positiva, en la marcha ascendente de los
espectáculos teatrales no solo del Perú, sino también
de las otras naciones sudamericanas que asistieron a
la reunión.

En el presente volumen se han reunido las obras
más representativas de los dramaturgos que forman la
nueva generación teatral peruana: Percy Gibson Parra,
Juan Ríos, Bernardo Roca Rey, Sebastián Salazar Bondy y Enrique Solari Swayne, de los que a continuación vamos a dar una pequeña nota informativa.

PERCY GIBSON PARRA

Nació Percy Gibson Parra el 6 de enero de 1908, en
Arequipa, localidad costera, siendo sus padres el poeta Percy Gibson y doña Mercedes Parra, hermana del
también poeta Juan Parra del Riego. El natural ambiente literario que se respiraba en su hogar y la vida libre
y aventurera de los marineros que él podía observar en
sus correrías de muchacho contribuyeron a formar la
personalidad de este dramaturgo, aficionándole a las

síntesis expresivas y a los símbolos universales en los que pretenderá encerrar más tarde su sentido recio y varonil de la vida.

De Arequipa se trasladará Gibson, muy joven aún, a Lima, donde inicia estudios de Letras en la Universidad Nacional Mayor de San Marcos, terminados los cuales en el año 1930 emprende el camino de Europa, donde reside hasta 1936, pasando tres años en España, en cuya Universidad de Madrid cursará estudios, y otros tres completando su formación en Francia e Inglaterra. Durante este viaje reunió datos para escribir tres libros de ensayos: *Motivos contemporáneos, Motivos ibéricos* y *Motivos peruanos,* que todavía permanecen inéditos. En ese tiempo planeó también el poema escénico *Esa luna que empieza,* que terminó y arregló a su regreso ambientándolo en la costa peruana, en un pequeño pueblo de pescadores parecido, en parte, al de Arequipa, donde había transcurrido su niñez. Presentada la obra al concurso de los Premios de la Cultura, instituidos por el Ministerio de Educación Pública, obtuvo el Premio Nacional de Teatro correspondiente a 1946.

Alternando su labor de creación literaria con el periodismo, dirigió Percy Gibson Parra, desde el año 1945, la página literaria de *La Prensa,* de Lima, diario en el que continúa colaborando como crítico cinematográfico. En 1935 fundó la revista *Trilce,* a la que supo dar, dentro de su carácter intelectual, un sentido ágil y dinámico que hace de ella una de las más leídas e interesantes publicaciones de su país.

Graduado en la Escuela Nacional de Bibliotecarios del Perú en 1945, ingresó al servicio de la Biblioteca Nacional de Lima, de la que es en la actualidad secretario general.

Esa luna que empieza, la obra de Gibson Parra incluida en este volumen, es un bello poema dramático en el que, a través de una serie de acertados simbolismos, se enfrenta el autor con los eternos problemas del hombre: el Amor, el Nacimiento, la Muerte. Los protagonistas, deliberadamente desindividualizados, no actúan movidos por conflictos circunstanciales, ni llega a plantearse entre ellos un clima verdaderamente dramático, sino que, más bien, se dejan arrastrar por su realidad íntima, adquiriendo de este modo la categoría de representaciones universales. Bruno, el marino, es simplemente el Hombre que va cambiando a medida que el tiempo transcurre y que nada puede replicar a la llamada de la Muerte, simbolizada en la figura del Tripulante. Alba, la mujer de Bruno, es la Madre, cuya misión consiste únicamente en asegurar el porvenir trayendo a la vida un hijo que venga a ocupar el lugar del padre, para que, de ese modo, la vida continúe. Hilacha, la Tejedora, personaje en el que se mezclan reminiscencias griegas y castizas evocaciones de Fernando de Rojas, tiene en sus manos la red inescrutable del Destino, al mismo tiempo que ejercita de una manera ingenua sus ardides de vieja celestina. En la figura del artista que el autor ha denominado simplemente «El», se esconde el misterio, lo desconocido que atrae a la mujer con una fuerza casi obsesiva, haciéndole olvidar toda clase de conveniencias e intereses. Dionisio, por último, enamorado de Aura, que le desdeña, y sin saber adivinar el amor sincero que Salina siente hacia él, parece simbolizar la fuerza a veces paradójica que rige las relaciones amorosas entre hombres y mujeres. Sin embargo, a pesar de su simbolismo, los protagonistas consiguen dar la impresión de seres concretos que se mueven en una atmósfera real y no en un mundo de vagas e imprecisas evocaciones, contribuyendo a acentuar este sentido de realidad la acertada ambientación de la obra y la presencia en escena de personajes secundarios que hablan de una manera natural y comentan entre sí sus problemas cotidianos, problemas idénticos a los que pudiera hoy plantearse un marino en cualquier puerto del Perú.

Obra profunda y de un intenso dramatismo en el fondo, _Esa luna que empieza_ no tiene, como ya hemos dicho, grandes preocupaciones argumentales. En ella todo es sencillo, la acción transcurre sin inútiles efectismos hasta su culminación con el nacimiento del Hijo, que, sin salir a escena, es quizá el principal protagonista del drama.

«En la obra de Gibson—ha escrito acertadamente Adolfo Westphalen en el diario *La Prensa*, de Lima (1)— no había lugar para nudos ni desenlaces trágicos, porque el propósito era precisamente mostrar una continuidad, un desenvolvimiento inagotable de pérdidas y renovaciones. De aquí también que no haya sucesos sorprendentes o inusitados ni personajes que se eleven de lo corriente: nada más que vida cotidiana, con sus goces, pesares, desencantos, ilusiones, las despedidas, los encuentros, los presagios, la ensoñación, el trabajo diario, los hijos, el amor, la muerte...»

Estrenada en el teatro Segura, de Lima, el 6 de agosto de 1946, *Esa luna que empieza* tuvo un éxito clamoroso, acreditando a Percy Gibson Parra como uno de los mejores dramaturgos del Perú.

JUAN RIOS

Nació Juan Ríos en Lima el 28 de septiembre de 1914. Viajero infatigable, ha recorrido no solo la mayor parte de los países sudamericanos, sino también Norteamérica y Europa. En Europa ha residido largas temporadas, especialmente en Inglaterra, Francia, Italia y España. Como representante de su país asistió al Primer Congreso Continental de la Cultura, celebrado en Santiago de Chile, siendo más tarde galardonado con seis Premios Nacionales, cuatro de teatro y dos de poesía. Los de teatro le fueron adjudicados: en 1946, por su poema escénico *Don Quijote*; en 1950, por la tragedia *Medea*; en 1952, por la leyenda incaica *Ayar Manko*, y en 1954, por su drama *Argos*. Los de poesía le correspondieron: en 1948, por *Cinco poemas de la agonía*, y en 1953, por *Cinco cantos al destino del hombre*. Re-

(1) *La Prensa* de 8 de septiembre de 1946.

cibió este último galardón a pesar de que, según el reglamento, el Premio de Poesía solo puede ser adjudicado una vez, salvo «en casos excepcionales de producciones tan importantes que lo justifiquen».

El teatro de Juan Ríos es, a pesar de su modernidad, algo aparte dentro del actual movimiento teatral del Perú. Ríos no nos presenta, como Bondy, la realidad desolada de la vida ni se recrea, como Gibson Parra, elaborando símbolos abstractos de indudable calidad poética: prefiere, más bien, buscar la realidad íntima del hombre a través del análisis de figuras literarias universales como Don Quijote, o de evocaciones históricas como la realizada en *Ayar Manko*. En *Don Quijote* sigue los principales episodios de la novela cervantina, apartándose de ella únicamente en el final, para afirmar de ese modo su fe en el porvenir y en el mejoramiento de la sociedad. En la obra de Ríos, como en la novela de Cervantes, cuando la realidad se impone y el noble hidalgo tiene que regresar vencido por el bachiller Sansón Carrasco a su escondido rincón de la Mancha, Don Quijote, desaparecido su impulso vital al desaparecer la ilusión que le ilumina, muere, pero sin desautorizar la razón de sus pasadas aventuras y sin pronunciar la frase triste y resignada de que «en los nidos de antaño no hay pájaros hogaño», sino, por el contrario, fiel todavía a su destino, apoyado en su lanza y musitando con frases entrecortadas la eterna letanía de su fe:

—Bienaventurados los que saben que un minuto de éxtasis
[justifica una vida.
—Bienaventurados los que se enamoran de la muerte sin pre-
[guntar de qué color tiene los ojos.
—Bienaventurados los que se van a pique dejando un bello
[remolino.
—Bienaventurados los que sueñan, porque de ellos será el reino
[de la muerte.
—Bienaventurados los que aman, porque ellos matarán la
[muerte.

De este modo la acción parece trasladarse espiritualmente a los tiempos actuales y las palabras de Don Quijote suenan como si fueran dirigidas a los hombres de hoy.

En *Ayar Manko* dramatiza Ríos una antigua leyenda incaica, consiguiendo un drama duro e intenso, en el que los personajes se mueven impulsados por un determinismo casi trágico: la ambición, «como la piedra que se despeña a la que es imposible detener», hace que los hechos terribles se encadenen y a las muertes vayan sucediéndose las muertes como en un absurdo juego sin objeto, planteado al desatarse las fuerzas del mal y apoderarse del corazón—siempre noble, a pesar de todo—, de Ayar Auka, «el cóndor convertido en serpiente», que al final morirá destruido por su propio fuego sin lograr comprender la íntima razón que le ha impulsado al mal, la última razón de sus actos y dudando casi de su propia realidad como ser:

«¿Existe acaso el demonio—se pregunta—; existimos nosotros? ¿O somos tan solo la siniestra fantasía de un demente, la alucinación de una bestia feroz que se divierte con sus sueños?»

Tras la muerte de Ayar Auka, su hermano Ayar Manko será el encargado de clarificar las aguas turbias de las pasiones y logrará con su ejemplo que se unan los antiguos enemigos para conseguir que sea una realidad la prometida esperanza de paz que el juego de violencias y ambiciones había estado a punto de desbaratar. Será el encargado de hacer marchar juntos a todos los hombres del país formando «un solo pueblo, un solo pueblo en paz sobre la tierra...»

Evocación histórica perfectamente conseguida, sin embargo, los personajes principales de la obra, como ocurría en *Don Quijote*, parecen hablar y reaccionar en algunos momentos con mentalidad de hombres de nuestra época. Sus problemas son casi los nuestros, y por eso sentimos más intensamente el drama que los envuelve. La obra alcanza de este modo dimensiones humanas y universales, en lugar de convertirse en una seca reconstrucción arqueológica.

Perfectamente construida, *Ayar Manko* sirve ella sola

para acreditar a Juan Ríos como un gran dramaturgo capaz de dominar todos los difíciles secretos de la técnica teatral. Magnífica, sobre todo, resulta la escena en que, tras la muerte de Ayar Kachi, parecen tomar cuerpo los terrores milenarios agazapados en el cerebro de los guerreros. Ríos ha sabido dar a este momento un ritmo casi musical, haciendo que los personajes se muevan como en un fantástico *ballet* que interpretase una danza sagrada, logrando de este modo crear en los espectadores la impresión de angustia y de misterio que se proponía.

Para la más justa ambientación de la obra se ha servido Ríos no solo de obras de los cronistas de Indias, sobre todo de la *Historia general y natural de Indias, Islas y Tierra Firme,* de Gonzalo Fernández de Oviedo; la *Historia de los Incas,* de Pedro Sarmiento de Gamboa, y los *Comentarios Reales de los Incas,* del Inca Garcilaso, sino también de la *Historia de América,* de Luis Alberto Sánchez, y las *Fábulas y ritos de los Incas,* de Cristóbal de Molina.

BERNARDO ROCA REY

Natural de Lima, donde nació el año 1918, Bernardo Roca cursó estudios superiores en la Universidad Católica del Perú, adquiriendo una sólida formación, que le permitió entrar muy pronto en el Ministerio de Relaciones Exteriores para desempeñar diversos cargos diplomáticos.

En el año 1943, la Asociación de Artistas Aficionados, dirigida por José María Linares Rivas, estrenó su obra *Brazo de plata,* en la que se advierten ya, de una manera definitiva, sus grandes dotes de dramaturgo. Más tarde se siente inclinado hacia el cinematógrafo, realizando en 1945 el *film* de largo metraje *La Lunareja,* una de las mejores películas que ha producido el cine hispanoamericano. Al año siguiente, deseando perfeccionarse en su nueva modalidad artística, visita Méjico y Hollywood, siguiendo en esta última ciudad unos cursos de cinematografía.

El mismo año 1946 escribe sobre un tema de Ricardo Palma la farsa *Las ovejas del alcalde*, estrenada en el teatro Municipal de Lima en 1948, bajo la dirección de Edmundo Barbero.

En 1947 asiste en París, como delegado del Perú, al Congreso Internacional de Filmología, aprovechando su paso por la capital de Francia para ampliar sus estudios cinematográficos en el Institut des Hautes Etudes Cinematographiques de París. En Francia escribe su oratorio *Un pueblo ha de nacer*, al que pone música el maestro Enrique Pinilla, y el drama *Loys*, que ganó el Premio Nacional de Teatro en 1949, siendo estrenado en el teatro Segura, de Lima, por la Compañía Nacional de Comedias durante la temporada de 1950. *Loys* ha sido traducido al francés y difundido en una versión radiofónica por las antenas de la Radiodifusión francesa.

Bernardo Roca es uno de los pocos autores peruanos cuyas obras son conocidas en España. *Las ovejas del alcalde* se representó durante la temporada 1948-49 en el teatro Arriaga, de Bilbao; en la Comedia, de Barcelona, y en el Español, de Madrid, obteniendo un gran éxito de público y crítica. *Loys* fue leído en el Instituto de Teatro de Barcelona en 1949, y más tarde, en 1956, en el Seminario de Literatura Hispanoamericana de la Universidad de la ciudad condal.

La muerte de Atahualpa, fue escrita en París en 1950, ganó el Premio Nacional de Teatro y se estrenó en 1957 en un escenario al aire libre montado en las ruinas preincaicas de Puruchuca, bajo la dirección de Ricardo Roca Rey.

La acción del drama transcurre en la trágica noche del 28 de agosto de 1533, en que Atahualpa esperaba la muerte entre los fríos muros de su prisión de Cajamarca. Durante casi toda la representación se escucha, a lo lejos, el redoblar de los tambores españoles, produciendo un efecto patético y obsesivo comparable al logrado con el continuo resonar del *tam-tam* africano en

El emperador Jones, de O'Neill. Al empezar la obra, junto al inca se encuentra Valverde, el dominico que le ha bautizado, quien se esfuerza con sus palabras en consolar al emperador y encaminar su espíritu hacia Cristo. Pero Atahualpa no comprende al misionero: son dos mundos, dos concepciones distintas de la vida las que están frente a frente, y de este modo el diálogo va convirtiéndose, poco a poco, en un doble monólogo.

—La muerte debe aterrorizarnos—dice Valverde—. Es el conocimiento de Dios, el fin último del hombre.

—Principio o fin, ¿qué más da?—responde Atahualpa—. ¿Sabes tú lo que eras antes de nacer? ¿En qué regiones de helados cristales o espesas tinieblas morabas? Pues la muerte, ¿no es acaso igual a ese «antes de nacer»?... Volvemos al principio, a la nada... Eso es todo.

Valverde intenta desesperadamente arrancar del cerebro del inca las ideas que a pesar de su abjuración siguen fijas todavía en él, y al no conseguirlo, como en un último recurso, le entrega una cruz, dejándole solo con sus temores y sus pensamientos. El ruido de los tambores se acentúa, Atahualpa invoca con rabia a los dioses del imperio que le han abandonado, pero nadie acude en su ayuda. La única respuesta a su oración parece ser el continuo redoblar que va haciéndose más intenso cada vez. Ninguno de sus fieles guerreros acude a su lado; el único que lo hace con ánimo de gozar morbosamente ante su agonía es Felipillo, el indio traidor que se ha vendido a los invasores y cuyas declaraciones han determinado, en parte, su condena. Felipillo hurga despiadadamente en el espíritu conturbado de Atahualpa y se complace en despertar los remordimientos en el corazón del inca:

—Porque no son los tambores de tu funeral los que te atormentan. ¿No es verdad?—le dice—. Es el ruido de las aguas del río Andamarca, teñido con la sangre fraterna, el que taladra tus oídos ahora. ¡Es el torrente que salta y se precipita sobre las rocas arrastrando el cadáver de tu hermano Huáscar!

Después, en una escena que recuerda en parte la desarrollada entre el Bufón y el Rey en el drama *Escorial*, del autor belga Michel de Ghelderode, Felipillo propone a su señor cambiar los papeles:

—¿Quieres que disipe tus remordimientos?—dice—. ¿Quieres que te divierta en esta última hora? ¡Juguemos! ¡Juguemos a cambiar nuestros pecados! ¡Dame a mí el llautu! ¡Toma mi casco de extranjero! ¡Ten mi traición! ¡Dame tu crimen!

Y entre los dos tiene lugar entonces un diálogo funambulesco, un trágico juego de acerbas y sangrantes ironías que es interrumpido por un clamoroso griterío de la multitud que casi parece dar la impresión de querer irrumpir en la prisión haciendo concebir al inca una última esperanza. Pero Felipillo sale a informarse y destruye despiadado esta ilusión de su señor:

—Ha llegado oro del Cuzco—explica sonriente—. Una caravana de hombres y de llamas cargados de oro. Nadie ha clamado por ti. Todo ha sido únicamente vivas al oro, a ese oro en que vienen descuartizados tus ídolos, aquellos que invocas en tu ayuda y que al mismo tiempo entregas en pedazos para evitar tu condena...

Ya no quedan esperanzas, lo irremediable debe cumplirse, Valverde aparece en la puerta del fondo con la cogulla puesta y el libro de los Evangelios en la mano, seguido de cuatro alabarderos. Ante la muerte, Atahualpa recupera toda su dignidad y se encamina hacia ella con paso firme y seguro... «Como un viejo tronco que cae rodeado de pájaros y viento...»

SEBASTIAN SALAZAR BONDY

Entre la nueva generación de autores peruanos, quizá sea Sebastián Salazar Bondy uno de los que más han contribuido a revalorizar el arte dramático en su país, llevando a él un aliento de inquietud y modernidad muy a tono con las nuevas tendencias del teatro en Europa, sobre todo del teatro francés, que Bondy conoce a la perfección por haber seguido varios cursos en el Conservatorio de Arte Dramático de París, bajo la dirección de figuras tan prestigiosas dentro del teatro galo como Jean Yovel y Jean Mayer.

Nació Salazar Bondy en Lima en el año 1924, y muy joven aún pasó a formar parte de la redacción de *La Prensa*, donde hizo sus primeras armas como escritor. Becado por el Gobierno francés marcha a París, donde, como ya hemos dicho, estudia unos cursos en el Conservatorio Nacional. A su regreso a Lima, lleno de ideas y de proyectos, inicia su labor teatral fundando El Club del Teatro de Lima, asociación que iba, muy pronto, a representar un papel preponderante en la renovación teatral del Perú. En 1947 es galardonado con el Premio Nacional de Teatro por su obra *Amor, gran laberinto*, premio que vuelve a obtener en 1951 por la titulada *Rodil*. Además de estas obras, es autor también de las piezas *Algo quiere morir*, *Como vienen se van*, *Todo queda en casa* y *No hay isla feliz*, estrenadas con éxito no solo en Lima, sino también en Buenos Aires, Quito y otras importantes ciudades sudamericanas. También deben tenerse en cuenta, dentro de su producción teatral, los juguetes en un acto: *Los novios*, *El de la valija*, *En el cielo no hay petróleo* y *Un cierto tic-tac*.

El teatro de Salazar Bondy sigue una línea ondulante, alternando en él las piezas de estructura y concepción casi trágica, como *No hay isla feliz*, con las farsas, un poco al estilo de Valle-Inclán, como *Amor, gran laberinto*, en la que los personajes, fantoches más que representaciones reales de hombres y mujeres, nos dan entre burlas y chirigotas, que se destacan sobre un fondo de humana ternura, una lección práctica de lo falso de la mayoría de los *intocables* principios que rigen la vida política y social. Obra de gran crudeza, está llena, no obstante, de gracia y sentido juvenil, que matizan la dureza de la sátira aguda y certera, en la que al final el amor es lo único que logra salvarse, para llegar a la conclusión, como se dice en una acertada frase del epílogo, de que lo esencial en la vida es tener y saber conservar siempre «un corazón grande y profundo». Por último, ocupando un lugar intermedio entre los dos grupos anteriores, se encuentran los juguetes en un acto que alcanzan algunas veces, como *En el cielo no hay petróleo*, dimensiones de obras definitivas.

No hay isla feliz, quizá la obra más representativa del modo de hacer teatro de Sebastián Salazar Bondy, fue estrenada en Lima por el Club de Teatro, bajo la dirección de Reynaldo D'Amore, el 29 de abril de 1954. Su acción densa y profunda, ajena casi por completo a pequeños problemas espectaculares, va presentándonos, paso a paso, la ruina espiritual de una familia que no logra escapar a la consumación de su adverso destino. En el fondo, *No hay isla feliz* es el drama de la frustración. Las esperanzas con que en el primer acto Daniel, el protagonista, se enfrenta con el porvenir seguro de sí mismo, satisfecho por la próxima llegada de un hijo y confiado en la transformación que hará sufrir al mísero pueblo en que vive la construcción de la carretera panamericana, van a deshacerse en el transcurso de los años fatal e inexorablemente, hasta que al final, huidos sus hijos del hogar y muerta su mujer, buscará él mismo en el aniquilamiento de su propia personalidad la solución del trágico dilema que la vida le ha planteado.

En la escena final Daniel se enfrenta con Ramón su antagonista, un borracho que en lugar de luchar se ha abandonado desde el principio a su aciago destino. El encuentro resulta impresionante; a través de él asistimos al derrumbamiento de las últimas resistencias morales del protagonista. «¿Debí dejar que la vida me aplastara como a un gusano?», pregunta Daniel. Y Ramón le responde inexorable: «Fuiste y eres un gusano; jamás quisiste aceptarlo, pero es así.» Y más adelante, cuando Daniel exclama melancólico: «Esta debió ser mi isla feliz», su antagonista le responde: «No hay isla feliz, Daniel; jamás la hubo ni la habrá.»

El sentido trágico de la obra llega en este momento

a su punto culminante. La figura de Daniel en la semi-
oscuridad de la escena va convirtiéndose lentamente en
«... un bulto, una sombra, nada...»

ENRIQUE SOLARI SWAYNE

De Enrique Solari Swayne, uno de los más jóvenes
valores de la actual generación de dramaturgos del Perú, son pocos los datos biográficos que podemos dar,
porque casi puede decirse que su biografía es ahora
cuando empieza a escribirse. Efectivamente, su fama
como dramaturgo arranca del éxito, casi apoteósico,
que obtuvo su drama *Collacocha* cuando a raíz de su
estreno en Lima fue presentado por la veterana Asociación de Artistas Aficionados el 8 de septiembre de 1958
en el Primer Festival de Teatro Panamericano, celebrado en la ciudad de Méjico, en cuyo teatro del Bosque
la obra de Solari se impuso de una manera rotunda,
acreditando a su autor como uno de los mejores dramaturgos de la América Hispana.

«El drama ha sido clasificado como el mejor de los
que se han presentado—dice el crítico Edmundo Barbero en un artículo publicado en *El Comercio*, de Lima,
el 24 de septiembre de 1958—. De la obra se ha dicho
—continúa—que además de los muchos valores que en-
cierra, entre ellos ser netamente americana, con un tema
solo posible en un país continental, es decir, en el Perú,
pero que como está tan bien planteado y resuelto y escrito con gran emoción humana tiene valor universal.
Toda la crítica ha estado unánime en el elogio y en
reconocer a Enrique Solari como un nuevo valor dramático continental...»

Y más adelante, refiriéndose al efecto producido en
el público, escribe: «Desde su comienzo interesó la obra
peruana; el interés y la emoción iban apoderándose del
auditorio, que al final se desbordó en entusiasmo. Los
bravos resonaban en la sala como nunca se habían escuchado en el país. Las conversaciones de los interme-

dios y del final solo trataban de la calidad de la pieza
y de su extraordinaria interpretación...»

Las palabras de Edmundo Barbero no constituyen
una alabanza hiperbólica, sino que son, por el contrario, un reflejo fiel de la realidad. El triunfo obtenido
por *Collacocha* en el Primer Festival Panamericano de
Teatro, en Méjico, fue un triunfo merecido, ya que,
efectivamente, se trata de un drama extraordinario
lleno de sustancia vital, en el que no tiene cabida ningún perturbador decadentismo. Su autor ha colocado la
acción en un escenario impresionante, una cabaña si-
tuada sobre un abismo de los Andes. «Arriba, una tirita
de cinta azul: el cielo. Abajo, una tenue serpentina
blanca: el río, y en medio dos paredes de piedra de
mil quinientos metros de altura...», y dominándolo
todo, la laguna de Collacocha como una amenaza constante. Allí es donde un grupo de hombres, sostenidos
por la titánica voluntad del ingeniero Echecopar, tra-
tan de vencer a la Naturaleza perforando la montaña
para abrir un paso que vaya «desde los bosques hasta
el mar». Es esta una empresa donde los débiles o los
egoístas fracasan. Para llevarla a cabo se necesita un
hombre que no piense que aquello es un negocio pla-
neado en Lima por una sociedad comercial, un hombre
convencido de que está contribuyendo no al éxito eco-
nómico de una inversión capitalista, sino a la futura
prosperidad de su país. Un carácter de hierro dispuesto a toda clase de sacrificios. Decidido a «asfaltar la
carretera con sus huesos y los de sus compañeros» si
fuera necesario. Un hombre convencido de que no hay
distancias en el mundo, y donde las hay los valientes
las salvan. Este hombre es el ingeniero Echecopar y
la justificación de sus actos serán los camiones que
una vez terminada la obra, después de la catástrofe
provocada por las aguas de la laguna, comienzan a pasar, iluminando la noche con sus faros, llevando la
vida y el progreso de uno a otro lado de la cordillera
andina.

Aunque algo declamatoria en algunos momentos, la

obra está perfectamente concebida y desarrollada, no desmereciendo junto a la grandeza moral del protagonista los otros personajes perfectamente caracterizados, como el egoísta Diego y Bentín el político, idealista, pero alejado de la realidad de su país, y el ingeniero Fernández, en el que parece proyectarse el entusiasmo de Echecopar asegurando de ese modo la continuación de la obra y, simbólicamente, la continuidad de la grandeza del Perú.

La intención que movió a Enrique Solari a escribir su drama *Collacocha* está claramente determinada en la dedicatoria que puso a su obra, y que por decisión suya debe figurar en los programas de mano cuando la obra sea representada:

«Dedico esta obra—dice—, en general, a todos los que están empeñados generosa, sana y vigorosamente en forjar un Perú más justo y más feliz. En forma especial la dedico a todos aquellos que están empeñados en la habilitación de nuestro suelo como morada del hombre. Porque, quizá, ellos también podrían decir, con el protagonista de la obra: "Estamos combatiendo la miseria humana y estamos construyendo la felicidad de los hombres del futuro".»

Collacocha fue estrenada en España en el teatro Goya, de Madrid, por el grupo Los Juglares, el 16 de marzo de 1959, bajo la dirección de Carlos Miguel Suárez Radillo.

JOSÉ HESSE MURGA.

PERCY GIBSON PARRA

ESA LUNA QUE EMPIEZA

POEMA ESCENICO EN TRES ACTOS

PERCY GIBSON PARRA

A
MI ESPOSA
Y MIS HIJOS

E^N atenuación de las fallas propias de toda obra primigenia, quisiéramos hacer notar dos cosas en la que aquí presentamos: la unidad del tema y la forma en que ha sido tratado.

Aunque en este poema escénico se esbozan tres problemas distintos—el Nacimiento, el Amor y la Muerte—, el asunto que los enlaza es uno solo: la vida del hombre, tema y trama de la pieza. Puede, pues, definírsele como una recapitulación breve de la vida en su elemental significado, en lo que podríamos llamar sus problemas iniciales.

En cuanto al tratamiento, ha obedecido al carácter del tema. Los personajes—ninguno de ellos central o principal—se limitan a vivir dramáticamente, bastaría decir que a vivir. No actúan acosados por conflictos circunstanciales que los arrojen a abruptos desenlaces, sino en su actitud de todos los días ante las grandes e irremisibles fuerzas que los mueven. Lo dramático no gravita en la exteriorización violenta, en la precipitación o crisis de los sentimientos puestos en juego en escena, sino en su latencia íntima.

«En la pieza de Gibson—ha escrito certeramente Emilio Adolfo Westphalen—no había lugar para nudos ni desenlaces trágicos, porque el propósito precisamente era mostrar una continuidad, un desenvolvimiento inagotable de pérdidas y renovaciones. De aquí también que no haya sucesos sorprendentes o inusitados ni personajes que se eleven de lo corriente: nada más que la vida cotidiana, con sus goces, pesares, desencantos, ilusiones, las despedidas, los encuentros, los presagios, la ensoñación, el trabajo diario, los hijos, el amor, la muerte» (1).

---

(1) *La Prensa* de 8 de septiembre de 1946.

El paisaje ante el cual se desarrolla la acción es esencialmente simbólico. El ascenso y descenso de las mareas, el crecer y menguar de la luna, «espejo de cuanto en el mundo nace y muere», representan las alternativas de la vida en su eterna influencia. Simbólicos también son los personajes, simples puntos de vista de lo humano. El marino es el hombre, que vive, que cambia, que un día se hace a la muerte con el inexorable Tripulante. Su mujer es una promesa de vida en las entrañas. La tejedora Hilacha—soledad, fatalismo, embrujo, como todas las viejas—muestra en sus manos la red impalpable del Destino, con el cual se confunde. Dionisio y El, contrastan dos primordiales modos de ver el mundo: el social y el estético, y dos modos de amar a sus criaturas: el vital y el intelectual. Los demás personajes, hombres y mujeres, no son más que esas criaturas; no hacen más que vivir.

PERSONAJES

BRUNO, marino (40 años).
ALBA, su mujer (28 años).
DIONISIO, hermano de Alba (25 años).
HILACHA, criada (70 años).
VIEJO.
MUCHACHO 1.º
MUCHACHO 2.º
ANGEL.   } Pescadores.
MODESTO.
PASCUAL.
AURA (23 años).
SALINA (20 años). } Hijas de Angel.
EL, artista (45 años).
MÉDICO

FIGURAS (1)

TRIPULANTE (La Muerte).
PESCADOR (Angel).
TEJEDORA DE REDES (Hilacha).
TRITÓN (Dionisio).
ONDINA 1.ª (Aura).
ONDINA 2.ª (Salina).
NÁUFRAGO.

INDUMENTARIA

BRUNO: Vestido, y gorra de color azul marino.
ALBA: Traje tipo blusón, en tono marfil. Chal negro.
DIONISIO: Blusa blanca. Pantalón de franela gris. Faja verde.
HILACHA: Traje gris. Mantón negro sobre la cabeza cana.
VIEJO: Chaqueta granate. Pantalón arremangado, en tono gris.
MUCHACHOS 1.º y 2.º: Blusas de tonos salmón y verde pálido.
ANGEL, MODESTO y PASCUAL: Camisetas en tono gris, azul pastel y
   rojo ladrillo. Pantalones y alpargatas de colores afines.

---

(1) Como se indica entre paréntesis, algunos de los personajes juegan
papel simbólico de *Figuras* en la escena final del primer acto.

AURA: Blusa blanca descotada y bordada sobre los hombros y falda negra, al estilo de las «chinas» del norte del Perú. Pañolón sobre la cabeza peinada en trenzas.

SALINA: Blusa blanca, cerrada al cuello. Falda de tono azul grisáceo. Toca análoga a la de Aura.

EL: Mundana *toilette* de *sport,* como para salir de pesca.

TRIPULANTE: Casaca, pantalones y gorra negros. Altas botas de hule del mismo color. Camiseta de color amarillo oro. (En este personaje debe contrastar la atlética prestancia con la intensa palidez del rostro.)

PESCADOR: Blusa y pantalones arremangados, en tono marrón.

TEJEDORA DE REDES: Sayal color arena. Manta de seda u otro material brillante, de color plomizo.

TRITÓN: Torso desnudo. El cabello ensortijado, adornado con coral. Pantalones ceñidos hasta los pies, de color verde musgo (opaco).

ONDINAS: Trajes muy livianos a la altura de los muslos, en tonos coral y verdemar. Pies desnudos. Cabelleras simulando algas.

NÁUFRAGO: Blusa celeste, con una gran ancla de color gris sobre el pecho. Pantalones en azul o negro.

ACTO PRIMERO

Una playa cualquiera. Al fondo, el mar. En lo alto, un filo de luna. Hacia la derecha, en esquina, la casa del marino. Haciendo ángulo con la fachada, una red colgada de una pértiga. Al lado opuesto, rocas. Es el oscuro crepúsculo de un anochecer de invierno. Al alzarse el telón se verá en el centro de la escena al VIEJO pescador curvado sobre la playa, recogiendo los despojos del mar y echándolos dentro de un cesto. Se escuchará al mismo tiempo, a lo lejos y cada vez más cerca, la canción de los MUCHACHOS, que, abrazados, pasarán bordeando el mar, sin reparar en el anciano.

MUCHACHOS 1.º y 2.º

¡No hay quien puedaaa,
no hay quien puedaaa
con la gente marineraaa!
¡No hay quien puedaaa,
con la gente marineraaa,
marineraaa, pescadoraaa,
no hay quien puedaaa
por ahoraaa!
Si te quieres casar
con las mozas de aquí,
te tendrás que buscar
un empleo en Junín.
No hay quien puedaaa,
no hay quien puedaaa
con la gente marineraaa, etc. (1).

(El VIEJO, *sonriendo, se erguirá y contemplará a los* MUCHACHOS *hasta que desaparezcan. Cogerá luego su cesto y, lentamente, saldrá por el lado opuesto.*

---

(1) Canción popular, recogida con leves modificaciones, en Galicia.

De su casa, seguido por ALBA, *saldrá* BRU-
NO *y colocará sobre una roca la lámpara
que llevará en la mano.)*

BRUNO

(Ai salir.) No. No debes acompañarme hasta el puerto.

ALBA

Son apenas unos pasos.

BRUNO

Pero ahora debes cuidarte. Tienes que evitar fatigas
y... emociones.

ALBA

Se ve tan cerca la luz del barco... *(Otea el horizonte
hacia la izquierda.)*

BRUNO

*(Después de hacer con la lámpara señales hacia el
mar.)* Nadie. Todos están en la la pesca. Angel, o Modesto, o Pascual hubieran podido llevarnos hasta bordo y
traerte a ti a casa. Pero, sí, volverías sola y ya sin luz.
Recuerda que te desmayaste el otro día.

ALBA

(Resignada.) Desde aquí te veré zarpar.

BRUNO

Y tranquila... Como siempre que me he embar-
cado.

ALBA

Tú te vas como siempre, ya lo sé. Yo me quedo
tranquila. Solamente que... siento como si el mar que
se mueve ante mí, se moviera ahora más y se llevara
muy lejos todo lo que se lleva. Ya lo único inmóvil me
parece esta casa.

BRUNO

El mar está en calma. *(Pausa.)*

ALBA

Quise quedarme en este puerto para estar cerca de ti, como se está cerca de los niños que juegan en el patio. Pero el mar no es el patio. ¡El mar es el mar!

BRUNO

Comprendo ese sentir. Este no es un viaje como todos, naturalmente. *(Fingiendo optimismo.)* Ahora me impulsa un nuevo estímulo, una ilusión más: ¡tendremos un hijo! ¿No estás contenta como yo?

ALBA

(Sonríe en silencio y mira a la luna con tristeza.) ¿Sabes? Se me ha ocurrido que esa luna que empieza va a ser como mi espejo. Así como crece la luz en ella, crecerá, cuando estés ausente, la presencia de nuestro hijo. El viene y tú te vas. Y a los dos he de esperar.

BRUNO

A través de las nubes, esa luna acompañará a mi barco. Y en ella estaré viéndote, a ti, y a él. *(Se escucha a lo lejos la sirena del buque.)*

ALBA

Ya estoy sola...

BRUNO

El está ya contigo; te acompaña. Es lo mejor que puedo dejarte de mí mismo. *(La besa con ternura.)* Además, pronto llegará aquí tu hermano. El barco en que viene, se cruza con el mío. Sus vacaciones son largas y las pasará a tu lado. Eso me consuela porque sé que te consolará a ti.

ALBA

Solo estaré contenta cuando vuelva a escuchar esa sirena.

BRUNO

Y entre tanto, aguarda con cuidado al que viene navegando por tu sangre, a ese que tú y yo esperamos.

ALBA

Quizá tú no veas su llegada. *(Le toma las manos con ansiedad.)* Y yo misma. Bruno, ¿puedo estar segura de tenerlo algún día entre mis brazos?

BRUNO

(Señalando a luna.) Ahí está tu espejo. Y te será fiel.

ALBA

(Reflexiva.) Las mujeres le obedecemos, como siervas. Así como levanta las mareas, gobierna nuestra sangre. Bajo su fulgor se agitaba la mía cuando aún no te conocía, cuando solo te adivinaba, esperándote, deseándote. Y ahora vuelve a latir con estos latidos nuevos.

BRUNO

Si yo no estoy aquí, un niño..., o una niña..., me verá volver, desde tus brazos.

ALBA

¡Dios ha de querer que sea un hombre, un hombre libre como un barco!... Las mujeres no tenemos sino nuestro dolor.

BRUNO

Por fortuna, el doctor asegura que todo se presenta bien.

ALBA

Sí. Cada vez que me ve, me abre los párpados y me mira la sangre. Lo mismo que a los peces cuando se les mira entre las escamas para ver si están nuevos. Para él, todo es muy sencillo. *(Imitando al médico.)* «No hacer esto, no hacer aquello. No sacar lustre a mis vidrios ni fregar mis pisos, no coser demasiado ni estar mucho en la cocina.» ¡Casi no vivir! Pero yo no podría estarme quieta. ¡Ahora menos que nunca! No sé dónde se me iría la mente si no tuviera las manos ocupadas.

BRUNO

Todo sea por un hijo, Alba.

ALBA

(Después de pensar.) Hilacha dice que los hijos vienen como se van, sin que ni ciencia ni voluntad de nadie intervengan en ello...

BRUNO

¡Alba! A veces me asombra cómo este ambiente puede influir en tu ánimo. Estás aquí por tu gusto, porque quisiste prolongar por años lo que solo era unos meses de nuestra luna de miel. Y yo consentí. Pero nuestras vidas no están atadas a estas orillas, como las de estas gentes. Ni siquiera al mar. Mi barco lo surca indiferente, lleno de luces, tan seguro como un edificio en la ciudad. ¿Qué de común puede haber entre ti y una mísera vieja que no ha hecho sino remendar redes al umbral de su puerta, y que ahora le llora sus hijos a la luna, o al mar que los volcó?

ALBA

Su sombra me acompaña, y me gusta escucharla...

BRUNO

¡Ella está aquí para servirte y aliviar tus quehaceres, no para obsesionarte con sus agorerías y sus lamentos!

ALBA

Me distrae su charla. La otra noche me enseñó cómo se hacía para saber cuando las primerizas van a tener un varón o una mujer.

BRUNO

¿Sí?

ALBA

Me cruzó las manos detrás de la espalda, y luego me las hizo extender hacia delante. Las palmas hacia abajo significan mujer; hacia arriba, hombre. Pero tiene que ser cuando la marea esté alta y la luna naciendo... ¡Como ahora!...

BRUNO

(Sarcástico.) ¡Soberbio! Hay médicos y hay ciencia, pero se tiene más fe en cualquier bruja del pueblo. ¡Bueno!...

ALBA

Pero si eso lo sabe todo el mundo...

BRUNO

Menos los médicos, ¿verdad?

ALBA

(Conciliadora.) Bruno... Te preocupan más que a mí misma las historias de Hilacha. Pobre soñadora de recuerdos. De algo tiene que hablar cuando no teje sus redes, y con alguien tengo que hablar yo cuando estoy sola...

BRUNO

¡Es que sus augurios llegan a sugestionarte!

ALBA

Cuando son buenos, quisiera que fueran ciertos. ¿Por qué no?

BRUNO

Debieras prestarle menos oídos. *(Se palpa los bolsillos.)*

ALBA

¿Te falta algo?

BRUNO

He dejado el tabaco.

ALBA

Voy a buscarlo. *(Se dirige a la casa.)*

BRUNO

Queda poco tiempo, Alba.

ALBA

No tardo. *(Entra.* BRUNO *se pasea tristemente ante el mar. Mira hoscamente a la luna. Toma la lámpara y se aproxima a la orilla, tratando de avizorar algo a lo lejos. Vuelve a dejarla. A espaldas suyas cruza lentamente la escena el* VIEJO *pescador con un remo al hombro.)*

VIEJO

Buenas noches, capitán.

BRUNO

(Abstraído.) Buenas noches... ¡Eh! ¿Vas a hacerte a la mar?

VIEJO

Tiempo hace que me despedí del agua salada, capitán.

BRUNO

Es verdad, hombre... Perdona, no te había reconocido.

VIEJO

Será que voy a morirme.

BRUNO

(Confuso.) ¿Morirme? ¿Morirte? No hay que pensar en eso. Aún queda mucho por delante.

VIEJO

El descanso, nada más. Bueno..., y los hijos, y los nietos, que llevan mis redes mar adentro... Eso es lo que hace falta, capitán. ¡Hijos, muchos hijos! ¡Y nietos! *(Lastimero.)* Aunque ahora se los roba a uno la ciudad... Eso es: ¡la ciudad se los lleva más que el mar!

BRUNO

Que Dios conserve a los tuyos.

VIEJO

Gracias, capitán. Y que Dios le oiga. Buen viaje, capitán. (*Sale canturreando la vieja canción marina.*) No hay quien puedaaa, no hay quien puedaaa con la gente marinera, etc. (*De pronto, se oye un rumor de mar embravecido. Lúgubre, silencioso, aparece por la izquierda el* TRIPULANTE. *Avanza hieráticamente entre ráfagas de viento, se queda estático y triste a pocos pasos del marino y le habla sin mirarlo.*)

TRIPULANTE

El último cajón a bordo, capitán.

BRUNO

(*Sin volver el rostro, monologando confusamente.*) ¿Pasó ya el guardacostas?

TRIPULANTE

Nadie vela en el mar.

BRUNO

¿Se ha estibado la carga?

TRIPULANTE

Como difunto en su ataúd.

BRUNO

(*Exasperado.*) ¡Basta! Que arreglen mi cabina. Tengo que trabajar.

TRIPULANTE

Todo está listo para partir.

BRUNO

(*Angustiosamente.*) Ya voy...

TRIPULANTE

El puente lo aguarda, capitán. (*Sale con lentitud solemne, mientras arrecia el viento. Antes de desaparecer, se detiene ante las rocas y señala con el índice la leja-*

*nía de un camino infinito. El marino se cubre los ojos
con las manos.)*

ALBA

(Saliendo de la casa.) ¿Estás mal?

BRUNO

No...

ALBA

¿Qué tienes?

BRUNO

Nada. No es nada, Alba. Estoy perfectamente.

ALBA

Aquí está. *(Le entrega una bolsa de tabaco y una pipa
que él llena y se pone en la boca. ALBA se la enciende y
le rodea el cuello con los brazos.)* Bruno... ¿tú me quieres como antes? *(BRUNO, entre serio y risueño, hace un
movimiento negativo con la cabeza.)* ¿Menos? *(BRUNO
contesta con el mismo movimiento.)* ¿Más? *(La misma
respuesta.)* ¿No me quieres, entonces?

BRUNO

(Después de una pausa.) Te quiero de otro modo,
Alba. ¿Comprendes? Sin inquietud. Con calma. Como
quiero a todo lo mío, lo que pertenece a mi vida: mi
barco, el mar en que navego, el puerto en que descanso...,
el hijo que vas a darme.

ALBA

(Cavilosa.) No sé por qué, ahora que te vas, siento
lo mismo que cuando te conocí y me hablabas de tus
cosas pasadas... Pero recién comprendo lo que entonces me decías de tu soledad, de tus recuerdos... Y ahora veo claras a esas mujeres olvidadas que a veces despertaban en tu voz de marino. Mujeres de otras orillas
y otras ventanas, en las que me veo a mí misma; y
me siento como ellas, ya lejana.

BRUNO

¿Lejana? No te entiendo.

ALBA

Ahora te preocupa el porvenir, solo el porvenir. Antes, cuando conversábamos, eras celoso de todo lo mío, hasta de mi vida anterior. Parecías sufrir de no haber vivido siempre a mi lado, vigilándome.

BRUNO

A ti te ha sucedido lo contrario. Tan solo acariciabas lo que teníamos por delante, no lo que en ese momento vivíamos los dos... Ahora vuelves los ojos a lo que ya pasó... Pero todo eso es natural.

ALBA

(*Reflexiva.*) Nos ha pasado lo contrario. Debe ser siempre así... Llegaste a mí con ansia, casi con furia de ola, y te sosegaste después, como en la arena. Yo llegué a ti más lentamente, sí, más lentamente. Pero algo dentro de mí ha ido creciendo, sin prisa, pero creciendo y creciendo. Como la marea que ahora quiere alcanzar a esas rocas tan altas.

BRUNO

Y ya lo ves. Ni tú ni yo hemos dejado de querernos.

ALBA

(*Recordando.*) Nunca te pregunté por qué me hablabas de las otras mujeres. Me dolía cuando lo hacías. Pero solo pensaba en mí, en que me pertenecías. Y con eso era feliz. Nada me importaban ellas.

BRUNO

Yo las evocaba con amargura, no con deleite, créeme. Pero hablándote de ellas, hiriéndote, me parecía que te purificaba de sus perfidias y te hacía más mía. Tú no me prestabas casi oídos... ¡No sé por qué vuelves ahora a esas cosas!

ALBA

Veo a esas mujeres como si las conociera, como si estuviera a su lado, lejos, lejos.

BRUNO

Ellas estaban lejos, aun estando en mis brazos. Cualquier mujer agita la sangre de un hombre, sin asomarse siquiera a su corazón. Tú llegaste a lo más hondo del mío de otro modo, por un camino que yo no conocía: por la ternura. *(Con emocionada sinceridad.)* Alba... Hay algo que no olvido, que no olvidaré nunca, puedes estar segura. Queriéndote, me descubrí a mí mismo; supe que tenía el corazón... de agua. Y solo tú lo has visto manar libremente por mis ojos. *(Se oye nuevamente el gemido de la sirena.)* Es tarde. El agua cubre ya las rocas altas. Me voy con la última marea.

ALBA

Esta arena, sin ti, estará más sola; será más arena.

BRUNO

(Besándola.) Debes vivir ahora para él. *(Alude al hijo por nacer.)*

ALBA

Esperándote. Todos los días pondré el oído en el mar. Vigilaré el aire. Seguiré el paso de las nubes. Estaré atenta hasta que llegues. *(Se besan.* BRUNO *sale por el lado opuesto a su casa.* ALBA, *con la lámpara a sus pies, permanece ante el mar. Al son de una melodía musical surgirán en primer término, como emergiendo de la arena, las figuras de la* TEJEDORA *y el* PESCADOR *que se sentarán frente a frente, la primera en las gradas de la casa; la segunda, al cobijo de las rocas. Tras una de estas, se erguirá y volverá a ocultarse el* TRITÓN, *cada vez que intervenga. Las* ONDINAS, *a su turno, cruzarán alternativamente la escena con alado movimiento de danza. Como quien vuelve desde el fondo del mar, aparecerá tras la red la figura del* NÁUFRAGO. *Todas las figuras deben monologar, ignorándose unas a otras.)*

PESCADOR

El hombre se hace a la mar.
El hombre se hace a la bruma.

TEJEDORA

La mujer queda en la orilla,
como las dunas.

PESCADOR

En su soledad, arena.
En sus desvelos, espuma.

TEJEDORA

Y a tientas, nadando, un niño
turbio en la luna.

TRITON

¡La luna, la luna crece!
¡La luna florecerá
como su vientre!

ONDINA 1.ª

Dolor de luna cerrada
habrá en la luna de marzo.

ONDINA 2.ª

El hombre que dijo adiós
puso un hijo en su regazo.

PESCADOR

¡Ah el mar, desoladas olas!
La luna sola.

TRITON

¡El agua quiere besarla
con labios de olas!

TEJEDORA

Hijos yo tuve y esposo.
¿Dónde están?
Tras ellos cerró sus puertas
el mar.

PESCADOR

No volverán.

TEJEDORA

Amé, amé, y soy isla
sin amor.
Ayer fui tierra de hijos:
hoy tierra de muertos soy.

PESCADOR

Amor...

TEJEDORA

Entre la muerte y la arena
agua.
Y la muerte en la marea.
Y la muerte en la resaca.

TRITON

Tengo el mundo en los sentidos.
El mar, la espuma y el viento
desnudos. Sin pensamiento,
no soy sino ojos y oídos.
Siento en el mar lo profundo.
En el aire el vuelo siento.
El mar, la espuma y el viento
tienen el color del mundo.

PESCADOR

(Dormitando.)

La mujer sueña en la tierra.
El hombre canta en el mar.

TEJEDORA

Entre la mujer y el hombre
las olas vienen y van.

NAUFRAGO

En mi barco vibran cuerdas.
En mi barco vibran jarcias

que acompañan mi cantar
como marinas guitarras.

ONDINA 1.ª

A las orillas del mar
ella escucha sus palabras.

ONDINA 2.ª

A las orillas del mar
vienen las gaviotas blancas.

NAUFRAGO

A través del agua oscura
busco su cara.
¡Ah, si supiera volver
a la puerta de mi casa!

ONDINA 1.ª

Veleros, abrid, veleros
vuestras velas en el alba.

ONDINA 2.ª

Para que descienda el niño
que en la tibia luna vaga.

NAUFRAGO

Ya no es mío mi cantar,
ya es de las olas amargas.
Ya su rostro se ha perdido
en las tinieblas del agua.

(ALBA *se lleva las manos a los ojos.*)

PESCADOR

¡Ah el mar subiendo, subiendo
con un muerto en las espaldas!

TEJEDORA

¡Ah el mar ocultando muertos,
como peces, como algas!

NAUFRAGO

Ya mi sueño es transparencia,
limpio fondo, ausente agua,
marina fronda sin luz
para la muerte del nácar.

(Desaparece.)

TRITON

Y olvida estrellas de mar
dormidas sobre sus pechos,
y el caracol de su ombligo
y el musgo azul de su cuerpo.

ONDINA 1.ª

Dadle, arena, vuestro espejo.
Dadle, espuma, vuestro ajuar.

ONDINA 2.ª

Dadle, luna, un tierno fruto.
Dadle a su amor, fiero mar.

ONDINA 1.ª

Y dadle de los jardines
del coral...

TRITON

¡La más encendida flor
del mar!

(Pausa.)

TEJEDORA

Pero ella es de sal. Y sueña.
Y escucha cosas del agua
que solo entiende la arena
con sus oídos de nácar.

PESCADOR

La mujer sueña en la tierra.
El hombre canta en el mar.

(Se queda dormido.)

TEJEDORA

Entre la mujer y el hombre
las olas vienen y van.

*(Se ocultan las figuras. Como disipando
un sueño, ALBA se pasa una mano por la
frente. Recoge la lámpara y hace señales
hacia el mar. Luego se dirige a su casa y entra lentamente. Cesa la melodía.)*

TELON LENTO

ACTO SEGUNDO

Amplia sala de paredes azuladas, que sirven al mismo tiempo de recibo y comedor, en la casa de Bruno. Puerta y ancha ventana de maderas cerradizas en el foro, hacia la playa. La ventana, a fin de facilitar la acción que en gran parte se desarrolla ante ella, se abrirá en un lienzo de pared entrante, mientras que la puerta estará al fondo derecha. Puertas laterales: hacia el dormitorio de Alba la de la derecha, y hacia las restantes habitaciones la de la izquierda. Sobre una cómoda o aparador próximo a la ventana, un velero de adorno. Mesa y sillas de estilo rústico. La tarde está nublada y se oye el gemir del viento.

Al levantarse el telón, ALBA, de pie, acariciará el velero, mirando vagamente a través del vano, mientras DIONISIO, sentado cerca de la mesa, rasgueará con indiferencia una guitarra.

DIONISIO

(Después de mirar a su hermana.) Como si fuera la primera vez que se hace a la mar... Parece que yo no hubiera llegado... Parece que no fuera a nacer tu hijo.

ALBA

(Siempre acariciando el velero.) Nunca lo sentí tan lejos. Por eso pienso en él. Es como si estuviera remando en mi recuerdo.

DIONISIO

(Como saliendo de un pensamiento que le acosa.) ¿Quién?

ALBA

(Con ligera sorpresa.) El: Bruno.

DIONISIO

Creí que el niño. *(Sonríe.)*

ALBA

Siento a Bruno más lejos, mucho más lejos que a mi hijo.

DIONISIO

No es la primera vez que se embarca.

ALBA

No. Esa es su vida. *(Se acerca.)* Y yo nunca tuve miedo de perderlo en el mar, ni lo tengo ahora. Cuando él estaba a mi lado, ni siquiera pensaba en estas cosas. Mi hijo era como un poco de mi sangre fluyendo tranquila por mi cuerpo, como un latido más... Pero ahora, todo ha cambiado, hasta el mar que me rodea. De noche, cuando duermo, me asaltan unas olas inmensas, como montañas nevadas por la espuma. Y yo, sola, inmóvil, soy como una isla de algas desgarradas.

DIONISIO

La vida del mar.

ALBA

No. La vida, nada más. *(Se sienta a un lado de la mesa.)* Comprendo ahora por qué pensaban tanto en ella nuestros padres, ansiosos de vernos crecer y ser felices. Mientras nada sucede, tiene una la impresión de que la vida no cambia y nunca acaba, y que los que viven a nuestro alrededor son también eternos. Hasta que un hecho cualquiera, la separación de un ser querido, o algo tan natural como la muerte misma, que ocurre todos los días, nos causa una tremenda sorpresa y nos saca del engaño.

DIONISIO

No sé por qué hablas así.

ALBA

Es lo que pienso. Ahora que voy a ser madre, me parece que mi vida recién comienza. Y tengo la angustia que debe sentir el que ha sembrado y no sabe lo que va a cosechar.

DIONISIO

(Con ironía.) Ya puedes decir que hay alguien que no existe para ti: este hermano tuyo que vuelve y no

encuentra lo que buscaba, que siente extraña su playa y ajena su casa.

ALBA

No digas eso. *(Le acaricia los hombros.)* Yo no tendría ánimo si no estuvieras tú aquí. Y todos no han hecho sino preguntarme en estos días cuándo ibas a llegar. Bien sabes que cuando terminan tus estudios allá en la ciudad, te esperan aquí ansiosos de que les enseñes, los instruyas. Angel, Modesto, Pascual, todos te extrañan siempre. ¡Ah!... Y las muchachas. ¡Aura, por supuesto! ¡Qué tonta soy! Eso es lo que querías que te dijera, ¿no es cierto?

DIONISIO

No había pensado en ello.

ALBA

(Zalamera.) Mentiroso. ¿Por qué lo ocultas?

DIONISIO

¿La has visto?

ALBA

No... No ha estado aquí últimamente... Su hermana, sí. ¿No te has visto con Aura todavía?

DIONISIO

No. *(Pausa.)*

ALBA

Bruno se alarma de verme tan apegada a este ambiente. Qué pensaría de ti, que te has enamorado de una muchacha del mar. Yo misma no creí que llegara a importarte tanto. Debe ser tu amor a la Naturaleza, a la vida. Porque eso es ella: naturaleza, vida. Esa es su hermosura. Salina es todo lo contrario, una delicadeza de alma, que me extraña en un sitio como este. *(A* SALINA *y* AURA, *que aparecen en la puerta del foro.)* Ahí están. (DIONISIO *disimula mal su emoción ante la última.)*

SALINA

¿Dionisio aquí? ¡Qué bueno! *(Le estrecha la mano.)*

AURA

(Casi con frialdad.) ¿Cómo has llegado?

DIONISIO

(En el mismo tono). Como siempre... Gracias...
(Silencio embarazoso entre los dos.)

SALINA

(A ALBA, entregándole una chaqueta tejida.) Esto es
para el niño.

ALBA

¡Qué primor! ¿Lo hiciste tú?

SALINA

*(Señalando a su hermana, que se muestra desazona-
da ante la mirada de DIONISIO.)* Y Aura. Las dos hemos
tejido.

ALBA

Gracias. *(Las besa.)* Gracias a las dos. Y qué lindo
punto. ¿Es de mariposa?

AURA

No; este es de onda... *(Mira fugazmente a DIONISIO,
quien se desvía hacia ia ventana y se pone a examinar
el velero.)*

SALINA

El que te enseñaba el otro día. ¿Y has aprendido
los otros?

ALBA

Solo el llano y el de arroz. Los demás se me confunden.

SALINA

Pero si es muy fácil. Mira. Para el de garbanzo, se
hace una «carrera» al revés. *(Simula tejer.)*

ALBA

(Imitándola.) Una carrera al revés...

SALINA

En la segunda carrera, se sacan tres puntos juntos...

ALBA

Tres puntos juntos...

SALINA

De un punto se sacan tres lazadas...

ALBA

¡Válgame Dios! Ya me lo enseñarás con más calma. *(Ríen las tres.)* ¿Quieren ver el ajuar? La caja está casi llena...

AURA

(Aprovechando la ocasión de eludir a DIONISIO.) ¡Sí! ¡Sí! Enséñanos todo lo que tienes. (ALBA *toma a las muchachas de las manos para conducirlas a su alcoba, pero en el trayecto* DIONISIO *detiene a* AURA. *Salen* ALBA *y* SALINA.)

DIONISIO

(Después de una pausa.) Aura... Llegué hace tres días...

AURA

(Confusa.) Pero... no fuiste a verme... Nunca haces nada por saber de mí.

DIONISIO

Siempre me has esperado.

AURA

Quería terminar la chaqueta para el niño...

DIONISIO

Y eso es lo que te ha traído, no yo.

AURA

Pero, Dionisio, ¿es que no podemos vernos sino cuando yo te aguardo o vengo a buscarte?

DIONISIO

No sé; pero yo soy siempre el mismo, y tú... has cambiado. Ahora lo veo. Has cambiado. ¿Por qué? *(Se acerca. Ella se aparta.)*

AURA

(Exasperada.) «¡Por qué!» «¡Por qué!» ¡Ah, las preguntas! ¿Es que al hombre no le interesa sino lo que hicimos o lo que no hicimos, lo que nos pasó o no nos pasó? ¿Solo nuestro pasado?

DIONISIO

Y a ti, Aura..., ¡a ustedes!..., ¿les importa esto que somos?... Ya sé que nunca viste a través de mí sino el mañana: lo que podría ser... Pero ahora... ni siquiera eso... *(La toma rudamente por los brazos.)* Pero vas a hablarme, ¿sabes? ¡Vas a hablarme! *(Entran* ALBA *y* SA-LINA. DIONISIO, *violento, se dirige a su habitación.* ALBA *hace a las muchachas un gesto inquisitivo y sale tras su hermano.)*

SALINA

(En voz baja.) ¿Sabe algo?

AURA

(Tapándole la boca.) ¡No! *(Con despecho y mirando hacia la puerta por donde salió* DIONISIO.*)* ¡Ni lo sabrá!

SALINA

Lo adivinará. No podrás ocultárselo.

AURA

(Con dulzura.) Pero es que yo misma no lo creo, Salina; me parece un sueño... El de la casa de piedra...

SALINA

Pero... ¿Qué vas a hacer? Ese hombre volverá a buscarte y...

AURA

(En el mismo tono.) Volverá a buscarme, sí. Volverá a buscarme... Vendrá como esa tarde, remando...

SALINA

Es una locura. Esa casa, en su islote solitario, siempre fue un mundo aparte ante esta playa. ¡La casa de piedra! Siempre la vimos lejos, como en la niebla de un sueño. Y no podría ser nunca para ti sino eso: un sueño irrealizable. Su dueño es digno de ella: un hombre que señorea el mundo y sus criaturas a su sabor y albedrío... ¿Te besó sin decirte nada?

AURA

Ya te lo he dicho. Yo estaba sola en la playa, allá en la boca del río. Y él remaba como siempre, lejos. Pero se fue acercando y varó en la caleta. Lentamente, vino derecho hacia mí. No es tan joven como creíamos. Tiene los ojos grises, tristes, y me miró un momento. Acarició mi cabello y luego me besó profundamente. No podría explicarte lo que sentí... Y me quedé como clavada en la arena.

SALINA

¿No tuviste miedo?

AURA

No.

SALINA

¿Qué hiciste?

AURA

Quise decir algo, pero él me puso los dedos en los labios. «El amor debe comenzar así —murmuró—; debe comenzar por donde acaba: por el silencio. Ese es su lenguaje. No lo estropeemos con palabras, con razones...» *(Pausa.)* Y debe ser cierto, Salina; yo sentí que era cierto cuando él me lo decía.

SALINA

(Con meditativa angustia.) Pero eso no es posible... Tienes que pensar. ¡Tienes que pensar! Las mujeres no tenemos sino nuestro amor, nada más que nuestro amor! ¿Es que no quieres a Dionisio?

AURA

No puedo decir eso... Le he querido... *(Leve gesto de decepción en el rostro de* SALINA.*)* Miente cuando dice que solo miré en él lo que podría ofrecerme. Pero ahora no sé... ¡Esto es distinto!

SALINA

Estás turbada.

AURA

(Sonriendo.) Yo pienso qué habrías hecho tú, que vives soñando; que no ves a los hombres que te rodean, sino al que ocultas en la mente y esperas todos los días ante el mar. Ja, ja, ja, ja.

SALINA

¡Vámonos! *(Salen. De la habitación de* DIONISIO *vuelve* ALBA, *y al no encontrar a las muchachas vacila un instante, se dirige al velero que adorna la ventana y lo acaricia en silencio. Como un bajel que pasa, se ve a través de los vidrios la luna en cuarto creciente.* ALBA *la contempla con tristeza, y torna a acariciar el velero. Melodía del primer acto.)*

ALBA

Desde esta amarga playa en que te espero.
Ante este amargo mar, ante esta espuma,
veo en menguante y en creciente luna
al que viene de ti, al venidero.

Por este amargo mar que ya lo acuna,
no sé cuál de los dos vendrá primero.

Oigo en el aire, el agua y el velero
tu voz, la del que viene... y no es ninguna.

Silencio, azul silencio enjoya mi oído
en las noches del mar y en las auroras
que al cielo visten con fugaz vestido.

Y solo tengo ya en todas mis horas
la triste luz del mar con que te has ido,
la sorda voz del mar con que me ignoras.

(En la puerta del foro aparecen ANGEL,
MODESTO *y* PASCUAL, *este último con un pez
pendiente de una mano.)*

PESCADORES

Buenas tardes, señora Alba.

ALBA

Buenas tardes. Pasen, pasen.

PASCUAL

(Ofreciéndole el pez.) El mar, aunque bravo, no se
olvidó de usted, señora Albita.

ALBA

Gracias, Pascual. Lo serviré en la comida. Ahí está
Dionisio, voy a llamarlo. *(Sale.)*

PESCADORES

(A DIONISIO, *que sale a recibirlos.)* ¡Salud, Dionisio!

DIONISIO

Salud, amigos. Siéntense, siéntense. *(Va al aparador a
buscar vino para ofrecerles.)*

ANGEL

(Después de larga pausa.) La mar está inquieta esta
tarde. Es la luna que crece...

MODESTO

Las nubes son espesas como islas.

ANGEL

El viento cimbrea los alisos y alza torbellinos de arena.

PASCUAL

Por mi parte, mejor estoy aquí que en la pesca.

DIONISIO

Pues aquí estaremos. *(Pausa.)*

ANGEL

Tendrás mucho que enseñarnos.

DIONISIO

Nada de eso. Conversaremos. *(Sirviéndoles el vino.)* Yo enseño lo que aprendo. Pero no todo son libros y maestros...

MODESTO

¿Hay algo más importante?

DIONISIO

¡La vida, amigos! Pero ustedes no la conocen.

PASCUAL

(Candorosamente.) ¡Buena vida la de la ciudad! ¡Cuántas veces me han dado ganas de irme con los veraneantes, con los que se llevan la alegría en sus sombrillas de colores!... Y no quedarme aquí en invierno, en las playas desiertas, en el mar que se queda como desalquilado. La ciudad lo llama a uno con sus luces.. ¡Buena vida la de la ciudad!

DIONISIO

Antes prefería esta. Después de estudiar..., esta calma, este dichoso mundo sin preocupaciones, sin lucha,

sin más aspiración que lo que nos ofrece el mar...,
cuando no está fiero como hoy. Pero ahora...

ANGEL

¿Solo te interesa el estudio?

DIONISIO

No. Lo que interesa a muchos: la lucha de allá.

ANGEL

Otros vienen a olvidar esas cosas en el mar.

MODESTO

Dicen que vienen a curarse el alma...

PASCUAL

Andan solos por las orillas, como las aves enfermas.

ANGEL

O se encierran. Como el de la casa de piedra.

DIONISIO

(Con viva curiosidad.) ¿Vive ahí alguien?

ANGEL

El nieto del antiguo dueño. Ha heredado la casa del
buen don Alonso, que Dios tenga en su gloria. Pero no
lo conocemos.

MODESTO

Yo sí. Varé la otra tarde en el islote para venderle
un atún.

DIONISIO

¿Vive solo? *(Disimula su inquietud encendiendo un
cigarrillo.)*

MODESTO

Con sus criados y el piloto de su corbeta, un viejo
marino extranjero que se llama Norhom o algo así,
ha corrido mucho mundo el nieto de don Alonso...

DIONISIO

¿Y él cómo se llama?

MODESTO

No lo sé. Es de pocas palabras y parece forastero...,
como si no se hallara bien en ninguna parte.

PASCUAL

¡Quién no estaría a gusto en la casa de piedra!

MODESTO

La casa ha cambiado mucho. ¡Tanto tiempo cerrada! El mar se ha comido los hierros de la verja y ha
oxidado las lámparas y las armaduras que antes relum-
braban. En el jardín, que tanto cuidaba el viejo, ya no
hay rosas, sino hierba. Y al lado de los cuadros de los
abuelos hay ahora otros de mujeres hermosas y de
cosas muy raras, que él mismo pinta...

PASCUAL

¡Debe de ser un filósofo!

MODESTO

De seguro. El lee y trabaja mucho con los libros
que don Alonso guardaba en las vitrinas.

ANGEL

(A DIONISIO.*)* Ya ves. Ese está haciendo todo lo contrario de lo que quieres hacer tú.

DIONISIO

(Irritado.) Quienes debieran hacer algo para no seguir
siendo unos parias del mar son ustedes los pescadores.

PASCUAL

¿Nosotros?

ANGEL

(Con humildad.) ¿Hay algo de malo en ser pescador,
Dionisio?

MODESTO

Ustedes sueltan la red. Y se llena y están conformes. Pero viven de espaldas al mundo, y el mar los ha vuelto sordos.

MODESTO

En el mar nos ganamos el pan...

DIONISIO

Pero sin saber casi que existe una sociedad y que también ustedes pertenecen a ella. Juntos viven porque el mar los junta, pero no tienen ninguna aspiración.

ANGEL

¿Y a qué puede aspirar un pescador?

DIONISIO

A lo que aspiran otros, que ganándose el pan con más sudor que ustedes en la ciudad, en el campo o en el fondo de las minas, tienen un ideal.

ANGEL

A unos les tocó la tierra; a otros, la roca. Nosotros estamos en el mar.

DIONISIO

Pero todos formamos la sociedad, Angel. Y todos debemos procurar que sea mejor. Ese es el ideal. *(Inadvertida por los presentes, HILACHA cruza hacia el aparador para guardar unos manteles, mira a ANGEL con irónica extrañeza y sale por la izquierda.)*

ANGEL

He andado por otros lares. Pero fuera del mar, todo es estrecho, mezquino. El señor cura es del campo y cuenta que es otra vida..., pero que todos debemos dar gracias a Dios.

MODESTO

En el campo se disputan la tierra, el agua...

ANGEL

El cielo arruina las cosechas...

PASCUAL

Los pájaros se roban las semillas...

MODESTO

¡El mar es campo labrado que nunca niega sus frutos!

ANGEL

Y solo en el mar hay libertad. A la ciudad fui a aprender oficios, a instruirme; pero al mar regresé porque es mejor ser libre.

PASCUAL

En la ciudad hay fiestas...

ANGEL

Son el anzuelo de la ciudad que todo lo absorbe. A mí, no. Puede llegar el día en que hasta esta arena blanca sea ciudad; pero frente a ella quedará el mar, y en el mar me encontrarán a mí.

DIONISIO

¡Eso es egoísmo, inercia! Por eso todos somos en este pueblo como pescadores de caña. Tenemos el mar entero y nos basta con nuestra presa.

HILACHA

(Saliendo por la izquierda.) Voy por el pan para la comida, niña Alba.

ALBA

(Desde dentro.) Anda, Hilacha, anda. Y no tardes.

PASCUAL

Y seriecita, ¿eh?, señora Hilacha.

HILACHA

¡Majadero! *(Inicia el mutis por el foro.)*

PASCUAL

(Después de reír.) ¿Y cuándo va a estar lista esa bonitera que me está tejiendo?

HILACHA

¡También tengo que tejer para los otros! No esperes que te la entregue antes del verano.

PASCUAL

¿Pero la otra sí?

HILACHA

¿Cuál?

PASCUAL

Esa especial para enredar sirenas, como usted sabe hacerlas, señora Hilacha, de pabilo tierno y blanco, para las jóvenes.

HILACHA

¡No soy tercera! ¡Vaya! ¡Vaya! *(Revolviéndose antes de salir.)* ¿Y crees que también yo no he sido pabilo blanco? ¡Vaya! ¡Vaya! *(Los pescadores explosionan de risa. Intempestivamente aparece en la puerta del foro un hombre de aspecto entre mundano y romántico, con la ropa humedecida por la llovizna de un mar agitado.)*

DIONISIO

(Para sí.) ¡El!... *(Al visitante.)* Entre, haga el favor. ¿En qué podemos servirlo?

EL

Disculpe. Vi la luz acogedora de esta casa, y me acerqué, aunque vine sin proponérmelo. Estaba remando hacia la boca del río, pero el viento dispuso otra cosa. Y aquí estoy.

ANGEL

Pero ¿ha salido usted con este mar?

EL

No creí que la cosa era tan recia en verdad. El viento me impulsaba fácilmente cuando salí del islote. Pero luego no me dejó llegar a donde iba... Tengo los brazos rendidos. *(Se enjuga con un pañuelo la humedad del rostro y de las manos.)*

MODESTO

¡Menos mal que sopla de afuera y ha podido usted arribar!

DIONISIO

Siéntese. *(Le alarga una silla.)* ¿Un vaso de vino?

EL

Gracias. *(Recibe la copa que le ofrece* DIONISIO *y bebe un trago.)* ¡Ah! ¡Qué bien sabe el vino después del chapuzón! Y no es la primera vez que lo bebo entre pescadores. Siendo niño, salí alguna vez con ellos y compartí su comida: un pescado tostado en el fuego, allí mismo en la barca, y unas galletas..., ¿de agua? Sí, así se llamaban; creo que no es metáfora. *(Los pescadores lo observan con asombro.)*

DIONISIO

(Con intención.) ¿Le gusta la pesca al señor?

EL

Bueno... Así puede usted llamar a lo que hago. En eso pensaba precisamente cuando salía de mi casa. Pesco, acecho, como cualquier pescador, pero sombras de peces, imágenes de peces; imágenes y sombras de todas las cosas. Y... con eso trabajo. *(Crece el asombro de los pescadores.)*

MODESTO

¿Y qué profesión es esa, señor?

EL

Se llama arte. Lo que hacemos unos cuantos que

buscamos las calidades y no las cantidades de las cosas que preocupan a los demás.

PASCUAL

(Ligeramente socarrón.) No ha de ser fácil...

EL

(Advirtiendo la extrañeza que causa en sus oyentes.) Es extraño el artista, ¿verdad? Tratamos de acercarnos a la vida, a la naturaleza, y nos familiarizamos con las cosas y con las criaturas; estamos como nadie en la realidad, porque la sentimos. Y, sin embargo, para el hombre común, los artistas vivimos «fuera de la realidad».

MODESTO

Nadie ha pensado en eso...

EL

(Continuando.) A ustedes les interesa vivir en el mundo; a nosotros, revivirlo: salvar en diaria imagen nuestra ruina de todos los días... Y así, de este modo, es como si hiciéramos el mundo de nuevo.

DIONISIO

(Recalcando la frase.) «Hacer el mundo de nuevo...» ¡Eso es lo que se quiere! Pero no ficticiamente, sino de verdad, con hombres que viven. Para que su vida sea mejor.

ANGEL

De eso hablábamos cuando usted llegó: de lo que debemos hacer para que todo sea mejor.

EL

¿También a ustedes les preocupa eso?

DIONISIO

Ojalá les preocupara.

EL

¿La sociedad?

DIONISIO

¡El hombre! Cómo hay que conducirlo.

EL

Curioso... Es lo único que preocupa a todos: cómo ha de gobernarse al hombre, y no cómo debe, él, gobernarse a sí mismo. Yo todo lo espero de su conducta, de que algún día pueda decir: «Yo soy incapaz de un acto de salvajismo.»

PASCUAL

¿En estos tiempos?

EL

Estos tiempos han visto el calvario del hombre. En millones de cuerpos ha vuelto a morir Cristo. Pero ha de renacer. (*A* DIONISIO.) No desespere usted, amigo mío, de su prédica. Comienza usted bien. El ensayo de una sociedad hay que hacerlo fuera de ella, en el corazón de unos cuantos hombres, como lo hizo el Crucificado. Y fueron pescadores justamente, hombres lejanos al mundo, los que El escogió para que dijeran su palabra, para que llevaran a la tierra el mensaje del mar. (*Se incorpora rápidamente.*) Adiós, amigos míos, ya volveremos a vernos. (*Sale, dejando en la perplejidad a sus oyentes.*)

ALBA

(*Desde la puerta izquierda.*) Voy a servirles.

DIONISIO

Como quieras.

ALBA

(*Despeja la mesa, extiende sobre ella un mantel y va disponiendo los platos, ante el meditativo silencio de los presentes.*) ¿Hablaban con alguien? Me pareció oír una voz desconocida.

DIONISIO

Era el de la casa de piedra.

ALBA

¿El? Qué extraño. ¿Qué lo trajo a esta casa?

DIONISIO

(Con sorna.) El viento... Pero no era aquí adonde venía.

ALBA

¿No? ¿Adónde, entonces?

DIONISIO

(Con intención.) A la boca del río...

MODESTO

Qué raro todo lo que dijo, ¿verdad?

DIONISIO

Yo pienso en lo que es capaz de hacer.

ALBA

(Con maliciosa inquietud.) ¿Qué?

DIONISIO

(Siempre intencionado.) Desafiar al mar.

ALBA

Que yo sepa, es la primera vez que pisa esta playa.

AURA

(Que aparece en la puerta del foro, alterada.) ¡Por favor! ¡Por favor! ¡Se ahoga!

TODOS

¿Quién?

AURA

¡El!... *(Reparando en* DIONISIO.*)* ¡El de la casa de piedra! ¡La gente mira desde la playa, y corre de un lado a otro, y grita, pero nadie lo salva! ¡Por favor, pronto! *(Precipitadamente salen los pescadores detrás de* Aura.*)*

ALBA

¿No vas tú?

DIONISIO

(Después de un silencio torvo.) Sí... ¡Voy! *(Sale.* Alba *abre la ventana y luego la puerta para ver lo que ocurre, se cubre la cabeza con un chal y se decide a salir. Por la ventana y la puerta abiertas entra un aire tempestuoso que derriba el velero.)*

TELON RAPIDO

ACTO TERCERO

La misma habitación. Es medianoche. Solo el fulgor de la luna y la luz de una imagen fija en la pared iluminan la escena.

Montado en una silla, con los brazos y la cabeza apoyados en el respaldo, DIONISIO duerme junto a la ventana. En vela, guardando la puerta que conduce al dormitorio de ALBA, HILACHA teje en silencio.

HILACHA

(Dejando de tejer.)

En qué menguadas lunas—ayer llenas—,
en qué lejanas nubes, en qué cielo,
en qué blandas mareas, en qué arenas
he de hallar, con los míos, el consuelo.

Como hilos de esta red corren mis venas
por mi carne, carnaza del anzuelo
tentada del abismo. ¡Ah, si apenas
fuera yo un alcatraz, un ancla en vuelo!

DIONISIO

(Incorporándose lentamente, en actitud de sonámbulo.) A la orilla del mar yo la amaba. ¡Oh, cómo es bella una mujer sobre la tierra! ¡Oh, cómo todo está vacío sin ella!

HILACHA

(Sorprendida, observándolo atentamente.) ¿Sueña? Está dormido... Pero su corazón vela.

DIONISIO

(Con las manos extendidas hacia la ventana.)

Por lo alto del mar
se va el navío.

Corazón sin orillas,
como el mío.

HILACHA

(Indecisa, santiguándose.) No. Guárdeme Dios de llamar a los que andan en sueños. Ellos saben por donde van. Como si tuvieran los ojos abiertos, pueden vagar por todos los filos del mundo, pero sin escuchar su nombre.

DIONISIO

La tierra hizo en su cuerpo
dos colinas hermanas
y un solo río
de escondidas ramas.
En sus pechos
dos pájaros nocturnos,
mudos cantan.

HILACHA

(Para sí.)

¡Todo en tanta hermosura,
mas no alma!

DIONISIO

La luz busco en sus ojos,
la noche en su cabello,
la agonía en sus brazos...

(Inicia el mutis por el foro.)

HILACHA

¡Cielos! ¡Cielos!

(Se levanta presurosa y lo detiene.)

Alma en pena de amor:
no valdrán ruegos.
La puerta abrimos
a quien busca techo;
del desvalido
nos compadecemos;

mas no de quien nos ama
y no queremos.
A quien calor reclama
damos lecho;
a quien abrigo busca
guarecemos;
mas nunca a quien nos quiere
y no le amamos:
a quien nos pide amor
morir dejamos.

DIONISIO

(Ya despierto.) ¡Hilacha!

HILACHA

Sí, Dionisio, hijo mío, aquí estoy.

DIONISIO

No sé lo que soñaba.

HILACHA

Cosas del amor.

DIONISIO

¡Cosas del sueño!

HILACHA

(Con picardía.) Dormido es como el hombre muestra esos males. *(Vuelven a sentarse, e* HILACHA *reanuda el tejido.)* ¡Padezca uno por las mozas, y ellas se ríen hasta con los soldados que van a bañarse al mar con sus caballos!...

DIONISIO

¡Hilacha!

HILACHA

Hablo de las mozas.

DIONISIO

(Después de una pausa.) ¿Y Alba? ¿Descansa?

HILACHA

Como puede. Unas veces es el dolor y otras el sueño. Pero, dormida o despierta, no cesa de llamar al señor Bruno.

DIONISIO

(Para sí.) Si ella supiera... *(En voz alta.)* ¡Esto es tremendo!

HILACHA

Ahora duerme tranquila. Pero yo estoy alerta.

DIONISIO

Dijo el médico que quizá habría que esperar hasta mañana.

HILACHA

Quién se fía.

DIONISIO

¡Qué noche interminable!

HILACHA

Y con esa condenada luna.

DIONISIO

¿Qué hay con la luna?

HILACHA

Todo lo malo. Ella saca las aguas de sus órbitas y las embravece. Si hay dolores en nuestro cuerpo, los aumenta como si los iluminara; si hay turbación en nuestra alma, la agudiza con su luz fría. Enferma más a los enfermos y enloquece más a los locos. Menguando y creciendo, es el espejo de cuanto en el mundo nace y muere... *(Se acerca a la ventana.)* Y esta noche está crecida como nunca. Hasta se siente su olor metálico de astro... *(Aguzando el oído.)* ¿Viene alguien?

DIONISIO

(A SALINA, *que aparece en la puerta del foro, arrebujada con una manteleta.)* ¡Salina! ¿Tú aquí a esta hora?

SALINA

Sí, yo. Sabía que Alba estaba ya con dolores de alumbramiento y quise venir a acompañarla.

DIONISIO

Siéntate. Todos necesitamos de tu compañía. (SALINA *se sienta y quedan unos momentos en silencio mientras* HILACHA *teje.*)

SALINA

(*Tímidamente.*) Dionisio... Tú sufres por Aura... Pero ya sin razón; por una culpa que no es culpa.

DIONISIO

No hablemos de eso ahora, Salina.

SALINA

Escucha. Yo quiero decírtelo todo. Porque es necesario que lo sepas todo.

DIONISIO

¿Crees que no lo sé?

SALINA

A una muchacha como ella, ¡a cualquier mujer!, le hubiera pasado lo mismo, con un hombre que viene desde lejos, de un mundo distinto, a sorprenderle el corazón, como lo hizo ese forastero...

DIONISIO

(*Despectivo.*) A sorprenderle el corazón... ¡A enardecerle los oídos! A conducirla del brazo... ¡Por allí mismo, por donde iba conmigo!... Qué ingenuo soy, ¿verdad? ¡A llevársela mar adentro! ¡A su casa! A su casa de piedra... (*La toma por los brazos.*) Es inútil, Salina... ¿Entiendes? ¡Es inútil!

SALINA

(*Conmovida, en actitud de momentánea entrega.*) ¡Dionisio!... (*Se desase suavemente.*) Todo eso has llegado a figurarte...

DIONISIO

Bastaba verla. Su ausencia a mi llegada... Su esqui-
vidad... Su turbación... ¡Su altivez! (Sarcástico.) Y lo
más conmovedor de todo: sus ruegos por el doncel que
se le ahogaba.

SALINA

No es fácil reponerse de..., de ciertas emociones
nuevas...

DIONISIO

¿Emociones nuevas? ¿Qué quieres decir?

SALINA

Aura ha visto a ese hombre, Dionisio; nadie lo
niega. Pero una sola vez, una sola, y en esta playa.

DIONISIO

¡Ah! ¿Y eso es una emoción nueva?

SALINA

No... Claro... No... ¡Pero ella no tuvo la culpa! ¡No
la tuvo!... ¡Fue besada a mansalva! Fue sorprendida...

DIONISIO

(Sarcástico.) ¡Oh inocencia!

SALINA

No: debilidad... Ella me lo ha explicado todo, y yo
no me ciego, Dionisio. (Con altivez.) El beso de un hombre desconocido puede borrar por un instante el del que
amamos. Pero eso ha sito todo: un instante.

DIONISIO

(Despechado.) El que ha robado besos y no toma lo
demás, merece perder los que se le dieron.

SALINA

¡Vas muy lejos!

DIONISIO

Y la mujer a quien se le roba por sorpresa un placer, siente satisfacción y toma el atrevimiento como regalo.

SALINA

(Suplicante.) Dionisio..., olvídate un poco de ti mismo. Piensa en Aura. Tú la conoces mejor que yo. No es más que una muchacha deslumbrada por lo desconocido. Jamás quiso a ese hombre. ¿Cómo podía quererlo? Te quiere más que nunca, Dionisio, aunque por orgullo no venga a decírtelo. Pero yo lo estoy viendo y es preciso que lo veas tú.

DIONISIO

Es natural que hables por ella.

SALINA

¡Es que la he visto! Sé que ya nunca podrá equivocar al hombre que ama. Un acto tuyo cualquiera, basta para probárselo. La tarde en que ese hombre se ahogaba y tú lo salvaste, y después de dejarlo a sus pies, blanco, como un pedazo de pan en la tarde oscura, te alejaste solo, como tallado en agua, sus ojos se fueron detrás de ti y se apartaron para siempre de él. Salvaste la vida a ese hombre, pero quedó ahogado en el corazón de Aura.

DIONISIO

(Después de una pausa.) ¿Duerme ella ahora?

SALINA

Tiempo hace que no conoce el sueño... ni lo conozco yo. No viene por orgullo, ya te lo he dicho; quizá por temor. Esta noche no pudo más y se fue a las peñas donde acostumbraban hablar.

DIONISIO

(Para sí.) ¡Mía! ¡Mía! (*Sale en busca de* Aura. Salina *hace un leve ademán, como si hubiera querido rete-*

nerlo a su lado; acaricia la silla en que dormía DIONISIO
y se sienta en ella sollozando.)

HILACHA

(Acercándose.) Tú lo quieres, Salina... ¡Tú sí que lo
quieres! (SALINA *guarda silencio.)* ¡Qué cosas ven los
ojos de una vieja y no las ven los hombres ciegos! ¡Sordos!... Hablabas por Aura y era lo que sentías tú, lo
que hubieras podido decirle de ti misma.

SALINA

¿De mí misma? ¡No, señora Hilacha, no! ¡Qué cosas
se le ocurren!

HILACHA

Pobrecita. Pero no desesperes. Todo se vence con
paciencia. ¿Has visto algo más duro que el peñasco
ni algo más blando que el agua? Sin embargo, el agua
blanda socava el duro peñasco.

SALINA

¡No es eso, señora Hilacha, no es eso!

HILACHA

Eres tímida. ¡Pero yo te ayudaré! Que las que ya
no amamos, por viejas, aún sabemos darnos maña para
que otros se amen. Y más corazones han vencido con
su experiencia y arte las viejas como yo que todos los
amadores y donjuanes a quienes han servido.

SALINA

Pero no ve usted que ellos...

HILACHA

¡Bah! Te gana el cariño por tu hermana. ¡Y quién
sabe si lo merece!

SALINA

¿Merecería perderse con un hombre cuando puede
salvarse con otro?

HILACHA

Eres tú quien le quiere, no te engañes. Más tirano es el amor cuanto más se le cierra los ojos.

SALINA

Lo mío es un secreto, señora Hilacha. Un secreto del corazón. Y el amor no es un secreto. Ya ve usted cómo se lo pregonan ellos sin decírselo siquiera... Otra cosa es un sentimiento que no tendrá nunca cuerpo ni alas para ser amor.

HILACHA

(Con impaciencia.) ¡Y quién sabe lo que es el amor! Para cada uno es lo que cada uno cree y siente de él. ¿Pero sabe alguien lo que es? Solo lo sabe la vida, que se vale del amor, del engaño de todos, para triunfar ella y lograr su fin... Y esto es su fin, ya lo ves. *(Señala hacia el dormitorio de* ALBA.*)* ¡Esto! Dolor. Y nueva vida. Y nuevo dolor.

SALINA

Usted lo ha olvidado, señora Hilacha. El amor no es solo la vida que damos a otros seres: es también nuestra propia vida, nuestros sentimientos, algo íntimo de los corazones que se buscan para quererse.

HILACHA

¡Majaderías! Yo que observo las cosas desde lejos, te digo que cuando veo a los enamorados en parejas, a la orilla del mar o a la sombra del árbol, enlazados, dibujando sus nombres en el suelo, me llaman a risa. ¡Ja, ja, ja! Creen que su amor es el único, y único el mundo que se prometen, y que solo ellos se han dicho lo que se dicen. Pero todos repiten la misma historia, y la misma historia viven. Y no hay más verdad que esto, ¡esto! *(Vuelve a señalar hacia el dormitorio de* ALBA.*)*

SALINA

¿No se alegra usted, señora Hilacha, cuando va a nacer un niño?

HILACHA

¿Yo? No. A muchas criaturas tomé a los pies de su
madre... y a muchos hombres ayudé a bien morir...

SALINA

Siempre fue usted para todos como pila de agua
bendita.

HILACHA

Soy vieja, y mucho he visto; y sé que más pena
merecen los que nacen que los que cierran los ojos.

SALINA

¿Por qué ha de ser así?

HILACHA

Hija mía, más triste que el morir es el nacer; más
triste y más misterioso. Al que muere, le conocemos,
y sabemos la vida que deja. El que nace es desconocido y no sabe a lo que viene. Un momento antes, no
era nada; luego, una ensangrentada cabeza que avanza
hacia la luz, y de pronto, como por ensalmo, «es», y no
atina sino a llorar.

SALINA

A mí me alegra todo lo que nace.

HILACHA

¿Viste el alba, cuando salen los pescadores y el
gallo canta en los tejados?

SALINA

La veo todas las mañanas.

HILACHA

Pues así es el nacimiento, como esa hora incierta
que anuncia la fatiga de cada día.

SALINA

¿Es así como usted lo ve, señora Hilacha?

HILACHA

¡Turbio y triste como un parto!

SALINA

Más temo yo a la oscuridad, porque se parece a la muerte.

HILACHA

También yo era como tú. Cuando pensaba en la hora de mi muerte, me angustiaba, sudaba frío, no me conformaba. Ahora que soy vieja y me aproximo a ella como a un puerto, la aguardo indiferente. No es la muerte lo que tememos, sino su sorpresa: saber que puede truncar algo en nuestra vida o en la de los seres queridos que nos rodean, saber que puede separarnos los unos de los otros, como me arrancó a mí de los míos. Ese es el dolor de la muerte y esa es nuestra soledad... Por eso yo no me alegro cuando alguien nace.

SALINA

Siempre se habla de cosas tristes a esta hora. *(Empieza a clarear a través de la ventana.)*

HILACHA

Es la hora del alba. *(Se oye un ¡ay! angustioso en la habitación de la parturienta.)* ¡Ya!... Ven conmigo. *(Entran, casi al mismo tiempo en que* DIONISIO *y* AURA *aparecen por la puerta del foro.)*

DIONISIO

(Después de asomarse a la habitación de su hermana.) Voy por el médico. Aguárdame aquí. *(Sale.* AURA *se acerca a la ventana. A través de esta asoma* EL. *Al verlo,* AURA, *sobresaltada, le hace señales para que se aleje. Pero* EL *abre la puerta y entra.)*

AURA

¿Por qué vino hasta aquí?

EL

¿Crees que puedo hacer otra cosa que buscarte desde aquel día? No sé si fue sueño o verdad que estuviste en mis brazos, que aspiré el olor de tus cabellos, que bebí en el manantial de tu boca...

AURA

¡Fue verdad!... Pero ahora déjeme.

EL

¿Por qué huyes de mí?

AURA

No me pregunte nada, por favor. ¡Váyase, se lo ruego! No se quede aquí un momento más.

EL

(Paseando la vista por la habitación.) Antes estuve en esta casa. Te buscaba a través del mar airado. Me confortaron con vino y aun me tendieron la mano en el que pudo ser mi último momento.

AURA

Ese hombre haría otra cosa si lo encontrara ahora aquí.

EL

No sería más cruel que tú.

AURA

¿Qué quiere ahora de mí? ¿Por qué no me deja ya?

EL

Encontré en ti el amor, su pura imagen. Y mi soledad se ha llenado de tu hermosura, de esa luz de tus ojos que solo he visto en algún río huyendo a la sombra del ramaje, de esa luz de tus dientes que solo he visto en tus dientes. (Intenta tomarla en sus brazos.)

AURA

(Apartándose.) ¡No! ¡No! *(Suplicante.)* Váyase...

EL

Eres mía. Has dejado que te amara cuando una mujer debe dejarse amar, apenas descubierta, apenas deseada. *(La besa apasionadamente en un hombro.)*

AURA

(Disgustada.) ¡Para usted todo es un momento!

EL

Un momento es todo cuando se me descubre lo que no encontré en toda una vida.

AURA

¿Y qué encontró en mí que no lo viera antes?

EL

¿Antes? *(Se queda un momento pensativo.)* Sí. Hay algo que te liga a mi pasado: la imagen de otra mujer, una dulce muchacha como tú. Nos queríamos... Pero un día tuve que partir. Fue cruel la despedida. Aún recuerdo su rostro demudado por mortal palidez, bañado en lágrimas. Aún recuerdo el sonido de la reja que se cerró entre nosotros, sellando nuestro adiós. Y la vi en ese instante como a través de extraños arabescos de muerte. No pude imaginar que sería la última vez que habría de verla...

AURA

¿No volvió a ella?

EL

Está muerta. Desde entonces, solo en sueños he vuelto a encontrarla. Solo en sueños, esa niebla en que todas las cosas se desvanecen, me ha devuelto su imagen... Pero llegué hasta aquí, y tu rostro era su rostro, y esta orilla desconocida era la orilla del sueño donde antes la había visto. Eras ella, y eras tú. Pero vi en ti una luz nueva, una luz de vida que solo en ti he descubierto.

AURA

¡Ah!... Ahora comprendo. Por eso se acercó a mí de ese modo, con esa ansia en los ojos, como si hubiera vuelto a encontrarme. Quizá fui ella en ese momento... No me pesa... Pero ya ve ahora cómo no puedo serlo.

EL

¡Oh, no! Ni quiero que lo seas. No es que yo te confunda. Déjame explicarte. Ella es la muerte, cuya imagen me seducía, me atraía hasta ahora. Tú eres la vida, la triunfante vida que me ha reconquistado. Tú eres como la Naturaleza misma, que yo amo, que es ya lo único que puedo amar. ¡Aura! Estoy resuelto. He venido a llevarte conmigo. Para siempre.

AURA

¿Para siempre?... Para siempre... *(Mira inquietamente a través de la ventana.)* ¡No! No puede ser. Entre en razón. Yo no olvidaré lo que pasó entre nosotros. No olvidaré lo que he sido para usted. Pero ofendí a un hombre que...

EL

¿Que tú amas?

AURA

¡Sí!

EL

¿Dionisio? (AURA *asiente con la cabeza.)* El que me salvó la vida... *(Pausa.)* ¿La vida?... No. Vida fue la que tú me diste cuando creí tener tu amor. Vida es la que me quitas ahora que no lo tengo.

AURA

Perdóneme... *(Pausa.)*

EL

No importa. Eso es el amor. Con él, sentimos vivir lo más hondo de nuestro ser. Sin él, casi no somos.

AURA

El me quiere.

EL

(Sarcástico.) Buen servicio me hizo ese muchacho. Me salvó la vida... Y no puedo pagarle sino con mi gratitud. *(Pausa.)* No temas ya nada. Aún me queda un barco para partir... ¡Adiós! *(Sale.* AURA *lo ve alejarse desde la ventana.)*

SALINA

(Desde la puerta que conduce al dormitorio de ALBA.*)* ¿Y Dionisio?

AURA

Salió. Fue por el médico.

SALINA

Quiera Dios que no tarden. *(Regresa al dormitorio y* AURA *a la ventana. Después de una larga pausa, vuelve a asomarse* SALINA.*)* Aura, en el arca de esa alcoba están las sábanas nuevas, alcánzamelas. (AURA *sale por la puerta opuesta y trae las sábanas, que le entrega a* SALINA. *Cuando esta desaparece, torna a mirar por la ventana, hasta que, después de otra larga pausa, vuelve a salir* SALINA *y le entrega una jofaina.)* ¡Agua! ¡Agua! De la que reposa en el brasero. *(Espera a que* AURA *le devuelva la jofaina con agua y se la lleva al dormitorio, mientras aquella se acerca nuevamente a la ventana y corre luego a abrir la puerta a* DIONISIO *y al* MÉDICO. *Este último pasa directamente al dormitorio.)*

AURA

(A DIONISIO.*)* ¿Por qué has tardado tanto?

DIONISIO

Fui al puerto.

AURA

¿No ha entrado ya el barco?

DIONISIO

Fondeó hace unos momentos.

AURA

¿Y Bruno?

DIONISIO

(Tapándole la boca.) Lo más tremendo que puedes figurarte: le han traído muerto.

AURA

¡Muerto! *(Se santigua.)*

DIONISIO

¡Chis! En esta casa no lo sabe nadie más que yo. Ya tenía noticias desde antes que llegara, desde ayer.

AURA

(Consternada.) Y ahora..., ¿dónde...?

DIONISIO

Velándose en la capitanía. *(Para sí.)* ¡Muerto!

AURA

(Sordamente.) ¡Alba! ¡Alba! ¡Dios mío!

DIONISIO

¿Cómo está ella? *(Se dirige hacia el dormitorio.)* Quédate aquí. Puede venir alguien con la noticia. *(Entra. AURA se postra ante la imagen y llora en silencio. Adentro se oye el llanto de un niño.)*

SALINA

(Desde la puerta.) ¡Limón! ¡Limón! ¡Para unos ojos nuevos! Si no lo hallas en la cocina, arráncalo del limonero! *(Cruza hasta la puerta opuesta, recibe el limón que le trae AURA y vuelve rápidamente al dormitorio. Entre miedosa y triste, AURA mira una vez más por la ventana.)*

DIONISIO

(Saliendo de improviso.) ¡Un hombre! (AURA se sobresalta. DIONISIO la estrecha en sus brazos.)

AURA

¿Un hombre? *(Rehaciéndose.)* ¡Ah!..., un hombre...
Como ella quería.

SALINA

*(A su padre, que en ese momento entra por la puer-
ta del foro.)* ¡Un hombrecito! ¡Un hombre! *(Se echa en
sus brazos y solloza.)*

ANGEL

¿Un hombre? ¡Vaya! ¡Vaya! Como queríamos todos.

PASCUAL

(Entrando por el foro.) ¡Un hombre! ¡Bravo! ¡Un
hombre!

MODESTO

(Ingresando por el mismo sitio.) Un hombre... *(En
voz baja.)* Un hombre que no conocerá a su padre. *(Todos se entristecen momentáneamente.)*

VIEJO

(Sin entrar.) ¿Un hombre? *(Se va cantando.)* ¡No
hay quien puedaaa, no hay quien pueda con la gente ma-
rineraaaa!...

MEDICO

*(Saliendo del dormitorio y abrochándose los puños de
la camisa.)* Un hombre. Como yo lo había anunciado.
(Todos se regocijan.)

HILACHA

(Saliendo del dormitorio, en tono escéptico.) Un hombre... *(Telón.)*

FIN DE
«ESA LUNA QUE EMPIEZA

JUAN RIOS

AYAR MANKO

A
DULCINEA

JUAN RIOS

En esta obra la estética importa más que el realismo, el símbolo más que la anécdota. La palabra y el movimiento, por tanto, deben alcanzar en lo posible un ritmo de sinfonía coral y de danza que fluctúe—de acuerdo con las circunstancias—entre la solemne lentitud del adagio *y el dinámico* crescendo *del* alegro con brío.

*

Esta pieza no pretende ser una reconstrucción histórica. Sin embargo, las notas insertadas después del texto explican—a menudo indirectamente, puesto que muchas de ellas se refieren a acontecimientos posteriores a la leyenda dramatizada—la psicología, las costumbres y los actos de los personajes.

PERSONAJES

El Sumo Sacerdote.
Cuatro Sacerdotes.
Tampu Chákay.
Guardias.
Mama Wako.
Ayar Manko.
Ayar Uchu.
Ayar Auka.
Voces.
El Rey.
Mama Ojllo.
Guerreros.
El Mensajero.
Apu Mayta.

ACTO PRIMERO

Atardecer en la Plaza Sagrada de Tampu Toko * (1). Al foro, un pretil al borde del abismo. Templos a ambos lados. Un altar de piedra, en el centro de la plaza.

El SUMO SACERDOTE sacrifica una llama. Cuatro SACERDOTES lo rodean. La ciclópea portada del templo de la derecha está custodiada por TAMPU CHÁKAY y cuatro GUARDIAS.

EL SUMO SACERDOTE (2)

¡Hembra o varón, Señor del Universo,
Hacedor del mundo que estás en todas partes invisible,
henos aquí a los sacerdotes de la sagrada Tampu Toko!
Escucha nuestra voz, responde a nuestras súplicas,
¡oh Inspirador de los presagios, Ordenador del Cielo y
[de la Tierra!

SACERDOTE 1.º

Regidor del astro diurno y de las luces de la noche,
Tú que estás encima y debajo de todo,
Tú que existes en el interior de la materia
y más allá de sus límites, en el lugar que no puede nom-
[brarse,
¡revela tus designios a los sacerdotes de la potente
[Tampu Toko!

SACERDOTE 2.º

¡Antigua es nuestra raza; obstinada, lenta, inmemo-
[rial;
silenciosa como la sombra del hombre en las alturas;
más profunda que el latido de la piedra entre sus ma-
[nos!

(*) Las notas se encuentran en la pág. 192.

SACERDOTE 3.º

¡La huella del sol sobre las cumbres alumbra su
                              [vértigo ascendente,
y la extensión terrible, la montaña..., y la montaña...,
                              [y la montaña,
la aprisiona en las redes del tiempo polvorosas,
la arrastra a los abismos, la detiene, la impulsa, la
                              [levanta!

SACERDOTE 4.º

¡Pues el hombre anuda los años a lo eterno,
encauza la lluvia hacia la vida, sostiene la bóveda im-
                              [palpable,
y la ignorada esencia existe porque su voz la nombra!

EL SUMO SACERDOTE

¡Pero, humano, animal o planta, todo lo que nace
                              [ha de morir,
todo lo que surgió de la tierra, retornará a la tierra!

SACERDOTE 1.º

¡Aun el elegido del Sol, el rey de la orgullosa Tampu
                              [Toko,
habrá de reunirse con su padre en la caverna en que
                              [amanece!

SACERDOTE 2.º

¡Siete días hace, siete días y seis noches,
que agoniza postrado por el mal que no perdona!

SACERDOTE 3.º

¿Cuál de sus hijos estará predestinado a sucederlo?
Responde, ¡oh Señor de los Cuatro Rumbos, responde a
                              [nuestra angustia! (3).

SACERDOTE 4.º

¿Será Ayar Auka, el violento primogénito,
el que parece cóndor insaciable en el dulce corazón de
                              [las matanzas?

SACERDOTE 1.º

¿Será Ayar Kachi, el alegre en las batallas,
el fuerte que derriba montañas y abre abismos con su
[honda?

SACERDOTE 2.º

¿Será Ayar Uchu, el implacable cauteloso,
Ayar Uchu, más astuto que los reptiles de la selva?

SACERDOTE 3.º

¿O será, tal vez, el menor de los hermanos,
Ayar Manko, el joven sabio y taciturno? (4).

SACERDOTE 4.º

¡Nadie lo sabe! ¡Nadie lo sabe todavía!
¡Porque, entre los cuatro varones de su sangre,
el anciano mirado por la muerte aún no ha designado al
[heredero!

SACERDOTE 1.º

¡Sordo ya a los vanos rumores de la vida,
a solas con la presencia que no tiene nombre ni forma
[ni sonido,
pondrá en el báculo el signo que no puede borrar-
se! (5) (6).

SACERDOTE 2.º

Ilumina al moribundo, ¡oh llameante ojo del Cielo!
¡Que no yerre en la elección del nuevo conductor de
[nuestra raza!
¡Que el incendio fratricida no destruya la ciudad de
[los abismos!

SACERDOTE 3.º

¡Mirad! ¡Mirad! ¡El Señor de los presagios nos res-
[ponde!
¡Los grises párpados del tiempo están abiertos!
¡La serpiente del mañana desenvuelve sus anillos!

(Lejanos relámpagos y truenos.)

EL SUMO SACERDOTE

Señor de los augurios, ¡oh inexorable justiciero!,
¿a qué tremenda expiación condenas a tus hijos?
¿Por qué oculto delito, por qué inmemorial pecado nos
[castigas?

SACERDOTE 4.º

¡Hermano contra hermano, odio encima de odio,
muertos sobre muertos, la estación de la violencia está
[madura!

SACERDOTE 1.º

¡Laméntate, laméntate, oh Tampu Toko, bajo las
[negras aves!

Entra por la izquierda MAMA WAKO.

MAMA WAKO

¡Justicia, sacerdotes del Señor del Universo,
venerables ancianos de la severa Tampu Toko!

EL SUMO SACERDOTE

Esposa de Ayar Kachi, ¿qué aciago suceso te trae
[ante nosotros?
¿Por qué turbas con sacrílegos clamores la agonía de
[tu padre?

MAMA WAKO

¡Al adúltero Ayar Auka acuso ante vosotros del agra-
[vio imperdonable!
¡Sin respeto a aquel que en el templo está muriendo,
sin lealtad al hermano que combate en las montañas,
como una bestia en celo sobre mi cuerpo se ha tendido!
¡Las palabras que no se deben pronunciar, ha pronun-
[ciado!
¡La prohibición que no se debe quebrantar, ha que-
[brantado!

(*Largo silencio.*)

EL SUMO SACERDOTE

¿Qué hacer, Señor del Universo? ¿Cómo abatir al
[poderoso con plegarias?

¿Cómo sostener el peso de la ley con nuestros brazos
[impotentes?

MAMA WAKO

¿Vaciláis, anciano? ¿Os lamentáis como tímidas don-
[cellas?
¿No basta, acaso, el nombre de Ayar Kachi
para infundir valor a vuestros cuerpos temblorosos?

SACERDOTE 2.º

¡Ayar Auka es el favorito de la Guardia; Tampu
[Toko está en sus manos!
¡Nuestra débil voz se rompería en su colérica soberbia,
como el cántaro de barro al chocar con el peñasco!

MAMA WAKO

(Gritando hacia la izquierda.)

¡A vosotros, que allende el barrio sagrado me escu-
[cháis, acudo entonces!
¡A vosotros, soldados que mi esposo tantas veces con-
[dujo a la victoria!
¡A vosotros, labradores, artesanos, habitantes de la
[vieja Tampu Toko!
¡Sanción para Ayar Auka, el adúltero ambicioso!

(Nadie responde.)

¡Calláis, cobardes resignados! ¡Me abandonáis en la
[desgracia!
¡Tan solo aquello que no puede traicionarme está con-
[migo!
¡Tan solo la silenciosa piedra me apoya y me circunda!
¡Justicia, muros del templo, cavernas de los muertos de
[mi sangre!

EL SUMO SACERDOTE

¡Serénate, esposa de Ayar Kachi! ¡El pueblo no
[puede oírte!

MAMA WAKO

¡A mi padre hablaré! ¡A mi padre moribundo!

¡Y desde el fondo de la agonía ha de volver para escu-
[charme!

(*Pretende avanzar hacia el templo de la
derecha, pero el* SUMO SACERDOTE *la detiene.*)

EL SUMO SACERDOTE

¡Detente, mujer! ¡Respeta la voluntad del que ago-
[niza!
¡Para que nadie influya en la elección del heredero,
el rey ha exigido que lo dejemos a solas con la muerte!

MAMA WAKO

¡Ahora veo claro! ¡Ahora comprendo, sacerdotes!
¡Ahora descubro los pálidos hilos de la intriga!
¡Lunas ha que conocíais la dolencia de mi padre!
¡Lunas ha que os preparabais al festín como las aves
[de las tumbas!
¡Con falsísimos augurios, con presagios fementidos,
alejasteis a mi esposo de la pétrea Tampu Toko,
para entregarla indefensa a las garras de la fiera!
¡Vosotros no servís al Señor del Universo!
¡Del ambicioso Ayar Auka sois esclavos! (7).

EL SUMO SACERDOTE

¡La inteligencia humana no conoce la voluntad su-
[prema!
¡El eterno designio se teje al otro lado del tiempo;
nosotros no vemos sino el reverso indescifrable!
¡La semilla de nuestra raza desde siempre está sem-
[brada!
¡Su tronco nace en la profunda raíz de nuetros muer-
[tos!
¡La meditación del rey agonizante no debe ser inte-
[rrumpida!
¡En la propicia soledad del templo, la sublime presencia,
la inmortal sabiduría, colmará su corazón como un
[sagrado vaso,
y el sucesor que elija—sea el que fuere—reinará sobre
[nosotros!

MAMA WAKO

Solemne serpiente disfrazada, sumo sacerdote de la
[traición y la codicia,
¡a mí no me engañan tus pérfidos discursos!
¡El Señor del Universo no habla ahora por tu boca!
¡No habló nunca! ¡Tan solo la cobardía y la ambición
[mueven tus labios!

EL SUMO SACERDOTE

¡Mi paciencia se agota al escucharte!
Guardias, ¡alejad a esta mujer!

MAMA WAKO

(*Al* Sumo Sacerdote, *mientras los* Guardias *avanzan
hacia ella.*)

¡Sí! ¡Eso es! ¡No basta con la siniestra lujuria de
[tu amo!
Hazme matar como a una bestia feroz al pie del tem-
[plo!
(*Los* Guardias *se detienen, vacilantes.*)

EL SUMO SACERDOTE

Jefe de la guardia, Tampu Chákay, ¡cumple mis
[órdenes!
(Tampu Chákay *avanza por primera vez
hacia* Mama Wako.)

MAMA WAKO

Atrévete a tocarme, Tampu Chákay, atrévete a tocar-
[me,
y Ayar Kachi hará un tambor con tu pellejo! (8).
(*A los* Sacerdotes.)
¡Heme aquí, clavada como una lanza, enraizada como
[un árbol!
¡Solo muerta podréis arrancarme del sitio en que me
[yergo!
¡Y si así fuere, las lenguas de mi sangre atravesarían
¡Su roja llamarada abrasaría las piedras, [los muros!

socavaría los cimientos de los templos,
clamaría justicia hasta que mi padre me vengara!

EL SUMO SACERDOTE

¡Nadie pretende hacerte daño, esposa de Ayar
[Kachi!
Pero en la balanza del sabio, en la conciencia del
[sacerdote,
la serena reflexión pesa más que las ciegas palabras de
[la ira.
¡Si tu padre al escucharte ordenara el castigo del cul-
[pable,
el orgulloso Ayar Auka se negaría a acatar la voz del
[moribundo,
y la Guardia ceñiría con la regia borla la cabeza del
[rebelde! (9).
¡Al otro lado del río, más allá de las montañas verdes,
los enemigos acechan sin descanso, aguzan sus armas
[en la sombra!
¿Qué sería de nosotros, di, qué sería de nosotros,
si el odio dividiese a los hermanos, empujase al exter-
[minio a nuestra raza?

MAMA WAKO

¡Que las fúnebres aves entren graznando en los pala-
[cios,
que las murallas de la ciudad de los abismos se de-
[rrumben,
si la iniquidad ha de prevalecer sobre la ley antigua!

SACERDOTE 4.º

¡La estación de la violencia está madura!
¡La estación de la violencia está madura!

MAMA WAKO

¡Sí! ¡La estación de la violencia está madura!
¡La estación de la violencia ha madurado!
¡A marchas forzadas, Ayar Kachi se aproxima a Tampu
[Toko!

¡El fruto del rencor cosechará muy pronto con sus
[manos!
¡El culpable y todos sus cómplices serán raídos de la
[Tierra!

SACERDOTE 4.º

¡Hermano contra hermano, odio encima de odio,
muertos sobre muertos! ¿Qué voraz incendio,
qué mortífera plaga pretendes desatar con tus clamores?

MAMA WAKO

¡Quiero justicia, cueste lo que cueste!
¡Exijo justicia, aunque solo la muerte pueda verla!

Entra AYAR MANKO por la izquierda.

EL SUMO SACERDOTE

¡Ayar Manko, joven sabio, a tiempo llegas!

MAMA WAKO

¡Sí! ¡A tiempo de probar que eres un hombre!
A ti me encomendó Ayar Kachi al partir para la guerra.
«Ayar Manko—me dijo—es el mejor de mis hermanos.
El único que amo. Confía en él como en mí mismo.
Acude a su protección, si algún peligro te amenaza.»

AYAR MANKO

Ayar Kachi me conoce.

MAMA WAKO

¡Eso creía!
¿Dónde estabas, dime, cuando Ayar Auka se tendió
[sobre mi cuerpo?
¿Dormías tan profundamente que mi voz no pudo des-
[pertarte?
¿O el helado terror paralizó tus manos y tu lengua?

AYAR MANKO

Vine aquí al saber el atentado que no debe perdo-
[narse.

MAMA WAKO

Y ahora, Ayar Manko, ¿qué propones?
¿Me invitarás a llorar, a gemir, a sollozar contra tu
                                                    [pecho,
a beber mi vaso de lágrimas como una esclava resig-
                                                    [nada?

AYAR MANKO

¡No he hablado de resignación! ¡No he hablado de
¡A pedir a mi padre el castigo del culpable, [llanto!
he venido a la sagrada plaza! ¡No me iré sin obtenerlo!
            (Intenta avanzar hacia el templo de la de-
        recha.)

EL SUMO SACERDOTE

¡No des un paso más! ¡Recuerda la voluntad del
                                          [moribundo!

MAMA WAKO

¡Te complaceremos, sacrílego intrigante!
¡Dejaremos morir en paz a nuestro padre!
¡Y si es Ayar Auka el heredero, adornarás con la roja
                                    [borla su cadáver!
            (Tratando de arrastrar a AYAR MANKO ha-
        cia la izquierda.)
¡Vamos hacia el adúltero! ¡El tiempo de las palabras
                                        [ha cesado!

AYAR MANKO

Justicia busco, no venganza.
Mi padre decidirá la suerte de Ayar Auka.
                                (A TAMPU CHÁKAY.)
¡Retírate!

TAMPU CHÁKAY

¡Soy un guerrero y cumplo la consigna! ¡Atrás!

AYAR MANKO

¡Tú lo has querido! ¡Muere, entonces!
            (Se dispone a atacar a TAMPU CHÁKAY.

AYAR UCHU *entra precipitadamente por la iz-*
quierda.)

AYAR UCHU

(Sujetando el brazo de AYAR MANKO.)

¡Detente! ¡Escucha!

MAMA WAKO

¡No! ¡No le oigas! ¡Mata! ¡Abrete paso por encima
[de su cuerpo!

AYAR UCHU

(A AYAR MANKO.)

¡Oye primero y después mata!

MAMA WAKO

¡Te conozco, Ayar Uchu! ¡Te conozco!
¡Tu voz es más dulce que el trino de las aves;
pero muerdes mejor que la víbora terrible!

AYAR MANKO

(A AYAR UCHU.)

Claro y firme como el cristal de roca era Ayar Auka;
mas tus palabras fueron semejantes a las negras gotas
[de la lluvia.
Lentamente, lentamente, bajo las pálidas lunas de orgía,
envenenaste su corazón, llegaste al fondo oscuro de su
[instinto,
encendiste en su sangre la hoguera ponzoñosa, la ten-
[tación culpable.

AYAR UCHU

¡Escucha, Ayar Manko, hermano mío!
¡Las calumnias de la esposa de Ayar Kachi te han
[turbado!
¿Me has visto, acaso, impulsar a Ayar Auka al adulterio?
¿Tienes pruebas de lo que afirmas? ¿Algún indicio
[tienes?

AYAR MANKO

La serpiente más astuta deja rastros en el árbol,
pero el sonido de la voz se esfuma sin huellas en el
[aire.
El hombre es el único animal que envenena con pala-
[bras.

AYAR UCHU

(A MAMA WAKO.)

¡Tú mereces el castigo que reclamas!
¡Tú sembraste la discordia en Tampu Toko!
¡Durante muchos años fuiste la prometida de Ayar
[Auka!
¡De haber casado con él, como nuestro padre lo deseaba,
la funesta rivalidad no hubiera separado a los herma-
[nos!

MAMA WAKO

¡Mi bondadoso padre comprendió mis sentimientos!

AYAR UCHU

¡Pero Ayar Auka no pudo resignarse!
¡Demasiado te quiso para no soñar con lo perdido!

MAMA WAKO

¡Dejará de soñar cuando Ayar Kachi beba alegre
[en su cabeza! (10).

AYAR UCHU

¡Ayar Kachi está muy lejos!...
¡Y Ayar Auka está aquí y la guardia le obedece!

MAMA WAKO

¡Ayar Auka y tú habéis corrompido a la guardia!
¡Pero el ejército estará siempre al lado de Ayar Kachi!

(A AYAR MANKO.)

¡Hablemos con mi padre! ¡Hablemos con mi padre!

AYAR MANKO

¡Vamos!

Entra AYAR AUKA por la izquierda.

AYAR AUKA

¡Ayar Manko!

MAMA WAKO

(A AYAR MANKO, *señalando a* AYAR AUKA.)

¡Ahí lo tienes! ¡Ahí lo tienes al alcance de tus manos!

AYAR MANKO

¡Ante mi padre responderás de tu crimen, Ayar
[Auka!

AYAR AUKA

(A AYAR MANKO.)

¡Más de lo necesario, más de lo discreto alzas la voz,
más de lo permitido en presencia del futuro rey de
[Tampu Toko!

AYAR MANKO

¿Me acompañas al templo? ¿O habré de lleverte a
[viva fuerza?

(Se lanza sobre AYAR AUKA.)

AYAR AUKA

Tampu Chákay, ¡desarma al insensato!

(TAMPU CHÁKAY *y los* GUARDIAS 1.°, 2.°
y 3.° *desarman e inmovilizan a* AYAR MANKO.
El GUARDIA 4.° *sujeta a* MAMA WAKO. AYAR
AUKA *habla a* AYAR MANKO.)

¡Cálmate, cachorro de jaguar! ¡No te rompas las garras
[en la jaula!

EL SUMO SACERDOTE

Ayar Auka, ¿qué pretendes hacer de tus hermanos?

AYAR UCHU

¡Arráncales los colmillos! ¡Córtales las zarpas!

EL SUMO SACERDOTE

(*A* AYAR AUKA.)

¡Ninguna autoridad posees sobre ellos! ¡Tu padre
[vive aún
y nadie sabe cuál de sus hijos habrá de sucederlo!

AYAR AUKA

¡Yo lo sé!

(*Señalando a* MAMA WAKO.)

¡Y ella también!
¡Para que mi padre no dibuje mi signo en el sagrado
[báculo,
la esposa de Ayar Kachi ha tramado la más pérfida
[intriga!

(*A* MAMA WAKO.)

¡Porque tú me llamaste, fui al palacio de Ayar Kachi!
¡Y tu desnuda carne, fingiéndote dormida, me ofre-
[ciste!

MAMA WAKO

¡Como un ladrón penetraste en mi casa!
¡Como lasciva bestia te arrojaste encima de mi cuerpo!

AYAR AUKA

¡Siempre te he querido, Ayar Manko, y tú lo sabes!
¡A mi lado marchaste por primera vez a la batalla!
¿Dejarás que una prostituta se interponga entre nos-
[otros? (11).

MAMA WAKO

Es tu violencia, Ayar Auka, la que nos separa.
Tu voluntad ha sido como blanda arcilla en los dedos
[de Ayar Uchu.
¡La roca que se despeña ya no puede detenerse!
¡Por la ladera de la sangre se abrirá camino,
lo arrasará todo hasta llegar al fondo!

AYAR AUKA

¡Sí! ¡Es tarde ya para detenerse, tarde para pensar,

tarde para retroceder o vacilar o arrepentirse!
¡En la celada de la mujer cayó mi instinto,
y ahora solo puedo debatirme a tientas en la trampa,
matar, acumular cadáveres, peldaños palpitantes,
para ascender por ellos desde lo más hondo del abismo!

AYAR UCHU

¡Tú lo has dicho! ¡Destruye, arrasa, triunfa!

AYAR AUKA

¿Será preciso arrancar de raíz la flor de la ternura,
destruir lo que más hemos amado, para reinar, soñar
[un día,
surcar soberbios un instante el áureo río del tiempo,
y despertar de pronto desamparados, indefensos, a la
[orilla de la muerte?
¡La vida es una embriaguez demasiado corta, un sonoro
[espejismo,
un ave que se hiere el corazón con su pico envenenado,
una ávida serpiente devorándose a sí misma en su círcu-
[lo implacable!

AYAR UCHU

¡Vamos! ¡Decídete! ¿Quieres reinar?
¿O prefieres que Ayar Kachi pisotee tu cadáver? (12).

AYAR AUKA
(A AYAR MANKO.)

¿Aún insistes en turbar la agonía de mi padre?

AYAR MANKO

Solo los cobardes y los muertos callan.

AYAR AUKA

¡Tu voluntad ha sido!
Tampu Chákay, ¡haz lo que debes!

MAMA WAKO

(Gritando, mientras TAMPU CHÁKAY *se dispone a matar a* AYAR MANKO.*)*

¡Padre! ¡Padre!...

*(*AYAR UCHU *cubre la boca de* MAMA WAKO.*)*

EL SUMO SACERDOTE

(Deteniendo el brazo de TAMPU CHÁKAY.*)*

¡En nombre del Señor del Universo te lo ordeno! ¡Respeta la vida de tus hermanos, Ayar Auka!

AYAR AUKA

(Luego de largo silencio.)

¡Sea!

(A AYAR MANKO.*)*

¡El recuerdo de la infancia te protege!

AYAR UCHU

¿Dejas vivir a tus enemigos? ¿Te has vuelto loco? ¿Se ha tornado mansa paloma el cóndor sanguinario?

(Se oye un lejano ruido de tambores que irá creciendo en intensidad hasta el fin del acto.)

MAMA WAKO

(A AYAR MANKO.*)*

¿Oyes? ¿Escuchas?

AYAR MANKO

Sí.

AYAR AUKA

¿Qué oyes, ramera?
¿Qué es lo que hace brillar en tus ojos el fuego del
[Infierno? (13).

MAMA WAKO

¡Los tambores!
¡Los tambores como el alba naciendo debajo de la
[noche!

AYAR AUKA

¡Mientes!
¡Es tu sangre, tu negra sangre pudriéndose de odio en
[tus oídos!

AYAR UCHU

¡El ejército está en campaña! ¡La lucha aún no ha
[terminado!
¡Ayar Kachi no puede abandonar a sus guerreros!...

MAMA WAKO

¡Ayar Kachi llegará muy pronto al frente de sus
[hombres!
¡La hoguera que se encendió anoche en la montaña
era el signo convenido para anunciarme la victoria!

AYAR UCHU

¡Mentira! ¡Mentira!
¡Unos pastores fueron! ¡Tan solo unos pastores!...

MAMA WAKO

¡Silba, reptil! ¡Silba hasta que pueda aplastarte
[contra el polvo!

AYAR AUKA

¡Sí! ¿Para qué engañarse? ¡Son los tambores! ¡Los
[tambores de Ayar Kachi!

AYAR UCHU

¡No! ¡Es un alud! ¡Un alud, allá a lo lejos!

AYAR AUKA

¡Son los tambores! ¡Los tambores! ¡Los tambores!
[¡Los tambores!
¿O serán los muertos que quieren evadirse de sus tum-
[bas

y golpean con sus secas manos las piedras que los cu-
[bren?

MAMA WAKO

¡Es el ejército! ¡Es el ejército cual un incendio de
[oro en el poniente!
¡Dejadnos libres, guardias! ¡Dejadnos libres!
¡Ayar Kachi se acerca a Tampu Toko!

VOCES DEL PUEBLO

¡Ayar Kachi! ¡Ayar Kachi! ¡Ayar Kachi! ¡Ayar
[Kachi!

AYAR AUKA

¡Ya era tiempo que llegara! ¡Mis armas tienen sed!
¡Iré a su encuentro! ¡Uno de los dos sobra encima de
[la Tierra!

TAMPU CHÁKAY

(*Deteniendo a* AYAR AUKA, *que pretende salir por
la izquierda.*)

Señor, ¡millares de guerreros lo defienden!

AYAR UCHU

¡Estamos perdidos! ¡Estamos perdidos!

MAMA WAKO

¡Qué dulce sabrá el licor en tu cabeza, Ayar Auka!
¡Qué hermosos parecerán mis pies sobre tu cuerpo,
[Ayar Uchu!
¡Qué sonoro tambor de guerra será tu piel, Tampu
[Chákay!

AYAR AUKA

¡Yo he de beber en el cráneo de tu esposo!
¡Yo he de reinar en la sumisa Tampu Toko!
Tampu Chákay, ¡defiende las murallas con la Guardia!
¡Ayar Kachi no entrará en la ciudad mientras mi padre
[viva!
¡Y cuando la roja borla me pertenezca, el ejército acata-
[rá mis órdenes!

TAMPU CHÁKAY

¡Hágase así, señor!

(Sale precipitadamente por la izquierda.)

MAMA WAKO

¡Húmeda será la roja borla que adorne tu cabeza!
¡Cual una inundación de bronce, el ejército sumer-
[girá a la Guardia!

AYAR AUKA

¡En la celada de la lechuza melodiosa ha caído el
[cóndor!

MAMA WAKO

¡Ja! ¡Ja! ¡Ja! ¡Ja!...

AYAR AUKA

¡Ríe, hipócrita ramera! ¡Ríe mientras puedas!
¡Si el torrente de sangre ha de arrastrarme, Ayar
[Kachi perecerá conmigo!
¡Abrazados caminábamos antaño, hasta que tú nos se-
[paraste!
¡Abrazados hemos de rodar por el más profundo ba-
[rranco del Infierno!
¡Cuando la noche venga, y el último de mis hombres
[haya muerto,
como un hambriento cóndor saltaré sobre él desde la
[sombra,
y moriremos juntos, aunque millares de guerreros lo
[defiendan!

SACERDOTE 3.º

¡Ah, lunas de sangre, soles de ceniza envenenada,
días de llanto, torvas noches de crimen y remordimien-
[to!

SACERDOTE 1.º

¡El tiempo de la maldición, el tiempo de los buitres
[sedientos ha llegado!
¡De dolor será el maíz oscuro, de lágrimas amargas
[será el agua!

VOCES DEL PUEBLO

¡Ayar Kachi! ¡Ayar Kachi! ¡Ayar Kachi! ¡Ayar
[Kachi!

AYAR UCHU

(A AYAR AUKA.*)*

¡Solo la muerte!... ¡Solo la muerte de nuestro pa-
[dre,
solo tu signo en el báculo, puede salvarnos todavía!

AYAR AUKA

(Con la cabeza entre las manos.)

¿Para qué sirve el pensamiento?
¿Para qué sirven las serpientes del deseo,
si no pueden morder, matar a un moribundo?

AYAR UCHU

¡Tú conoces, Ayar Auka, el único recurso!

AYAR AUKA

¡Sí! ¡Lo conozco!...
                (Avanza hacia el templo de la derecha.)

AYAR MANKO

¡Ayar Auka!

AYAR AUKA

(Deteniéndose.)

¿De qué me sirve la fuerza de mis brazos,
si no me atrevo a usarla contra un débil anciano?
¡No! ¡Ayar Auka no es el soberbio cóndor que pensaba!
¡Ayar Auka retrocede ante la maldición de un viejo
[agonizante!
¡Ayar Auka es un cobarde que cree en el remordi-
[miento!

VOCES DEL PUEBLO

¡Ayar Kachi! ¡Ayar Kachi! ¡Ayar Kachi! ¡Ayar
[Kachi!

Regresa TAMPU CHÁKAY.

TAMPU CHÁKAY

Señor, ¡Ayar Kachi está lejos todavía!
¡Pero la Guardia se niega a luchar contra el ejército!
¡La Guardia no quiere sacrificarse en un combate in-
[útil!

AYAR AUKA

¡Piedras a la derecha, a la izquierda piedras,
abajo piedras, y el mismo cielo arriba como una piedra
[inexorable!
¿Dónde está el dios que de las piedras hizo hom-
[bres? (14).

TAMPU CHÁKAY

(Tratando de arrastrar a AYAR AUKA
hacia la izquierda, mientras AYAR UCHU
permanece inmóvil, aterrado.)

¡Huyamos, señor! ¡Huyamos a la selva!

AYAR AUKA

(Desasiéndose.)

Tampu Chákay, ¡no sabes lo que dices!
¿Has imaginado alguna vez a Ayar Auka fugitivo,
a Ayar Auka, escondido entre los árboles, llorando?

TAMPU CHÁKAY

¿Qué hacer, entonces, señor?

(Comienza un rojo crepúsculo.)

AYAR AUKA

¡Tú estás loco, Tampu Chákay! ¡Todos estamos
[locos!
¡El mismo Señor del Universo delira en el confín del
[horizonte!
¡El día y la noche se confunden! ¿Desde cuándo es
[ocaso la alborada?

(Empujando al SUMO SACERDOTE *hacia el*
templo de la derecha.)

¡Un oráculo, Sumo Sacerdote! ¡Un oráculo feliz, defi-
[nitivo!
¡Dile a mi padre que el Señor de los presagios tiene
[prisa,
que el Supremo Hacedor me ha designado rey de Tam-
[pu Toko!

EL SUMO SACERDOTE

(Escupiendo.)

¡Blasfemas, Ayar Auka! ¡El Demonio mueve tus
[labios y tu lengua!

AYAR AUKA

¿Existe acaso el Demonio? ¿Existimos nosotros?
¿O somos tan solo la siniestra fantasía de un demente,
la alucinación de una bestia feroz que se divierte con
[sus sueños,
los arroja unos contra otros, los levanta, los destruye?

VOCES DEL PUEBLO

¡Ayar Kachi! ¡Ayar Kachi! ¡Ayar Kachi! ¡Ayar
[Kachi!

AYAR AUKA

¡Gritan de júbilo, pero les haré llorar lágrimas de
[sangre!
¡Yo les haré llorar ríos de sangre sobre el cadáver de
[Ayar Kachi!

(Arrastrando al SUMO SACERDOTE *hacia el
templo de la derecha.)*

¡Vamos, anciano! ¡Si quieres vivir, haz lo que ordeno!
¡Ven con nosotros, Tampu Chákay! ¡Y si no obedece,
[mátalo!

*(Sobre una litera cargada por cuatro
GUARDIAS sale del templo de la derecha el
anciano REY de Tampu Toko. Lleva un
báculo en la mano.)*

MAMA WAKO

¡Padre! ¡Padre!

AYAR UCHU

(A AYAR AUKA.)

¡Arrójate a sus pies! ¡Implora! ¡Ruega! ¡Solo él
[puede salvarnos!

AYAR AUKA

(En voz baja, a TAMPU CHÁKAY *y los* GUARDIAS *que
sujetan a* AYAR MANKO *y* MAMA WAKO.)

¡Pronto! ¡Sacadlos de la plaza!

EL REY

¡Dejadlos libres!

(Los GUARDIAS 1.º, 2.º, 3.º *y* 4.º *obedecen
al* REY, *y salen por la izquierda.)*

MAMA WAKO

(Arrojándose a los pies del REY.)

¡Justicia, padre! ¡Sanción para el adúltero Ayar
[Auka!
¡Si los servidores de mi casa no hubieran acudido,
estaría consumado el delito que el Señor del Universo
[no perdona!

AYAR AUKA

¡Fue ella quien, por medio de Ayar Uchu,
me invitó a visitarla en el palacio de Ayar Kachi!

AYAR UCHU

«Dile a Ayar Auka—me rogó—que necesito verlo a
[solas esta tarde.
He de comunicarle un secreto mensaje de mi esposo.»

MAMA WAKO

¡Mientes, serpiente venenosa!

AYAR AUKA

¡Desnuda como la estrella de la mañana la hallé
[sobre su lecho!

¡Había bebido y mi voluntad fue más débil que mi
[instinto!

EL REY

No siempre el que la apariencia señala es el mayor
[culpable...
Quisiera comprender, decidir, juzgar, llegar al fondo...
Pero la muerte no se detiene. Su corriente no puede
[remontarse.
El río de la vida es demasiado veloz para el pensamien-
[to del moribundo.

EL SUMO SACERDOTE

¡El alma del hombre es más profunda que los abis-
[mos de la Tierra,
más tenebrosa que la noche, más enmarañada que la
[selva enmarañada!
¡Las manos del vértigo acarician los ojos que se aso-
[man a su hondura impenetrable!

MAMA WAKO

¡El que busca la verdad, en su propio corazón ha
[de encontrarla!
¡La justicia hace la luz con la traidora sombra en que
[delira!

EL REY

Los ojos del moribundo miran hacia el lado contra-
[rio de los vuestros.
La mirada del que agoniza no se detiene en el fugaz
[instante.
La niebla del tiempo se extiende de orilla a orilla de
[la muerte.
Entre el pasado y el porvenir, el sitio del presente está
Las acciones de los hombres conocemos,   [vacío.
no los oscuros designios que las forjan.
Vemos la caída del guijarro en el estanque,
no la mano que desde la sombra lo ha arrojado.

(Largo silencio.)

¡Escuchad! ¡Escuchad mi voluntad postrera!
¡El deplorable suceso deberá ser olvidado para siem-
                                                    [pre!
¡Si alguien alguna vez hablare—sea quien fuere—
sufrirá el suplicio del fuego y sus cenizas serán espar-
                                    [cidas por la Tierra! (15).

(Largo silencio.)

¡Y si no obstante la eterna muerte, la sanción terrible,
se entera Ayar Kachi de lo que no debe saber nunca,
Ayar Kachi, respetando mi mandato, perdonará a su
                                                [hermano!
¡Maldito sea aquel que no recuerde mis palabras!

TODOS
(Menos AYAR AUKA.)

¡Hágase así, señor!

EL REY
(Dejando caer el báculo.)

¡Ayar Kachi será el rey de Tampu Toko!
¡Y Ayar Auka, ante él, inclinará sumisa la cabeza!

(Largo silencio.)

Lo que ahora voy a deciros, no es para vosotros,
ni para vuestros hijos y los hijos de vuestros hijos so-
                                                    [lamente.
Es para todos aquellos que en este territorio en cual-
                                            [quier época vivan.
El destino humano tiene ocasos y alboradas.
Las generaciones y los pueblos se suceden sin descanso,
las viejas razas se confunden para que nazcan nuevas
                                                    [razas.
Mas el hombre, el habitante, es siempre el mismo,
pues la tierra que lo sostiene permanece inalterable.
Por eso mis palabras de hoy son también palabras de
                                                    [mañana,
y sus dormidos ecos despertarán bajo los pasos del
                                                    [tiempo.

Durante años y años, más lejos de lo que recuerda la
[memoria,
el granito y el bronce han cantado en nuestras manos,
hemos acumulado en Tampu Toko el saber y la po-
[tencia.
Y como la nieve que quiere disolverse en el dorado me-
[diodía,
correr hacia las sedientas comarcas que la aguardan,
nuestro anhelo no cabe ya en los muros de la ciudad
¡Cayendo..., y cayendo... y cayendo...   [sagrada.
el pueblo de los abismos proclamará la ley en el país
[salvaje,
labrará sobre los muertos los cuatro surcos de la vida!
¡Porque la raza del vértigo llevará la abundancia a las
[áridas regiones.
tenderá sus largos puentes sobre las crispadas zarpas
[de los ríos,
ascenderá por sólidos peldaños a los abruptos baluar-
[tes de la altura,
y sujetará el sol, la eterna primavera, con los brazos
[de la piedra!
¡Con el arco y la onda, con la flecha y la lanza, poneos
[en marcha!
¡Pero que el espíritu de la paz sobre vuestras conquis-
[tas se levante!
¡Que más allá de la yerta meseta y las gélidas monta-
[ñas,
el erizado torrente se desborde hacia las verdes aguas
[del Poniente!

TODOS

(Menos AYAR AUKA.)

¡Hágase así, Señor!

> *(Los* GUARDIAS *conducen al* REY *al inte-
> rior del templo de la derecha. Los cinco*
> SACERDOTES *lo siguen. Entra por la izquier-
> da* MAMA OJLLO. *Abraza a* AYAR MANKO.)

MAMA WAKO

(*A* MAMA OJLLO.)

¡He de olvidar! ¡He de perdonar! ¡Nuestro padre
[lo ha ordenado.

MAMA OJLLO

¡Anciano y sabio es nuestro padre! ¡Que su volun-
[tad se cumpla!

AYAR UCHU

(*A* AYAR AUKA, *recogiendo el báculo y mostrándoselo.*)

¡Tu signo estaba en el sagrado báculo!

AYAR AUKA

¡Sí! ¡Mi signo! ¡Mi signo!
¡En los hilos de la araña venenosa me he enredado!
¿Para qué vivir, si he de ser el esclavo de Ayar Kachi?

VOCES DEL PUEBLO

¡Ayar Kachi! ¡Ayar Kachi! ¡Ayar Kachi! ¡Ayar
[Kachi!

AYAR AUKA

(*Cubriéndose los oídos.*)

¡No quiero oír! ¡No quiero oír!

VOCES DEL PUEBLO

¡Ayar Kachi! ¡Ayar Kachi! ¡Ayar Kachi! ¡Ayar
[Kachi!

AYAR AUKA

(*Escuchando ávidamente.*)

¡Sí! ¡Quiero escucharlos como el náufrago el rugido
¿Por qué la voz que hiere el alma,   [de las aguas!
no matará como la flecha que tan solo la carne nos
[desgarra?
¿Acaso la envidia no es más aguda que la lanza?

El Sumo Sacerdote sale del templo de la derecha.

EL SUMO SACERDOTE (16)

¡El rey de Tampu Toko ha muerto!
¡La luz del sol se ha apartado para siempre de sus
[ojos!

MAMA OJLLO

¡Nunca más veremos su rostro como la faz de la
[esperanza!
¡Nunca más oiremos su palabra como la voz de la
[justicia!

AYAR MANKO

¡El escudo del pueblo de sus manos ha caído!

EL SUMO SACERDOTE

¡Ayar Kachi es el señor de Tampu Toko!
¡Oh, tierra madre, a tu hijo el rey
sostén encima de ti, invencible y puro! (17).

MAMA WAKO

¡Ayar Kachi, el que abre abismos!
¡Ayar Kachi, el que derriba montañas!

VOCES DEL PUEBLO

¡Ayar Kachi! ¡Ayar Kachi! ¡Ayar Kachi! ¡Ayar
[Kachi!

(El Sumo Sacerdote, Mama Ojllo *y* Ayar
Manko *entran en el templo de la derecha.*
Mama Wako *sale por la izquierda.)*

AYAR UCHU

(A Ayar Auka.)

¡Mañana serás rey!

AYAR AUKA

¡Sí! ¡Yo, tú, él, todos seremos reyes!
¡Reyes del polvo y los gusanos en la tumba!

AYAR UCHU

¡Escucha!

(Le habla al oído. Arrecia el sonido de los tambores.)

AYAR AUKA

(Horrorizado.)

¡No! ¡Eso no!...

VOCES DEL PUEBLO

¡Ayar Kachi! ¡Ayar Kachi! ¡Ayar Kachi! ¡Ayar
                                              [Kachi

AYAR UCHU

Una palabra tuya y...

AYAR AUKA

¡Matarlo, sí! ¡Matarlo con mis manos, frente a
                                    [frente y cara a cara!
¡Pero engañarlo, fingirle lealtad, jurarle vasallaje,
y luego, cual araña vil, tender las redes y...!

AYAR UCHU

¿Acaso su mujer no te ha robado la roja borla,
no ha jugado contigo como una ramera con un ingenuo
                                              [adolescente?

AYAR AUKA

¡La roca que se despeña no puede detenerse! ¡No
                                              [debe detenerse!

AYAR UCHU

¿Estás de acuerdo, entonces?

AYAR AUKA

¡Sí! ¡Que muera!...
¡Que muera, aunque me traguen vivo las fauces del
[infierno!

AYAR UCHU

¡Tampu Chákay, ven conmigo!

> *(Sale por la izquierda, con el báculo en la
> mano. TAMPU CHÁKAY lo sigue. Cae la no-
> che.)*

VOZ DE MAMA WAKO

¡Ayar Kachi, el que abre abismos!
¡Ayar Kachi, el que derriba montañas!
¡Ayar Kachi, el guerrero de piedra!

VOCES DEL PUEBLO

¡Ayar Kachi! ¡Ayar Kachi! ¡Ayar Kachi! ¡Ayar Ka-
[chi!

> *(El sonido de los tambores se hace en-
> sordecedor. AYAR AUKA se cubre los oídos.)*

TELON

ACTO SEGUNDO

Mañana del día siguiente. La Plaza Sagrada.
En escena, AYAR AUKA y AYAR UCHU.

AYAR AUKA

¡Una noche y una mañana son más largas que la
[eternidad!
¡El tiempo se ha detenido! ¡El sol no avanza hacia su
[sueño!
¡Ah! ¡Más fácil me sería aplastarlo como a una dorada
[mosca entre las nubes,
que arrancar de mi corazón uno solo de los negros agui-
[jones que lo hieren!
¡Que lo que va a ocurrir, ocurra pronto!
¡Quiero saber, no imaginar! ¡Solo un rostro tiene la
[muerte!
¡Pero el pensamiento con mil horrendas máscaras lo
[cubre!
¡Que mi único crimen me libere de los mil que me
[atormentan!

AYAR UCHU

¡Muchos hombres has matado en los combates!
¡Muchos niños has sacado del vientre de las madres
[enemigas!
¡Muchas cabezas de prisioneros has triturado con tus
[manos!
¡Un cóndor semejante en la guerra! ¡Un cóndor insa-
[ciable!
¡Jubiloso cantabas en las batallas cual el dios de las
[matanzas!

¡Tus pies sobre los muertos, rojas sandalias de baile
[parecían!

AYAR AUKA

¡Nunca me turbó, nunca me turbará la sangre de-
[rramada!
¡Pero la vergüenza de la traición me está mordiendo el
[alma!
¡Hace un momento, cuando Ayar Kachi ciñó la roja
[borla,
y a sus plantas incliné la frente, deseé morir, aniqui-
[larme!
¡Hundí las uñas en el suelo, escarbé el polvo con los
[dedos!
¿Por qué no se abrió, entonces, el más hondo pozo del
[infierno?
¿Por qué no nos tragó la Tierra para siempre a los dos
[juntos?
¿Por qué si ante el crimen todo mi ser tiembla y se re-
[bela,
no soy capaz de arrepentirme y renunciar a cometerlo?
¡Demasiado débil es la balanza del corazón humano,
[demasiado frágil,
para que el peso de la ambición y del remordimiento
[no la rompa!

AYAR UCHU

¡En el cerebro—no en el corazón—se apoya la ba-
[lanza!
¡No se trata de tu justa ambición ni de los pálidos
[fantasmas que imaginas!
¡Nuestras vidas y la vida de Ayar Kachi están en juego!
¡Crees, acaso, que la feroz ramera olvidará su odio,
escupirá su ponzoña en el vacío, mientras nosotros
[existamos?
¿Crees que Ayar Kachi le negará nuestras cabezas,
cuando ella se las pida, como presente de amor, alguna
[noche?

AYAR AUKA

¡La ramera! ¡La ramera! ¡La ramera! ¡Siempre la
[ramera!

AYAR UCHU

¡Sí! ¡Siempre!
¡No es el imbécil Ayar Kachi el rey de Tampu Toko!
¡Solo su esposa manda en la ciudad de los abismos!
¡Te halló una tarde—es cierto—con la mujer aquella!
¡Pero ni sus celos ni la belleza de Ayar Kachi la impul-
[saron a dejarte!
¡No buscaba un marido, sino un dócil instrumento,
un soberbio esclavo adornado con la borla! ¡Ahora lo
[tiene!

AYAR AUKA

¡La maldita hembra es astuta como el demonio!
[¡Sospechará!...

AYAR UCHU

¡Todo está previsto! ¡Serás rey de Tampu Toko
[bajo el sol del mediodía!

AYAR AUKA

¡Las esperanzas del hombre a los resplandores de
[la hoguera se parecen!
¡Un tenebroso viento las hace humo y ceniza bajo el
[tiempo!
¡Solo el torvo designio de la fatalidad es infalible!
¡Nuestros sueños florecen sobre el suelo de la Nada,
y las lívidas manos de la muerte los marchitan!
¡La voluntad humana es una red tendida sobre su pro-
[pia sombra,
una red que al cerrarse solo a nuestros fantasmas apri-
una encendida flecha que rebota en el vacío [siona;
y hiere el ciego corazón del que la arroja!
¡Al grito de la ambición, sus mismos ecos lo estran-
[gulan!

AYAR UCHU

¿Qué? ¿Pretendes ahora retroceder, arrepentirte?

AYAR AUKA

¡No! ¡He abierto los ojos al borde del abismo
y me he entregado para siempre al vértigo nefando!
¡Todos los suplicios de la tierra y del infierno,
todas las espinas del culpable insomnio en mi cabeza,
todos los terrores de la conciencia en mi agitado sueño,
antes que seguir siendo el esclavo de Ayar Kachi!

AYAR UCHU

¡Ahora grazna el cóndor! ¡Ahora veo tus negras alas
[extendidas!

Entra AYAR MANKO por la derecha.

AYAR MANKO

¡Malo está el tiempo! ¡Oscura, la mañana!

AYAR AUKA

¡Sí! ¡Oscura! ¡Oscura!...

AYAR MANKO

¡Funestos han sido los presagios! ¡Durante la so-
[lemne ceremonia,
dos veces el ave tétrica voló sobre Ayar Kachi!
¡Grandes peligros lo amenazan! ¡Y nosotros debemos
[defenderlo!
¡Es el rey de Tampu Toko porque nuestro padre lo ha
[querido!

AYAR AUKA

¡No! ¡Nuestro padre anhelaba que yo lo sucediera!
¡Trazó mi signo en el sagrado báculo!
¡Pero las intrigas de la ramera lo turbaron!

AYAR MANKO

«¡Y Ayar Auka inclinará sumiso la cabeza!», dijo el
[moribundo.

AYAR AUKA

¿No la he inclinado, acaso, hasta tocar el polvo?
¿No me he prosternado ante él como un cautivo tem-
[bloroso?
¿No he mordido mis labios hasta sacarles sangre?
¿No he bajado mis párpados para que no le hirieran
[mis pupilas?

AYAR MANKO

¡Resígnate, Ayar Auka! ¡Grandes empresas nos
[aguardan!
¡Toda la tierra será pacificada por el rey de Tampu
[Toko!
¡Y tú serás su consejero y su brazo derecho en las ba-
[tallas!

AYAR AUKA

¡Seré rey!
¡Seré rey o nada!

AYAR UCHU

¡Calla!

AYAR MANKO

¡Estás enfermo, Ayar Auka! ¡Estás enfermo!

AYAR AUKA

(Dominándose.)

¡Sí! ¡No prestes atención a mis palabras! ¡Estoy
[loco!
¡Pero muy pronto volveré a ser el que he sido antes!
¡Muy pronto! ¡Muy pronto! ¡Muy pronto!...

Entran por la derecha los SACERDOTES 1.°, 2.°, 3.° y 4.°.

AYAR UCHU

(A sus hermanos.)

¡Reunámonos con el rey delante de la caverna en
[que amanece!

AYAR AUKA

¡Sí! ¡Ya es hora! ¡Vamos!

(Salen los tres por la izquierda.)

SACERDOTE 2.º

¡Amargo fue el licor! ¡Amarga fue la hoja!
¡Amargo el graznido del cóndor sobre la cabeza de
[Ayar Kachi!

SACERDOTE 3.º

¡Lúgubres presagios, fatídicos augurios! ¡Deplora-
[bles sucesos se aproximan!

SACERDOTE 1.º

¡Ojos de locura, pico de ave carnicera, garras de
[jaguar,
colmillos de serpiente, alas de murciélago, tendrá el
[nefasto día!

(Los SACERDOTES *gritan desde el extremo
izquierdo de la plaza.)*

SACERDOTE 2.º

¡Señor de Tampu Toko, misteriosos peligros te ame-
[nazan!

SACERDOTE 3.º

¡No penetres en la caverna en que amanece!

SACERDOTE 4.º

¡No! ¡No penetres! ¡Malignos círculos te encierran
[invisibles!

SACERDOTE 1.º

¡El cóndor se cierne sobre ti, Ayar Kachi!

SACERDOTE 2.º

¡Bajo tus plantas despierta la serpiente!

SACERDOTE 3.º

¡Tu sombra en la piedra palidece!

SACERDOTE 4.º

¡Cuídate de la serpiente! ¡Cuídate del cóndor!
¡Cuídate de la piedra, oh rey de la ciudad de los abis-
[mos!

VOCES DEL PUEBLO

¡Ayar Kachi! ¡Ayar Kachi! ¡Ayar Kachi! ¡Ayar
¡Ayar Kachi, el que abre abismos!   [Kachi!
¡Ayar Kachi, el que derriba montañas!
¡Ayar Kachi, el guerrero de piedra!
¡Ayar Kachi! ¡Ayar Kachi! ¡Ayar Kachi! ¡Ayar Kachi!

SACERDOTE 1.º

¡Es tarde ya! ¡Sus oídos no pueden escucharnos!
¡Protege a tu hijo, oh Hacedor del Cielo y de la Tierra!

Entra por la derecha MAMA WAKO. MAMA OJLLO la sigue.

MAMA WAKO

¡Una pavorosa visión me ha desgarrado el alma!
¡A Ayar Kachi he visto, sepultado en los escombros de
[la tumba!
¡Su duro cuerpo he contemplado, convertido en roca!
¡Ah! ¡No debí acatar la voluntad postrera de mi padre!
¡Al adúltero Ayar Auka debí entregar a la venganza de
[mi esposo!
¡No basta, no, con las veladas advertencias!
¡El corazón de los valientes ignora los gusanos que
[lo cercan,
el que mira siempre adelante no descifra los enigmas
[del camino!
¿Qué sabe el puro mediodía de las arteras celadas de
[la noche?

MAMA OJLLO

¡Calma, hermana mía! ¡El Señor del Universo pro-
[tegerá a Ayar Kachi!

MAMA WAKO

¿Dónde está Tampu Chákay, sacerdotes?
¿Alguno de vosotros ha visto a Tampu Chákay?

(Silencio general.)

¿El ruido de anoche muy cerca de la caverna,
la obstinada voz del bronce sobre la sorda roca,
no delataba acaso a Tampu Chákay y sus hombres?

MAMA OJLLO

¡Era un tambor! ¡Solo un tambor tañido por la
[brisa!

MAMA WAKO

¡Desdichada de mí! ¡Ahora veo! ¡Ahora compren-
[do! ¡Ahora presiento!...

SACERDOTE 2.º

¡El rey ha llegado a la caverna en que amanece!

MAMA WAKO

¡Sí! ¡Saluda a los traidores!
¡Ah, su sonrisa de niño que las alas de la muerte no
[ensombrecen!
¡Ayar Kachi, erguido y luminoso bajo la turbia lobre-
[guez del cielo!

(Breve redoble de tambores.)

MAMA OJLLO

¡En la sagrada tumba de los antepasados entra
[ahora!

MAMA WAKO
(Con los ojos cerrados.)

¿Qué hilandera tenebrosa cubre su rostro con ve-
[los delicados?
¡El viento inclina las trémulas espigas,
pero Ayar Kachi mira hacia el otro lado del estío!
¡Tanto se ha adentrado ya en la oscura muerte,

que de su temprano sueño mi voz no lo despierta!
¿Es tan puro, amado mío, el reino silencioso
que aun antes de hollarlo me abandonas?

> *(Comienza a oírse, en lento «crescendo»*
> *el derrumbamiento de la caverna.* MAMA
> WAKO *corre desesperada de un lado a otro*
> *de la plaza.)*

¡Ya no lo veo! ¡Ya no puedo verlo!...
¡Solo la mano del homicida vislumbro entre las som-
[bras
¡Levántate, Ayar Kachi! ¡Sal de la caverna! ¡Derriba
[a los traidores!
¡Las negras fauces se cierran sobre el héroe!
¡Las piedras tiemblan! ¡La siniestra cueva se derrumba!

> *(Se escucha el estrepitoso derrumbamien-*
> *to de la caverna, seguido de un multitudi-*
> *nario alarido de espanto.* MAMA WAKO *ex-*
> *hala un terrible grito y pretende salir por*
> *la izquierda.* MAMA OJLLO *y los* SACERDOTES
> *la detienen.* MAMA WAKO *solloza largo rato*
> *en los brazos de su hermana. Luego, se deja*
> *caer en el suelo con la cabeza entre las*
> *manos.)*

SACERDOTE 3.º

(Después de largo silencio.)

¡Como sollozo redoblará el tambor! ¡Como gemido
[sonará la flauta!

SACERDOTE 4.º

¡Igual que viejo mirará el niño!
¡Igual que mujeres habrán espanto los soldados!

Entra por la izquierda el GUERRERO 1.º

SACERDOTE 1.º

¡El rey de Tampu Toko ha perecido en la caverna
[en que amanece!

¡El guerrero de piedra con la furiosa piedra se con-
[funde!

MAMA OJLLO

¡Ayar Kachi, señor, hermano mío!

SACERDOTE 1.º

¡Meditaba ante los difuntos de su sangre,
cuando la bóveda sagrada lo devoró como una ham-
[brienta sombra!

MAMA OJLLO

¡Aurora asesinada, oh crepúsculo de su cuerpo bajo
[los negros peñascos!

SACERDOTE 1.º

¡Lloremos, Sacerdotes! ¡Lloremos a Ayar Kachi!

MAMA OJLLO

¡La efímera rosa de la lágrima en el polvo se mar-
[chita!
¡El débil llanto no desata las yertas ligaduras del gue-
[rrero!

Entra por la izquierda el GUERRERO 2.º

GUERRERO 2.º

¡Cual un solo hombre, el ejército se arrojó sobre
[las ruinas!
¡Cuatro guardias avanzan portando el cuerpo de Ayar
[Kachi!

MAMA OJLLO

(*A* MAMA WAKO.)

¡Su cuerpo era casto y duro como el granito del
[templo;
mas, al mirarte, un dorado temblor de enredadera lo
[animaba!

GUERRERO 2.º

¡Más allá de la muerte, su cabeza entre las piedras
[soñadora piedra parecía!

MAMA OJLLO

¡Música secreta, deshojado aroma, su encendida san-
[gre en dos escombros!

MAMA WAKO

¿Dónde estabas, oh paterno Sol, radiante escudo,
que en la roja noche de las matanzas lo amparabas?
Y tú, Tierra Madre, ¿por qué no suavizaste tu regazo,
por qué tus ciegas manos se ensañaron en la carne de
[tu hijo?
¡Solloza, laméntate, oh dormida, despiadada nodriza de
[sus sueños!
¡El maduro rumor de tus espigas, tu transfigurada savia,
tu murmullo de abejas invisibles, como un joven verano
cantaba alegre en los azules tallos de sus venas!
¡Vieja estás ahora, oh infausta filicida, madrastra sin
[entrañas!
¡Vieja, decrépita, marchita en tu invierno prematuro,
porque tu renacida juventud con Ayar Kachi ha muerto
[para siempre!

GUERRERO 2.º

¡En la fragorosa desolación, en el rígido remolino,
la negra antorcha de sus cabellos era lo único viviente!

MAMA WAKO

¡Sí! ¡Lo único viviente!
¡El ancho espacio en torno a él se ha desecado! ¡Está
[vacío!
¡Todo, a la orilla de su muerte, está podrido, amorta-
[jado y muerto!
¡En el abismo de su ausencia, la belleza del mundo ha
[zozobrado!

Entran por la izquierda AYAR UCHU y AYAR AUKA. Se detienen
en el costado derecha de la plaza. Hablan en voz baja.
MAMA WAKO los señala.

¡Escuchad el graznido de los cóndores hambrientos!
¡Ved cómo clavan sus garras en los huecos despojos
[de la Nada!

Precedidos por los GUARDIAS 1.°, 2.°, 3.° y 4.°, entran por la izquierda los GUARDIAS 5.°, 6.° 7.° y 8.° portando el cadáver cubierto
con una rica manta. AYAR MANKO y el SUMO SACERDOTE—con la
borla en la mano—los siguen. Los GUARDIAS depositan el cuerpo
en el centro de la plaza. MAMA WAKO se inclina sobre él,
y llora en silencio.

AYAR MANKO

¡En la derruida tiniebla de las rocas,
la huérfana luz anidaba tan solo en sus pupilas!

MAMA WAKO

(Desvariando.)

¿Sus pupilas?
¡Sus pupilas, como heridas abiertas para la sed del
[tiempo!
¡He soñado, he pensado, he oído decir alguna vez
que en las heladas pupilas, en los tercos ojos de los
[muertos,
el rostro de los asesinos queda grabado para siempre!
¡He oído decir que la última mirada del agonizante
delata el secreto ademán de los culpables, eternamente
[los acusa!

AYAR MANKO

¡Serénate, hermana mía!
¡La muerte de Ayar Kachi tan solo a la fatalidad puede
[imputarse!

MAMA WAKO

¡No! ¡No estamos aquí para derramar lágrimas de
[niños!
¡No estamos aquí para gemir, para llorar y resignarnos!

¡Soy una débil mujer; pero los ojos del muerto me
[tornarán fuerte!
¡A ellos he de asomarme sin vértigo, ávida, sedienta!
¡En sus amargos pozos he de beber la luz de la ven-
[ganza!

(Descubre la cabeza del cadáver y con-
templa sus ojos. Los besa frenéticamente.
Los dos GUERREROS *salen por la izquierda.)*

¡Ah, borrachera del odio, que a la ebriedad del amor
[terrible se parece!
¡Al cóndor veo, que se alimenta con la sangre de su
[hermano!
¡A la aviesa serpiente que lo arrastra a los abismos!
¡A la obstinada araña que en la sombra arma sus redes!
¡A Ayar Auka, Ayar Uchu y Tampu Chákay veo!

AYAR MANKO

¡Conmigo estaban Ayar Auka y Ayar Uchu cuando
[se desmoronó la cueva!

MAMA WAKO

Y Tampu Chákay, el torvo Tampu Chákay, ¿dónde
[se hallaba?

*(*AYAR MANKO *no responde.)*

¡Detrás de la caverna, en una subterránea guarida se
[escondía!

Entra TAMPU CHÁKAY por la izquierda. MAMA WAKO pretende agre-
dirlo, pero AYAR MANKO se lo impide.

¡Tampu Chákay! ¡He visto tu rostro en los ojos de mi
[esposo!
¡Guerreros, Sacerdotes, pueblo de la sagrada Tampu
[Toko:
a arrancar el corazón del homicida os llamo a todos!
(Largo silencio.)
¿No oís, acaso, el alarido del difunto,
la voz de Ayar Kachi que desde la muerte se levanta?

¡A Ayar Auka, Ayar Uchu y Tampu Chákay en sus ojos
[he mirado!

AYAR UCHU

¡Tú estás loca!

MAMA WAKO

(A AYAR AUKA.)

¡Contempla tu rostro en las pupilas de Ayar Kachi!
¡Bajas los párpados! ¡Tiemblas! ¡Palideces! ¡No te
[atreves!
(AYAR AUKA *retrocede algunos pasos.)*

AYAR UCHU

(Empujando a AYAR AUKA *hacia el cadáver.)*

¡Mira sus ojos! ¡Ningún daño habrán de hacerte!

AYAR AUKA

(Dominándose.)

¡No le temí cuando vivía! ¡Menos he de temerle
[ahora que ha muerto!
*(Mira un instante los ojos del cadáver.
Retrocede cubriéndose el rostro.)*
¡Malditas sean las pupilas que hieren el corazón!

(A AYAR UCHU.)

¡Ponme una lanza, un incendio de lanzas delante de los
[ojos,
pero no me pidas que mis ojos en los ojos de Ayar
[Kachi se sumerjan!

AYAR MANKO

¿Te estremeces? ¿Tienes miedo, Ayar Auka? ¿Tienes
[miedo?
¡Se diría que el Infierno has descubierto en las pupilas
[de tu hermano!

MAMA WAKO

Y ahora, Ayar Manko, ¿dudas todavía?

AYAR AUKA

¿Qué me ocurre? ¿Habré enloquecido de pronto?
¿Habré vuelto a ser un niño al que asustan los difun-
[tos?

MAMA WAKO

¡Adúltero! ¡Cobarde! ¡Fratricida! ¡Fratricida!

AYAR AUKA

(Reaccionando gracias a un supremo esfuerzo.)

¡En mis ojos, no en los ojos de Ayar Kachi, está
[el Infierno!
¿Quién se atreve a mirarlos sin vértigo hasta el fondo?
¿Quién repite que Ayar Auka tiene miedo de un ca-
[dáver?
¡No hubiera querido yo que muriese así Ayar Kachi!
¡No hubiera querido que la traidora piedra lo aplas-
[tase!
¡Frente a frente, arco contra honda, guerrero contra
[guerrero,
cóndor contra jaguar, hubiera querido encontrarlo una
[mañana!
¡Mírame a los ojos, Ayar Manko, y dime si Ayar Auka
[es un cobade!

AYAR UCHU

¡Ayar Auka ha hablado! ¡Ayar Auka ha destruido
[la calumnia!
¡Cubrid el rostro de Ayar Kachi! ¡Sacadlo de la plaza!

(Los GUARDIAS *se disponen a cubrir el
rostro de* AYAR KACHI.*)*

AYAR AUKA

¡No! ¡Aguardad un instante todavía!
¡Quiero contemplarlo por última vez!

¡Quiero clavar su mirada sin luz en mis pupilas!
¡Quiero recordar el gesto de su agonía eternamente!
¡Quiero conocer desde ahora el nefando rostro de mis
[noches!
¿Acaso vale menos el hombre que el ave carnicera,
menos que el gusano que jubiloso vive en los sepulcros?
                    (Mira el cadáver en silencio.)
¡Has muerto, Ayar Kachi! ¡Has muerto para siempre!

MAMA WAKO

¿Estáis sordos, habitantes de la maldita Tampu
[Toko?
¿Estáis sordos para no oír la callada voz del muerto,
la profunda, terrible, pavorosa voz del muerto,
resonando vengadora en la conciencia del culpable,
ascendiendo herida por las mudas piedras de los tem-
[plos,
extendiéndose como una infinita mancha de sangre por
[la Tierra?

AYAR MANKO

(A MAMA WAKO.*)*

¡Cuando el rey sucumbió bajo las rocas negras,
Ayar Auka y Ayar Uchu a mi lado se encontraban!

MAMA WAKO

¡Los cobardes no matan nunca con sus propias
[manos!
¡Fue Tampu Chákay el arma oculta de su odio!

AYAR MANKO

¿Dónde estabas, Tampu Chákay, mientras tu señor
[moría en la caverna?

TAMPU CHÁKAY

En la puerta de la ciudad, disponiendo el relevo de
[la Guardia.
                    (Señalando a los GUARDIAS.*)*
Estos hombres son testigos.

AYAR MANKO

(A los GUARDIAS.*)*

¿Es cierto lo que dice?

(Los GUARDIAS *inclinan afirmativamente
la cabeza.)*

TAMPU CHÁKAY

¡Ya lo ves!
¡Y los centinelas pueden confirmarlo, si lo exiges!

MAMA WAKO

¡Son sus soldados los que apoyan sus mentiras!

AYAR MANKO

Ninguna prueba tengo contra ti, Tampu Chákay.
¡Pero hay algo indefinible, misterioso, una incorpórea
[voz en mis oídos,
una extinguida palabra como un roto brasero en las
[tinieblas,
una desencarnada presencia a mis espaldas, que te
[acusa!

AYAR UCHU

¡Deliras! ¡Deliras, Ayar Manko!

AYAR MANKO

¡Sí! Deliraba...

MAMA WAKO

¡No! ¡No delirabas! ¡La voz del muerto oías,
el grito del rey asesinado, pidiéndote venganza!

AYAR MANKO

¡Serénate, esposa de Ayar Kachi!
¡A nadie podemos culpar de la desgracia!

MAMA WAKO

¡Tú también me abandonas! ¡Tú también traicionas
[a tu hermano!

¡Que las profanadas piedras de los templos se desplo-
[men!
¡Que las agudas lanzas hieran solas el pecho de los
[hombres!
;Que las feroces hordas arrasen la ciudad de los abis-
[mos!

EL SUMO SACERDOTE

¡Silencio, oh sacrílega! ¡El dolor te ha enloquecido!
(Mientras, los GUARDIAS *5.°, 6.°, 7.° y 8.°
llevan el cadáver al interior del templo de
la derecha.)*

¡Ve a llorar sobre el cuerpo de tu esposo,
y que el Señor del Universo perdone tus blasfemias!

MAMA WAKO

¡Sí! ¡Voy a llorar!
¡Voy a llorar hasta que las lágrimas en filudas armas
[se conviertan!
¡Voy a llorar hasta que de mis sollozos nazcan garras
[vengadoras!
¡El crimen será castigado! ¡Yo os lo juro!

(A AYAR AUKA.)

¡Amargos serán tus días, insomnes serán tus noches!
¡Llegará el tiempo en que la muerte dichoso descanso
[te parezca!

(MAMA WAKO *y* MAMA OJLLO *ingresan en
el templo de la derecha. Los* GUARDIAS *1.°,
2.°, 3.° y 4.° custodian la entrada de este.)*

Irrumpe por la izquierda el MENSAJERO.

EL MENSAJERO

¡Apu Mayta me envía! ¡La retaguardia del ejército
[ha sido derrotada!
¡Las salvajes hordas se han unido contra nosotros!

¡Los devoradores de hombres hacia Tampu Toko avan-
[zan!

AYAR MANKO

¡Imposible!
¡El triunfo de Ayar Kachi puso en fuga al enemigo!

AYAR UCHU

¡No es el momento de dudar! ¡Es el momento de
[coger las armas!

(El MENSAJERO *sale por la izquierda.*
TAMPU CHÁKAY *lo sigue.)*

¡Un nuevo rey hemos de elegir que a la victoria nos
[conduzca!
¡Ceñid con la roja borla las sienes de Ayar Auka, sacer-
[dotes!

*(Mostrando a todos el báculo que hasta
entonces ocultara.)*

¡Nuestro padre dibujó su signo en el sagrado báculo!
¡Sin la funesta intriga de la esposa de Ayar Kachi,
Ayar Auka sería ya el señor de la potente Tampu Toko!

AYAR MANKO

¡Nuestro padre castigó a Ayar Auka por su torpe
[tentativa!
¡Nuestro padre no quiso que el adúltero reinara en la
[ciudad de los abismos!

AYAR UCHU

¡Las nieblas de la muerte ensombrecían sus sentidos,
y las palabras de la hembra maligna lo engañaron!
¡Pero el supremo designio, la voluntad del Señor del
[Universo,
en la desmoronada caverna ante nuestros ojos se ha
[mostrado!
¡No hay un instante que perder, Sumo Sacerdote!

¡Mientras nosotros vacilamos, el enemigo avanza!
¿Deseas, acaso, que la maldición de la mujer se cum-
[pla?

EL SUMO SACERDOTE

(Poniendo la borla en la cabeza de AYAR AUKA.)

¡Ayar Auka es el rey de Tampu Toko!

Entra APU MAYTA por la izquierda.

AYAR UCHU

(Con voz temblorosa.)

¡Apu Mayta!

AYAR MANKO

¡Demasiado tranquilo vienes, Apu Mayta!
¿Es tan liviano el fardo de la derrota en tus espaldas?

APU MAYTA

¡No te comprendo, señor! ¿A qué derrota aludes?
¡Los guerreros que yo mando solo conocen la victoria!

AYAR MANKO

¡La intriga ha sido descubierta!
¡Era un instrumento de Ayar Auka el falso mensa-
[jero!
(A AYAR AUKA.)

¡Atrévete a negarlo!

(Avanza hacia AYAR AUKA, *pero los* SACER
DOTES *se interponen.)*

EL SUMO SACERDOTE

¡Respeta a tu rey, Ayar Manko!

AYAR MANKO

(A AYAR AUKA.)

¡La borla roja te protege! ¡La borla roja te prote-
[ge todavía!

¡Pero si no haces justicia, la arrancaré yo mismo de
[tus sienes!

AYAR AUKA

¡Guardias!
¡Apresad al mensajero! ¡Traedlo a la plaza Sagrada!

> (Los GUARDIAS 1.º, 2.º, 3.º y 4.º *salen co-*
> *rriendo por la izquierda. Los* GUARDIAS 5.º,
> 6.º, 7.º *y* 8.º *ocupan su puesto.*)

¡Haré justicia, Ayar Manko!
¡Haré justicia porque soy el rey de Tampu Toko,
no porque tú, con insolentes ademanes, me lo pidas!

AYAR UCHU

¡Sí! ¡Que el impostor confiese el nombre de sus
[cómplices!
¡Que el tormento mueva su lengua si es preciso!

Entra TAMPU CHÁKAY por la izquierda.

TAMPU CHÁKAY

¡Sería fácil traer al engañoso mensajero!
¡Pero nadie le hará decir palabra!

AYAR AUKA

¿Qué insinúas, Tampu Chákay? ¡Habla claro!

TAMPU CHÁKAY

¡Al verse desenmascarado, con sus propias manos
[se quitó la vida!

AYAR AUKA

¡Que las aladas rapaces devoren su carroña!

> (Sale TAMPU CHÁKAY por la izquierda.)

AYAR MANKO

¡A una catástrofe misteriosa y a un equívoco su-
[ceso la roja borla debes!
¡A pesar mío, la más horrenda sospecha en el corazón
[llevo clavada!
¡Si algún día, que ojalá no llegue nunca,
descubro que de la muerte de tu hermano eres culpable,
al frente de sus guerreros castigaré tu crimen!

APU MAYTA

¡Así será, señor!

AYAR MANKO

¡En cuanto a la viuda de Ayar Kachi, nada intentes
[contra ella!
¡El ejército de su esposo velará por su vida y por su
[honra!

APU MAYTA

¡Así será, señor!

(Precedidos por los cinco SACERDOTES,
AYAR MANKO *y* APU MAYTA *entran en el
templo de la derecha.)*

AYAR AUKA

(En voz baja, retorciéndose las manos.)

¿Qué clase de rey has hecho de mí, Ayar Uchu?
¿En qué dorada jaula has encerrado al cóndor de alas
[rotas?
¡Ningún hombre, antes de hoy, se atrevió a humillar a
¡Y ahora, un cachorro sin zarpas todavía [Ayar Auka!
y un viejo pajarraco desplumado me amenazan!

AYAR UCHU

¡Tiempo existe para todo! ¡Tiempo para recibir!
[¡Tiempo para devolver!
¡Calla, resiste, ten paciencia, que muy pronto te cre-
[cerán las alas!

¡Ayar Manko y Apu Mayta sabrán quién es el rey en-
¡Entre tanto soporta impasible las injurias.   [tonces!
desconfía de todos, habla poco, piensa mucho,
y cuando al fin puedas romper la jaula,
que tus actos te expresen mejor que tus palabras!

VOZ DE TAMPU CHÁKAY

¡Ayar Auka, cóndor invencible!
¡Ayar Auka, rey de Tampu Toko!

VOCES DE LA GUARDIA

¡Ayar Auka! ¡Ayar Auka! ¡Ayar Auka! ¡Ayar Auka!

AYAR UCHU

¡La Guardia te aclama! ¡La Guardia te dará alas
[para volar,
garras para herir, pico para arrancar el corazón de los
¡Cuando Ayar Manko y Apu Mayta mueran, [rebeldes!
tu voluntad será ley en la ciudad de los abismos!

AYAR AUKA

(Horrorizado.)

¿Matar a Ayar Manko?

AYAR UCHU

¡Renuncia entonces a tu reino! ¡Cede la borla a la
[ramera!

AYAR AUKA

¡La roca que se despeña no debe detenerse!
¿Pero quién matará a los muertos en mi alma?

Sale del templo de la derecha el SUMO SACERDOTE.
Avanza hacia AYAR AUKA.

EL SUMO SACERDOTE

¡Señor!
¿Cuándo cumplirás el supremo mandato de tu padre,

la campaña que el obediente Ayar Kachi anunció al ce-
[ñir la roja borla?
¿Cuándo se iniciará nuestra marcha hacia los altos va-
[lles?

AYAR AUKA

¡Deja dormir tranquilos a mi padre y a mi hermano!
¿Hasta cuándo los difuntos con la voz de los vivientes
[han de hablarme?
¡Estoy cansado, Sacerdote! ¡Estoy enfermo!
¡Y no me devolverán la salud las penalidades de la
[guerra!

(Con súbita sospecha.)

¿Quién te envía, anciano? ¿Quién ha inspirado tus pa-
[labras?
¿No será la esposa de Ayar Kachi que me tiende un
[nuevo lazo?
¡Sí! ¡Eso es! ¡La vengativa hembra quiere alejarme
[de Tampu Toko,
quiere que mi cabeza a las fauces del rebelde ejército
¡Puedes decírselo, siniestro mensajero: [se entregue!
Ayar Auka no emprenderá campaña alguna!
¡Ayar Auka confía tan solo en los soldados de su Guar-
[dia!

EL SUMO SACERDOTE

¡Señor, los muertos mandan!

AYAR AUKA

¡Los muertos están muertos, y Ayar Auka vive to-
¡Ayar Auka se ríe de los muertos, Sacerdote! [davía!

Sale del templo de la derecha MAMA WAKO. AYAR MANKO, MAMA
OJLLO y APU MAYTA la acompañan.

MAMA WAKO

¡Los muertos existen, Ayar Auka! ¡Los muertos vi-
[ven y se vengan!
¡Los muertos castigan a los pueblos que los niegan!

¡Que los reptiles transparentes se enrosquen silbando
[en Tampu Toko!
¡Que la mortífera peste muerda al niño y al anciano!
¡Que el sediento jaguar consuma las fuentes y los ríos!
¡Que el maíz de las áureas sementeras se pudra y em-
[ponzoñe!
¡Que el terrible asesinado desde la muerte ruja!

*(El episodio que a continuación se des-
arrolla puede definirse como un paroxísti-
co «ballet» del pavor sagrado. Los sucesivos
ingresos se producen en el mismo orden
de los parlamentos. Los* SACERDOTES *salen
del templo de la derecha, y los* GUARDIAS
1.º, 2.º, 3.º y 4.º, *los* GUERREROS *y* TAMPU
CHÁKAY *irrumpen por la izquierda. El* SU-
MO SACERDOTE *levanta los brazos imploran-
te.* AYAR AUKA *contempla la escena fasci-
nado de horror.* AYAR UCHU *y los* GUARDIAS
5.º, 6.º, 7.º y 8.º *se arrastran como serpientes aterrorizadas.* MAMA WAKO *sonríe triunfante.* AYAR MANKO *y* APU MAYTA *permanecen impávidos.* MAMA OJLLO *abraza a su
esposo. Los movimientos de la mayoría de
los actores deben sugerir un confuso remolino humano. Luces y ruidos de acuerdo
con las exclamaciones de los personajes.)*

GUARDIA 1.º

¡El agua ha dejado de cantar en los canales!

GUERRERO 1.º

¡Las moscas crecen y devoran las espigas!

GUARDIA 2.º

¡Los tambores suenan solos! ¡Los difuntos sollozan
[en las tumbas!

SACERDOTE 2.º

¡La tierra tiembla! ¡El sol se apaga!

SACERDOTE 3.º

¡Piedad! ¡Piedad, Señor del Universo!

GUERRERO 2.º

¡Los guijarros golpean el rostro de los hombres!

GUARDIA 3.º

¡Las serpientes y los cóndores anidan en los pala-
                                              [cios!
TAMPU CHÁKAY

¡Los guerreros perecen estrangulados por sus pro-
                                       [pias sombras!
GUARDIA 4.º

¡Los niños beben veneno en los pechos de sus ma-
                                            [dres!
SACERDOTE 4.º

¡La lengua de Ayar Kachi se ha movido entre sus
                                        [dientes!
SACERDOTE 1.º

¡Un feroz rugido de odio en su garganta ha reso-
                                          [nado!
EL SUMO SACERDOTE

¡Piedad, Señor del Universo! ¡Piedad de la sagrada
                                      [Tampu Toko!
MAMA WAKO

¡Ruge sobre el pánico, Ayar Kachi!
¡Ruge sobre la mortandad y el desastre!
¡Ruge sobre el inocente y el culpable!
¡Ruge sobre la pálida mujer y su hijo agonizante!
¡Ruge sobre el trémulo granito y la doblada espiga!
¡Sobre los profanados templos de Tampu Toko, ruge!
¡Dispersa al habitante y a la piedra!

¡Confunde el lenguaje del hombre y de la bestia!
¡Que los humanos, humanos dejen de llamarse!
¡Garras de jaguar sean tus uñas!
¡Fauces de lagarto tus mandíbulas sean!
¡Destruye la ciudad de los abismos,
tritura sus cimientos, porque crimen son sus leyes,
adulterio sus moradas, sacrilegio sus plegarias!
¡Aquí, en la plaza maldita, yérguete, Ayar Kachi!
¡Danza sobre el pavor! ¡Canta sobre la muerte! ¡Ruge!

AYAR AUKA

(Enloquecido, señalando un cuerpo inexistente.)

¡Ya lo veo! ¡Ya lo veo!
¡Atrás! ¡Atrás, fantasma rencoroso!
¡Yo soy el rey! ¡El rey! ¡Yo te lo ordeno!

(Avanzando.)
¡Yo te hundiré en el infierno, demonio del infierno,
aunque la tierra a mí también me trague hasta el fondo
[de los tiempos!
(Golpeando, asiendo, abrazando el vacío.)
¡Te desvaneces! ¡Te vuelves viento! ¡Te vuelves nada
[entre mis brazos!
¡Todo! ¡Todo! ¡Todo se torna viento y nada entre mis
¡Ah! ¿Ríes? ¡Me desafías, Ayar Kachi!   [manos!
¡Hacia los altos valles señala tu dedo ensangrentado!

AYAR UCHU

(Abrazando las piernas de AYAR AUKA.)

¡Enloqueces! ¡Enloqueces, Ayar Auka! ¡Golpeas el
[vacío!
¡Ayar Kachi ha muerto! ¡Ayar Kachi ha muerto para
[siempre!

AYAR AUKA

(Arrebatando su lanza a un GUARDIA *e hiriendo el aire.)*

¡Ya lo maté! ¡Su cuerpo se desploma!
¡Su herido cuerpo se convierte en piedra!

¡Su violento cuerpo crece hacia las tierras frías!
¡Una ciudad aún no fundada de su roto corazón se ele-
[va!

EL SUMO SACERDOTE

¡El muerto ha hablado, Ayar Auka!
¡El muerto señala el camino a nuestra raza!

AYAR AUKA

¡Sí! ¡Hacia la helada meseta su inexorable volun-
[tad me arrastra!
¡Ayar Kachi os habla ahora por mis labios!
¡Su ardiente voz delira en mi garganta!
¡Crucemos los ríos, escalemos las montañas,
abandonemos a la maciza Tampu Toko, sacerdotes y
[guerreros!
¡Con el arco y la honda, con la flecha y la lanza,
pongámonos en marcha! ¡La gran ascensión de nuestro
[pueblo ha comenzado!

AYAR MANKO

¡Y que el espíritu de la Paz sobre nuestras con-
[quistas se levante!

*(Se aclara el cielo. Redoblan triunfales
los tambores. Todos avanzan hacia la izquierda.)*

TELON

ACTO TERCERO

CUADRO PRIMERO

Dos años después del acto anterior. Poco antes del alba, sobre la amplia cima de un cerro que domina las tierras de los guallas. A la izquierda, el comienzo de la suave pendiente que conduce al valle. Al foro, abrupto precipicio. A la derecha, los primeros toldos del campamento de los Ayar.

Al levantarse el telón, AYAR MANKO y MAMA OJLLO contemplan el paisaje.

MAMA OJLLO

¡Días y noches! ¡Montañas y abismos y montañas!
¡Y la sangre en la piedra, y la piedra en la sangre!
¡Dos años hace que abandonamos la ciudad sagrada!

AYAR MANKO

Muchas batallas hemos ganado desde entonces.

MAMA OJLLO

¡Mas ahora toda una estación llevamos impotentes,
                                        [detenidos!
¿No amanecerá nunca el sol de la victoria?

AYAR MANKO

La paciente obstinación eternidad se llama.

MAMA OJLLO

¡Buena es la tierra que a nuestros pies se extiende,
suave para el arado, dócil para el agua, materna para
                                        [la semilla!

AYAR MANKO

¡Sí! ¡Y el abono de los muertos la fecunda!

MAMA OJLLO

¡Pero sus habitantes son indómitos, feroces!

AYAR MANKO

Serán hermanos nuestros algún día.
Nuestro pueblo será su pueblo, nuestra ley será la suya.
Entrega, no dominio es la misión del hombre.
Yo amo el suelo que sembrarán de fruto nuestras ma-
                                                    [nos,
porque un tierno corazón palpita bajo su bronco pecho.
Amo esta tierra porque se parece a ti cuando te duer-
                                                    [mes,
porque la semilla en su seno crecerá muy pronto,
como el hijo de nuestro amor en tus entrañas.

MAMA OJLLO

¡El implacable exterminio hemos traído a las regio-
                                              [nes altas,
no la paz y la justicia que nuestro padre proclamara!
¡Niños, ancianos y mujeres Ayar Auka ha asesinado!

AYAR MANKO

¡Una obsesión terrible lo persigue!

MAMA OJLLO

¡Sí! ¡El remordimiento, la sombra de Ayar Kachi, lo
                                              [tortura!

AYAR MANKO

Deseó su muerte. ¡Su conciencia no puede perdo-
                                              [narlo!

MAMA OJLLO

¡Lo mató! ¡Lo hizo matar por Tampu Chákay!

AYAR MANKO

No confundas con la aciaga certidumbre la sospecha.

¡Mientras ninguna prueba tenga del delito,
Ayar Auka será para mí el rey de nuestro pueblo!

MAMA OJLLO

¿Y hasta entonces? ¿Hasta entonces, Ayar Manko?

AYAR MANKO

Nadie se adelanta a lo futuro.
Doquiera nos encontremos, su inexorable mano nos al-
[canza.
La raíz de la tierra con nuestros pies camina bajo el
[tiempo.
No son libres los que a la ambición y odio pertenecen.
Sus ciegos ojos no pueden ver la luz de la lejana aurora,
sus oídos están sordos a la serena voz de la justicia.
¡Si Ayar Auka es culpable, su propio crimen habrá de
[devorarlo!

MAMA OJLLO

¡Tu vida y la vida de Apu Mayta están amenazadas!
¡Cuando los guerreros os aclaman, el fratricida se es-
[tremece!

(Señalando a la derecha.)

¡Míralo!
¿De qué le sirvió asesinar a Ayar Kachi,
si todas las noches, al cerrar los ojos,
ha de matarlo otra vez en la caverna de los sueños?
¿De qué le sirve la roja borla, de qué le serviría domi-
[nar el universo,
si el remordimiento es el rey único, eterno, de su alma?

Entra AYAR AUKA por la derecha. Se nota que ha bebido.

AYAR AUKA

¡No puedo dormir, Ayar Manko! ¡No quiero dormir!
¡Si tú supieras!...

AYAR MANKO

¿Qué?

AYAR AUKA

¡Nada! ¡Nada! ¡Todo es nada!...
¡Pero la Nada finge miradas, ojos, rostros!...
¡Simula cuerpos transparentes, triturados,
piedras que caen sin fin en el vacío!...

> (MAMA OJLLO *sale silenciosamente por la
> derecha.*)

¡El sueño, el dulce sueño es una mentira de los niños!
¡El sueño es más atroz que todo lo que existe!
¡Y la vigília con la máscara de las pesadillas se dis-
[fraza!

> *(Se oye ruido a la derecha.)*

¡Ese ruido! ¡Ese ruido de pasos en la sombra!

AYAR MANKO

Son los guerreros abriendo fosos a los muertos.

AYAR AUKA

¿Acaso alguna vez enterramos a los muertos?

> *(Hace ademán de abrazar a* AYAR MAN
> KO, *pero se contiene.)*

¡No! ¡Es tarde ya! ¡No debo abrazarte!... Y sin em-
¡Yo te quería! ¡Yo te quiero todavía!   [bargo...
¿Por qué conspiraste contra mí, Ayar Manko?
¿Por qué dejaste que la esposa de Ayar Kachi nos se-
[parara?

AYAR MANKO

El mandato de nuestro padre me he limitado a re-
[cordarte.
¡A pacificar, no a exterminar, hemos venido a las re-
[giones altas!

AYAR AUKA

¡La sangre pide sangre! ¡El odio, del odio se ali-
[menta!
¡Los muertos crecen sin descanso bajo el tiempo!
¡A lo largo y a lo ancho de la vasta Tierra,

el inmenso cuerpo de Ayar Kachi yace oculto!
¡Su corazón en el fondo del valle palpita sordo, oscuro!

(Hablando consigo mismo.)

¡Dejará de latir cuando una montaña de cadáveres lo
[cubra!

(Con salvaje desvarío.)

¡Para matarlo, para matarlo para siempre,
he traído a las frías extensiones la mortandad y el fue-
[go!
¡Cuando las plantas arden, cuando destruyo las cosechas,
cuando empujo el incendio contra el mundo,
siento consumirse su carne, crepitar sus venas,
retorcerse sus miembros bajo el dolor terrestre!
¡Mañana, cuando no queden árbol ni bestia en la co-
[marca,
un pozo haré cavar que hasta su insomne corazón des-
[cienda!
¡Y con mi cetro de oro traspasaré su corazón, lo
[haré callar eternamente!

AYAR MANKO

¡Deliras, señor!

AYAR AUKA

¡No deliro! ¡No deliro! ¡No deliro!
¡La Tierra es un cadáver! ¡Un putrefacto cadáver que
[vive todavía!
¡Un cadáver con millones de dedos convertidos en ar-
[bustos y raíces!
¡Un cadáver que todas las noches, sí, todas las noches,
con la negra red de las pesadillas nos arrastra hacia el
[Infierno!

(Largo silencio.)

AYAR MANKO

La aurora se aproxima.

AYAR AUKA

¿Atacarás al alba?

AYAR MANKO

Tú lo has dispuesto.

AYAR AUKA

¡A tus planes y a los planes de Apu Mayta me he
¡No es lo mismo!   [plegado!

AYAR MANKO

Tú conduces al ejército...

AYAR AUKA

¡En los saqueos! ¡Nunca en las batallas!
¡Cautivo, no jefe, soy de mis guerreros!
¡La esposa de Ayar Kachi me ha cerrado en un círculo
                                              [de odio!
¡Ayar Manko se llama el verdadero rey de nuestro pue-
¡Para que mis humildes órdenes se cumplan,   [blo!
es preciso que tus poderosas palabras las confirmen!

AYAR MANKO

¡Venceremos, señor! ¡Hoy se decidirá la suerte de la
                                              [guerra!

AYAR AUKA

¡Vencerás, Ayar Manko! ¡Lo presiento!...
¡Y los sacerdotes, después de tu victoria,
te pedirán que de la roja borla me despojes!
¡Una alimaña creen que soy, una cobarde alimaña,
una vil alimaña que al lado del jaguar se arrastra
y de las sobras de sus triunfos se sustenta!
¡Pero la alimaña, Ayar Manko, corazón de cóndor tiene!
¡La alimaña muy pronto tendrá alas y garras venga-
                                              [doras!

(*Largo silencio.*)

¡Acuérdate, Ayar Manko! ¡Tú mismo lo dijiste!
«¡La roca que se despeña no debe detenerse!»

AYAR MANKO

¿Me amenazas, señor?

AYAR AUKA

¿Puede la alimaña amenazar al jaguar que alimenta?

AYAR MANKO

¡Tu hermano soy, señor! ¡Tu hermano como lo fue
[Ayar Kachi!

AYAR AUKA

¡Ayar Kachi ha muerto! Y tú...

AYAR MANKO

¿Yo, señor?

AYAR AUKA

¡Nada! ¡Nada! ¡Estoy borracho como siempre! ¡Diva-
[gaba!...

Entra MAMA WAKO por la derecha.

MAMA WAKO

¡Apu Mayta ha sido asesinado!

(Señalando a AYAR AUKA.)

¡El lo mandó matar, porque era fiel a la memoria de
[Ayar Kachi!

AYAR MANKO

¿Ha sido capturado el criminal? ¿Ha sido visto?

MAMA WAKO

¡Las sombras de la noche lo ampararon!
¡Pero todos sabemos quién deseaba la muerte de Apu
[Mayta!

AYAR AUKA

¡Yo la deseaba!
¡Que su arrugada carroña se pudra en el Infierno!

MAMA WAKO

(A AYAR MANKO.)

¡Ya lo ves! ¡Reconoce su culpa! ¡Se jacta de su
[cobarde hazaña!

AYAR AUKA

¿Desde cuándo es un delito el deseo de los reyes?

(*Sarcásticamente.*)

¡Pero yo no soy rey aún, esposa de Ayar Kachi!
¡Mis deseos no son órdenes todavía! ¡Tú lo sabes!
Si no lo supieras, ¿te atreverías acaso a hablarme como
                                        [me hablas?

AYAR MANKO

¡Señor! ¡Es preciso capturar al homicida!
¡Apu Mayta era un intrépido guerrero!

AYAR AUKA

¡Demasiado intrépido! ¡Demasiado insolente y te-
                                        [merario!
¡El Hacedor del Universo ha castigado quizá su sacrí-
                                        [lega osadía!

(*A MAMA WAKO.*)

¡Hoy mismo sabrás quién lo mató! ¡Te lo prometo!
¡Hoy mismo, después de la victoria, todas las máscaras
                                        [caerán,
y el cóndor extenderá sus alas encima de la muerte!

(*Sale por la derecha.*)

MAMA WAKO

¡Mátalo, Ayar Manko! ¡Arráncale la roja borla con
                                        [la vida!
¡Los sacerdotes, el ejército y el pueblo están contigo!
¡Si no haces justicia ahora, cuando quieras hacerla
                                        [será tarde!

AYAR MANKO

Si alguna vez contra Ayar Auka me rebelo,
no será un vago temor el que me empuje.
¡La desmedida ambición sobre medrosos pretextos se
                                        [levanta!

MAMA WAKO

¡Te hará asesinar como a Apu Mayta!

AYAR MANKO

Sus palabras han sonado siniestramente en mis
                              [oídos. Estaré alerta.
Mis guerreros más astutos vigilarán los movimientos
                              [de sus guardias.
                              (Con tristeza.)
¿Qué profundo impulso de su sangre lo habrá obligado
                              [a prevenirme?
¡El cóndor no nació para serpiente! ¡Su propia con-
                              [ciencia lo delata!
¡Se diría... se diría que busca la expiación definitiva!...
          *(Comienza a amanecer. Ruido del ejér-
          cito a la derecha.)*

MAMA WAKO

¡No ataques hoy! ¡No sacrifiques en vano a tus
¡Mientras Ayar Auka ciña la roja borla,   [guerreros!
nuestro pueblo no triunfará de los feroces guallas!
¡Solo los pies del hombre puro hollarán el corazón del
                              [mundo!
¡Solo las manos limpias trazarán los cuatro surcos de
                              [la vida!

AYAR MANKO

(Como hablando consigo mismo.)

¡Ya es hora! ¡El alba se enciende sobre el valle!
¡Oigo los pasos del ejército como un naciente trueno
                              [a mis espaldas!

MAMA WAKO

¡Cuídate de Ayar Auka! ¡Cuídate de Ayar Uchu!
                    [¡Cuídate de Tampu Chákay!

AYAR MANKO

A tientas caminamos hacia el barranco del mañana.
El que debe morir, muere por más que se detenga o
                              [retroceda.

Desde el pasado avanzo; pero mi destino viene del fu-
[turo.
Lo que hay en mí de eterno, con la extensión inmensa
[se confunde,
y vivirá siempre en ella, aunque no viva mi cuerpo.
En el lugar donde se amarran los astros estuve solo
[una noche.
Los dormidos montes, el redondo oleaje inmóvil,
como los brazos de una madre me rodeaban silenciosos.
Y cuando las altas estrellas palpitaban, mi profundo
[corazón les respondía.
En el centro me hallaba del cielo y de la Tierra,
y todo estaba en mi ser, y mi ser estaba en todo.
Entonces comprendí que no existía la muerte para el
[hombre.
¡Cuando de nuestro pueblo ni siquiera el nombre quede,
los que sobre las olvidadas tumbas vivan, sentirán lo
[mismo que nosotros;
y algún día recogerán intacto nuestro sueño, alumbra-
[rán la piedra con la aurora!

(*Levantando el brazo hacia los invisibles*
GUERREROS *de la derecha.*)

¡Ataquemos! ¡Adelante!

VOCES DE LOS GUERREROS

¡Ayar Manko! ¡Ayar Manko! ¡Ayar Manko! ¡Ayar
[Manko!

(*Mientras,* AYAR MANKO *camina lentamen*
te hacia la izquierda. MAMA WAKO *se hace*
a un lado para permitir el paso del ejército,
que se oye avanzar por la derecha. Se eleva
«un crescendo» marcial redoble de tambo-
res.)

TELON

CUADRO SEGUNDO

Seis horas más tarde, en el mismo lugar del cuadro anterior. Un suntuoso toldo, bajo el cual se encuentra el trono de Ayar Auka, ha sido emplazado al centro, en segundo término.

Ayar Auka bebe el licor que Ayar Uchu le escancia servilmente. A sus pies, un pesado y puntiagudo cetro de oro. Tampu Chákay, a la izquierda. Se oye vagamente el ruido de la batalla.

AYAR AUKA

¡Toda la mañana dura la batalla, y aún no se can-
[san los guerreros!
¡Los gritos de los agonizantes son menos desesperados
[que mi angustia!
¡Ah! ¡Mejor que el licor, embriaga la sangre derramada
[frente a frente!
¡Yo era un héroe, Ayar Uchu! Pero ahora...

AYAR UCHU

¡Ahora eres el rey, señor!

AYAR AUKA

¡Sí! ¡El rey!
¡Un trémulo borracho en las caprichosas manos del
[Demonio!
¡La ambición es el más absurdo de los juegos!
¡Sus reglas no tienen en cuenta el corazón humano!
¡Florido tallo parecía mi alianza en los combates;
pero el cetro y la borla como dos envenenadas víboras
[me muerden!
¡Qué buen rey hubiera sido, qué grande y justiciero,
de no haber necesitado la traición y el crimen para
[serlo!

AYAR UCHU

¡La Tierra no cambia, la vida es siempre la vida!
¡Solo la fuerza las posee, solo el poder las esclaviza!

AYAR AUKA

¡Yo ansiaba el poder para esculpir mi sueño en la dor-
[mida piedra,
para que sobre la inhóspita extensión la voluntad del
[hombre perdurara!

AYAR UCHU

¡Es de sangre, es violenta, la escultura de los sue-
[ños!

AYAR AUKA

¡No me desvela la sangre! ¡La violencia no me tur-
[ba!
¡Pero el desprecio que vi en los ojos de Ayar Kachi
[me atormenta!

AYAR UCHU

¡No te engañes, Señor! ¡Mira en el fondo de ti mis-
[mo!
¡El desdén de la ramera es el que más hondo te duele!

AYAR AUKA

(Con voz sorda.)

¡Sí!

AYAR UCHU

¿La amas todavía?

AYAR AUKA

¡Sí! ¡Maldita sea!

TAMPU CHÁKAY

¡Los guallas retroceden!

AYAR UCHU

¡La victoria está cercana!

AYAR AUKA

¿Qué victoria?
¿Desde cuándo el homicidio, victoria se ha llamado?

AYAR UCHU

¡Ayar Manko conspira contra ti! ¡Si quieres reinar,
[has de matarlo!

AYAR AUKA

¡Es difícil reinar, Ayar Uchu! ¡Solo los muertos no
[conspiran!
¡Mi verdadera corte en el seno del infierno delibera!
¿Llegó el momento en que Ayar Manko y Ayar Kachi se
[reunirán?

AYAR UCHU

¡Todavía no! ¡Déjalo vencer primero!

AYAR AUKA

¡Sí! ¡Dejémoslo vencer! ¡Dejemos que le deba la
[conquista!
¡Así el remordimiento será mayor, más profundo y pe-
[netrante,
y el remolino de la angustia me arrastrará quizá a la
[locura,
romperá los muros del recuerdo, me abrirá las vagas
[puertas del olvido!

AYAR UCHU

¡Estás enfermo, Señor! ¡Bebe!

AYAR AUKA

¡Bebamos!
¡Bebamos por la serpiente que fue cóndor!
¡Bebamos por el rostro del héroe bajo la máscara del
[cobarde fratricida!
                (Bebe varias veces. Arroja el vaso.)
¿Para qué beber?
¡El licor no es el olvido! ¡La embriaguez no es el des-
[canso!

AYAR UCHU

¡Bebe por la hora en que puedas arrojar la máscara!
¡Bebe por la hora en que al fin seas el rey de nuestro
[pueblo!

AYAR AUKA

¿Acaso la máscara que elegimos no es más autén-
[tica que el rostro?
¿Acaso la máscara no se transforma en el verdadero
[rostro con el tiempo?

AYAR UCHU

¡Ni la máscara ni el rostro importan!
¡En todas las frentes brilla igual la roja borla!

AYAR AUKA

¡Sí! ¡Y su brillo no se apaga con la muerte!
¡De mí dependerá que su fulgor destruya los ojos de
[Ayar Kachi!

TAMPU CHÁKAY

¡La batalla ha terminado! ¡La victoria es nuestra!

AYAR UCHU

¡A tu puesto, Tampu Chákay! ¡A tu puesto!
¡Que Ayar Manko no retorne vivo al campamento!

TAMPU CHÁKAY

¡Todo está preparado! ¡Un diluvio de rocas caerá
[sobre su cuerpo!

AYAR AUKA

¿Un diluvio de rocas?
¡Te repites, Ayar Uchu! ¡Te repites!...

AYAR UCHU

¡Date prisa, Tampu Chákay!

(TAMPU CHÁKAY se dispone a salir por
la izquierda. AYAR AUKA lo detiene.)

AYAR AUKA

(A TAMPU CHÁKAY.)

¡Aguarda! ¡Aguarda todavía!...

(Mirando, por la izquierda, el caserío de los guallas.)

¡Ayar Manko habla con el jefe de los guallas!
¡Los dos ejércitos se juntan y auxilian a los heridos!
(Lejanas aclamaciones.)
¡Los derrotados aclaman a Ayar Manko! ¿Estoy loco?

AYAR UCHU

¡No! ¡No estás loco!
¡Ayar Manko ha desobedecido tus órdenes!
¡Ayar Manko te desafía! ¡Ayar Manko se ha rebelado!
¿Esperarás a que vengan a despojarte de la borla?

AYAR AUKA

¡No!
¡Aplástalo, destrózalo, aniquílalo, Tampu Chákay!
(TAMPU CHÁKAY sale por la izquierda.)
¿No he destruido acaso mi propia alma,
no la he triturado bajo las rocas del insomnio,
no la he sepultado en el infierno de los remordimientos?
¿No he convertido en veneno y hiel la leche de mi
[madre,
la ternura que bebí en los mismos pechos que Ayar
¡Si solo el odio sostiene mi estatura,   [Kachi?
me elevaré, volaré con las alas del odio inexorable,
subiré tan alto que la voz de los muertos no podrá lle-
[gar a mis oídos!
*(Se sienta en el trono y bebe el licor que
AYAR UCHU, arrastrándose a sus pies, le escancia.)*

Entran los cinco SACERDOTES por la derecha.

EL SUMO SACERDOTE

¡Señor! ¡Los guallas se han rendido! ¡La guerra
[ha terminado!
¡En el corazón del valle se alzará la nueva capital de
[nuestro reino!
¡El perdón y la paz se extenderán sobre las álgidas re-
[giones!

AYAR AUKA

(Paseándose tambaleante por la escena.)

¿La paz?
¿Qué paz? ¿Qué paz?
¿La paz de las gargantas destrozadas?
¿La paz de los ojos reventados, de los miembros espar-
[cidos?
¿La paz del llanto? ¿La paz del fuego y de la sangre?
¿La paz de los niños viejos y de los hombres niños?
¿La paz de los que se pudren insepultos en el campo?
¿O la gran paz en el vientre de las aves carniceras?
¿No comprendéis, viejos imbéciles, no comprendéis,
que solo lo que llevo dentro puedo dar al mundo?

(Asiendo violentamente al SUMO SACERDOTE.)*

¡Asómate a mi alma y di si ves la paz en ella!

EL SUMO SACERDOTE

(Mirándolo a los ojos, y retrocediendo horrorizado.)

¡De odio son tus ojos, de locura tu mirada,
de remordimiento tu alma, de violencia tu destino!

(Solemnemente.)

¡Tú no hollarás el corazón del valle!
¡Tú no trazarás los cuatro surcos de la vida!

AYAR AUKA

¡El corazón de Ayar Kachi he de arrancar del cora-
[zón del valle!
¡Los cuatro surcos de la muerte trazarán mis manos con
[su sangre!
¡El antiguo horror en el nuevo horror se aduerme!
¡Ya que no puedo otra vez ser puro,
ya que no puedo abolir lo que hice, ni olvidarlo,
mi porvenir hará palidecer de espanto a mi pasado!
¡Juegos de niños, sueños de vírgenes me parecerán ma-
[ñana mis recuerdos!
¡En mí serán honrados el adulterio y el vicio,

la falsedad, la traición, el sacrilegio y el crimen!

(Empujando a los SACERDOTES.)

¡Fuera de aquí, insolentes hechiceros!

¡Dejadme solo! ¡Dejadme solo con los cadáveres de
[mi alma!

Entra MAMA WAKO por la derecha.

MAMA WAKO

¡Miradlo, sacerdotes! ¡Mirad al despreciable fratri-
[cida!

¡Sus remordimientos lo delatan, sus palabras lo acu-
[san, su delirio lo condena!

¿Hasta cuándo toleraréis un rey que a una prostituta
[borracha se parece?

(Los SACERDOTES *salen temerosos por la
derecha.)*

AYAR AUKA

¡Me desprecias, viuda de Ayar Kachi! ¡Me despre-
[cias!

¡Y sin embargo tú, únicamente tú, deberías compren-
[derme!

(Sacudiéndola.)

¡Porque tú fuiste culpable de la muerte de Ayar Kachi!

¡En la traidora red que me tendiste cayó tu dócil ins-
[trumento!

MAMA WAKO

¿Qué dices? ¿Estás loco?

AYAR AUKA

¡El incendio de la ambición con la misma llama
[nos consume!

¡Yo te amaba! ¡Y tú también me amabas!

¡Pero mi amor, amor de macho era, duro, dominante!

¡Y tu orgullo a ningún hombre quería someterse!

¡Por eso, antes que ser la fiel esposa de Ayar Auka,

al débil Ayar Kachi preferiste esclavizar a tu soberbia!
¿Recuerdas mis caricias? Di, ¿las recuerdas?
¿No añorabas mi pecho cuando Ayar Kachi te abrazaba?

>   (*Pretende abrazar a* MAMA WAKO, *pero
>   esta lo rechaza.*)

MAMA WAKO

¡Basta! ¡Solo a mi esposo amé de veras! ¡Y tú lo ase-
[sinaste!

AYAR UCHU

¡Ayar Kachi murió porque el señor del Universo
[quiso castigarlo!

MAMA WAKO

¿Castigarlo de qué, serpiente venenosa?

AYAR AUKA

¡De la celada que me armaste en tu palacio!
¡Si aquel día al adulterio no me hubieras incitado,
mi padre me habría elegido rey de Tampu Toko,
y el usurpador no hubiera muerto en la caverna en que
[amanece!

MAMA WAKO

¡Como un ladrón penetraste en mi casa!
¡Como una bestia en celo te arrojaste sobre mí cuando
[dormía!

AYAR UCHU

(*Con voz temblorosa.*)

¡Señor! ¡Expulsa a la ramera!
¡No permitas que impunemente nos calumnie!

AYAR AUKA

(*A* MAMA WAKO, *que, sin escucharlo, mira intensamente
a* AYAR UCHU.)

¡Deja a los fantasmas pudrirse en la memoria!
¡Estamos solos, mujer! ¡Estamos solos!

¡Y la soledad con los remordimientos se confunde!
¡Pero la dicha con nuestros dos infiernos puede ha-
[cerse!
¡Una palabra tuya, y los muertos mueren para siem-
Sé mi esposa, y...   [pre!

MAMA WAKO

(Hablando consigo misma.)

¡Ah! ¡Quién lo creyera! ¿Quién pudo creerlo?
[¿Quién, quién podrá creerlo?

AYAR UCHU

(Con terror.)

¡Señor!...

MAMA WAKO

¡Ahora te entiendo, Ayar Uchu! ¡Ahora te entiendo!
¡Eres un niño, Ayar Auka! ¡Un pobre niño enfermo!
¡Ningún mensaje te envié jamás con Ayar Uchu!
¡Pensé que lo sabías, desdichado! ¡Pensé que lo sabías!

AYAR AUKA

(Con la cabeza entre las manos.)

¿Entonces?... ¿Entonces?...

MAMA WAKO

¡Ayar Uchu te tendió la trampa en que caíste!

AYAR UCHU

¡Mentira! ¡Mentira!

MAMA WAKO

(A AYAR AUKA.*)*

¡Interroga a todo el pueblo!
¡Pregunta si alguien lo vio entrar en mi casa!

AYAR AUKA

(A AYAR UCHU.*)*

¡Habla!

AYAR UCHU

¡Tampu Chákay me acompañó hasta el umbral del
[palacio!

AYAR AUKA

¿Tampu Chákay?

AYAR UCHU

¡Sí! ¡Tampu Chákay!

AYAR AUKA

¡Tampu Chákay estuvo conmigo aquella mañana en
[las murallas!
¡Solo me separé de él cuando asumió la guardia en la
[Sagrada Plaza!

AYAR UCHU

¡Te equivocas, señor!...

AYAR AUKA

¡Calla!
¡Te aplastaré como a una víbora!

AYAR UCHU

(Cambiando súbitamente de actitud.)

¡Eres un imbécil, Ayar Auka! ¡Un imbécil delirante!
¿Cuándo se ha visto al barro amenazar al alfarero?
¡Yo puse la roja borla en tu cabeza! ¡Yo puedo
[quitártela!
(Gritando.)

¡Tampu Chákay! ¡Tampu Chákay!

AYAR AUKA

(Estupefacto.)

¿Qué? Tampu Chákay...

AYAR UCHU

¡Es mío en cuerpo y alma!

(Gritando.)

¡Tampu Chákay! ¡Tampu Chákay!

MAMA WAKO

(*A* AYAR AUKA.)

¡Un ciego has sido! ¡Un ciego que han arrastrado
[al borde del abismo!

AYAR AUKA

¡Sí!

¡Ayar Auka ha asesinado la lealtad del mundo!
¡Ayar Auka ha sembrado la semilla de la traición,
y el negro maíz de la traición cosecha ahora!
¡Ayar Auka ha destruido la verdad, la amistad, la luz
[del hombre!
¡Ayar Auka ha entregado la tierra a la codicia y la
[mentira!
¡Cuanto Ayar Auka posee se vuelve cieno emponzoñado
[entre sus manos!
¡Si Ayar Auka se atreviera a mirar al sol de frente,
el mismo sol se llenaría de gusanos, como un fruto
[podrido!

(*Se sienta con el rostro entre las manos.*)

MAMA WAKO

¡En vano te arrepientes! ¡En vano lloras,
en vano sollozas, Ayar Auka! ¡Si tus lágrimas fueran
[sangre,
si tus lágrimas fueran más abundantes que las gotas
[de la lluvia,
más numerosas que las gotas de todos los ríos de la
[Tierra,
no bastarían para animar las yertas venas de Ayar Ka-
[chi!

AYAR UCHU

¡El juego ha terminado!
¡Mira a tu rey, Ayar Auka! ¡Prostérnate! ¡Arrodíllate!
¡Besa mis pies, si no quieres que Tampu Chákay te
[arranque el corazón!

AYAR AUKA

(Reaccionando.)

¡Tampu Chákay acecha el paso de Ayar Manko!
¡Tampu Chákay no te oye! ¡Solo yo y los muertos te
[oímos, Ayar Uchu!

AYAR UCHU

(Gritando con terror.)

¡Tampu Chákay! ¡Tampu Chákay! ¡Tampu Chákay!

Entran por la izquierda los GUARDIAS 1.º, 2.º, 3.º y 4.º

GUARDIA 1.º

(A AYAR AUKA.)

¡Señor! ¡Ayar Manko se aproxima!

AYAR AUKA

¿Están en su puesto Tampu Chákay y sus hombres?

GUARDIA 1.º

¡Así lo espero, señor!

AYAR UCHU

Corre hacia él y dile que...

AYAR AUKA

¡Guardias! ¡Apresad a Ayar Uchu!

(Los GUARDIAS obedecen.)

AYAR UCHU

(Debatiéndose.)

¡Dejadme libre! ¡Dejadme libre!
¡Tampu Chákay os matará si no me obedecéis!
¡Tampu Chákay ceñirá con la roja borla mi cabeza!

AYAR AUKA

¡Arrojadlo en el abismo! ¡Pronto! ¡Pronto!
¡Quiero oír el ruido de su cuerpo al destrozarse!

LOS GUARDIAS

¡Hágase así, señor!

(Salen por la izquierda con AYAR UCHU.)

AYAR AUKA

¡La más antigua noche ha penetrado filuda, pun-
[tiaguda, en mis pupilas!
¡Pero en la sangre del traidor he de lavar mis ojos
[para siempre!
¡Un instrumento de su ambición he sido,
un cóndor ciego que confundió la presa con la sombra!

MAMA WAKO

¡Tarde es ya para el arrepentimiento, regicida!

AYAR AUKA

¡Sí! ¡Demasiado tarde!
¡Por la montaña del crimen como un somnámbulo he
[trepado!
¡Y la cumbre está lejos! Y la llanura, más lejos todavía!
¿Dónde está el clima del hombre? ¿Dónde está el reino de
¡No! ¡No tiene sentido nada de esto!   [Ayar Auka?
¿Será Ayar Auka un gusano extraviado en la pedregosa
[joroba del infierno?

(Se escucha un terrible alarido de AYAR
UCHU, *seguido por el ruido de su cuerpo
al estrellarse.)*

¡Ayar Uchu es piedra ahora!

Entran por la izquierda los GUARDIAS 1.º, 2.º, 3.º y 4.º

GUARDIA 1.º

¡Señor! ¡Tus órdenes hemos cumplido! ¡Ayar Uchu
[ha muerto!

MAMA WAKO

¡Demasiado rápido, demasiado dulce ha sido su cas-
[tigo!

¡Por los tiempos de los tiempos quisiera que cayese,
por los tiempos de los tiempos en un pozo infinito,
por los tiempos de los tiempos, con los ojos abiertos al
[vértigo tremendo!

(Se oye a la izquierda un derrumbamien-
to de rocas.)

¿Esas rocas? ¿Esas rocas sobre la cuesta?

AYAR AUKA

¡A Ayar Manko han sepultado!

MAMA WAKO

¡Mientes, traidor! Tú no te atreverías...

AYAR AUKA

(Con sincera desesperación.)

¡Tuve que matarlo! ¡Tuve que matarlo!
¡Es difícil reinar, esposa de Ayar Kachi!

MAMA WAKO

(Gritando hacia la derecha.)

¡Ayar Manko ha sido asesinado! ¡Derrocad al usur-
[pador!
¡Castigad al fratricida! ¡Haced justicia, valientes de mi
[raza!

(Nadie responde.)

AYAR AUKA

(Hablando consigo mismo.)

¡Basta! ¡Basta de lamentaciones! ¡Basta de remor-
[dimientos!
¿Voy a ponerme a llorar como un niño arrepentido?
¡Si mi reino estaba en lo más profundo del infierno,
en lo más profundo del infierno tenía que buscarlo!

(A MAMA WAKO.)

¡Todos los rebeldes han pagado su traición nefanda!
¡Ahora puedo erguir sobre su sangre mi estatura!

¡Ahora puedo arrojar la máscara que se pudre encima
[de mi rostro!
¡Ahora puedo mirar de frente a los vivos y a los muer-
[tos!
    (Cogiendo el cetro y gritando hacia la de-
recha.)
¡Arrodillaos ante Ayar Auka el victorioso!
                     (A MAMA WAKO.*)*
¡Ya lo ves! ¡El pueblo se postra ante su rey!

MAMA WAKO

¡Si los hombres se someten, el Señor del Universo
[habrá de aniquilarte!
¡Eres tú, no Ayar Uchu, quien ha caído en el pozo sin
[fondo!

AYAR AUKA

¡Deliras, insensata! ¡Mi aciaga pesadilla ha termi-
[nado!
¡El suelo bajo mis pies es firme ahora! ¡La tierra me
[sostiene!
¡Muchos emponzoñados tragos he bebido para hallar
[la gota embriagadora!
¡Pero valía la pena saborear el licor terrible hasta las
[heces!
¡Indisolublemente los instantes se enlazaban los unos
[a los otros!
¡El mismo nudo ata el pasado y el futuro para siem-
[pre!
¡Nadie puede separarlos, nadie puede romper su liga-
[zón eterna!
¡De ninguno de mis actos me arrepiento!
¡Si mil veces debiera repetirlo, mil veces los repetiría
[jubiloso!
¡Benditos sean mis crímenes, porque sobre ellos des-
[cansa mi grandeza!
¡Sométete a tu rey, sangrienta comarca de la altura,
caótica materia que mi implacable voluntad ha domi-
[nado!

¡Ah! ¡Levanto la mano, y golpeo la bóveda celeste!
¡Hundo mis plantas en el suelo, y la materna Tierra
[me levanta!
¡El horror es puro, más puro que la estrellada noche
[y la alborada!

MAMA WAKO

¡Que las paredes del cielo sobre tu cabeza se des-
[plomen!
¡Que la yerba se convierta bajo tus pies en serpientes
[venenosas!
Que los gusanos del remordimiento aniden en tu cora-
[zón y lo devoren!

AYAR AUKA

(A los GUARDIAS.*)*

¡Lleváosla!

(A MAMA WAKO.*)*

¡Más tarde, a la luz de los incendios, hablaremos!

(Salen los GUARDIAS *por la derecha, con-
duciendo a* MAMA WAKO. AYAR AUKA *habla
hacia la derecha.)*

¡Guerreros de mi Guardia, pueblo en marcha de la
[sagrada Tampu Toko!
¡Como un alud de lanzas descendamos! ¡Exterminemos
[a los guallas!

Entra por la derecha el SUMO SACERDOTE.

EL SUMO SACERDOTE

(Impidiéndole avanzar hacia la izquierda.)

¡Piedad, señor! ¡Piedad para los vencidos!

AYAR AUKA

(Rechazándolo.)

¡No existe la piedad! ¡Ayar Auka ha abolido la pie-
[dad sobre la Tierra!
(Avanzando lentamente hacia la izquierda.)

¡Seguidme todos! ¡Que los corazones enemigos florez-
[can en las lanzas!

VOCES A LA DERECHA

¡Hágase así, señor!

(*Redoble de tambores a la derecha.*)

EL SUMO SACERDOTE

(*Extendiendo los brazos para detener a los invisibles*
GUARDIAS *de la derecha.*)
¡Deteneos, soldados de la Guardia! ¡Deteneos!

AYAR AUKA

(*Retrocediendo tambaleante desde la izquierda.*)
¿Tú?

Entra AYAR MANKO por la izquierda, seguido
por los GUERREROS 1.º y 2.º

AYAR MANKO

¡Sí! ¡Yo!
¡Mis hombres vigilaban a Tampu Chákay!
¡Tu cómplice ha confesado todos vuestros crímenes!

VOCES A LA IZQUIERDA

¡Muerte al fratricida! ¡Muerte al fratricida! ¡Muerte
[al fratricida!

AYAR AUKA

¡Demasiado temprano he extendido las alas! ¡Dema-
[siado temprano!
¡Una vieja decrépita teje la trama de los días,
una vieja que confunde los vivos con los muertos!
¡La vida es una calavera disfrazada con la carne de los
[sueños,
una luz que se apaga al anidarla en nuestras manos,
un torva carcajada de la ciega potencia que nos crea
[y nos destruye!
(*Se deja caer desalentado en el trono.*)

EL SUMO SACERDOTE

(Despojando a AYAR AUKA *del cetro y de la borla.)*

¡En nombre del Señor del Universo te despojo, Ayar Auka!

(Ciñendo la borla a AYAR MANKO *y entregándole el cetro.)*

¡Ayar Manko es el rey de nuestro pueblo!

VOCES A AMBOS LADOS

¡Ayar Manko! ¡Ayar Manko! ¡Ayar Manko! ¡Ayar
[Manko!

AYAR AUKA

(Levantándose.)

¿Quién me despojará de mi alma?
¿Quién arrancará la angustia de mis sienes?
¿Quién me acusará de usurpar el trono de la Nada?

(Sale erguido, soberbio, por la izquierda.)

EL SUMO SACERDOTE

¡Va a arrojarse en el abismo! ¡Detenedlo!

AYAR MANKO

¡Abridle paso! ¡Respetad la agonía del guerrero!
¡La muerte le pertenece! ¡La muerte es el reino de
[Ayar Auka!

(Se oye el ruido del cuerpo de AYAR AUKA
al estrellarse.)

EL SUMO SACERDOTE

¡Ayar Auka ha muerto!

AYAR MANKO

¡Sí! ¡Su destrozado cuerpo con la piedra del valle
[se confunde!
¡El dorado maíz brotará de su corazón andando el
[tiempo!

¡El hombre pregunta y la Tierra eternamente le res-
[ponde!

Entran por la derecha, portando espigas de maíz y vasijas con
granos, los SACERDOTES 1.°, 2.°, 3.° y 4.°, MAMA WAKO y MAMA OJLLO.

EL SUMO SACERDOTE

(Señalando hacia la izquierda.)

¡Los vencidos se acercan, señor!

AYAR MANKO

¡Ya no hay vencidos!

MAMA OJLLO

¡Caminemos a su encuentro!

AYAR MANKO

¡Caminemos!
¡Empuñad el arado! ¡Sembrad el grano! ¡Dejad las ar-
[mas!

(Entrega el cetro al SUMO SACERDOTE *y
coge una espiga. Avanza lenta, solemnemente hacia la izquierda. Todos le siguen. Brilla
el arco iris.)*

SACERDOTE 2.°

¡Trabajad!

SACERDOTE 3.°

¡No mentir!

SACERDOTE 4.°

¡No robar! (18)

SACERDOTE 1.°

¡El andén en el abismo y el agua en el yermo!

EL SUMO SACERDOTE

¡Y la voluntad del hombre en los cuatro surcos de la
[vida!

AYAR MANKO

*(Llegando al extremo izquierdo del escenario
y extendiendo los brazos.)*

¡Un solo pueblo! ¡Un solo pueblo en paz sobre la Tierra!

(Telón.)

FIN DE
«AYAR MANKO»

NOTAS

(1) Según Hiram Bingham, «los requisitos de Tampu-tocco descritos por Montesinos se encuentran indudablemente en Machu-Picchu».

(2) La plegaria de los Sacerdotes está inspirada en un himno publicado por sir Clements R. Markham en *Los Incas del Perú*.

(3) «El heredero legítimo debía ser un hijo de la mujer legítima, es decir, de la hermana, pero no era el hijo mayor el que ascendía de oficio al trono; el soberano reinante elegía a aquel de sus hijos que le parecía más capaz, dejando así cierto lugar al mérito.» (*El Imperio socialista de los Incas*, por Louis Baudin.)

(4) Según Juan de Betanzos, Ayar Manko fue el último de los hermanos que salieron de Tampu Toko.

(5) «Habiendo Topa Inga Yupangui visitado y repartido las tierras y hecho las fortalezas del Cuzco y otras muchas, sin las casas y edificios sin número, fuese a Chinchero, un pueblo cerca del Cuzco, adonde él tenía unas muy ricas casas de su recreación, adonde mandó hacer grandes heredades para su cámara. Y acabadas de hacer, adoleció de grave enfermedad y no quería ser de nadie visitado. Y como la enfermedad le agravase y se sintiese morir, llamó a los orejones del Cuzco, sus deudos y criados, que allí estaban. Y cuando los tuvo en su presencia, les dijo: «Parientes y amigos míos: Hagos saber quel Sol, mi padre, quiere llevarme consigo e yo deseo irme a descansar con él, e os he llamado para que sepáis a quien os tengo de dejar por señor, heredero y sucesor mío, que os mande y gobierne".» (*Historia de los Incas*, por Pedro Sarmiento de Gamboa.)

(6) «Y diole dos orejones principales para compañía, a los cuales mandó que dijesen a los ingas del Cuzco que luego diesen la borla a Guáscar, y quél se quedaba aderezando para se partir tras ellos con el cuerpo de Guayna Cápac, para metelle en el Cuzco triunphando por la orden quél al punto de la muerte mandó señalándolo en un báculo.» (*Historia de los Incas*, por Pedro Sarmiento de Gamboa.)

(7) «Chalco Chima se indignó y con una voz alta llamó al sacerdote engañador y mentiroso.» (*Historia de los Incas*, por Pedro Sarmiento de Gamboa.)

(8) «...lo mató e le hiço sacar todos los huesos por cierta

parte, quedando el cuero entero e lo hiço atabal.» (*Historia general y natural de las Indias, islas y tierra firme del Mar Oceano,* por Gonzalo Fernández de Oviedo.)

(9) «Como Inga Yupangui Inga se vio tan pujante y que le acudía mucha gente, determinó de no aguardar a que su padre lo nombrase por sucesor o a lo menos que muriese, antes luego se alzó con el pueblo del Cuzco, propuniendo de acometer a lo de fuera.» (*Historia de los Incas,* por Pedro Sarmiento de Gamboa.)

(10) «El mesmo Atabalipa pensaba ser señor porque havia conquistado la tierra: pocos dias antes en una provincia que se dize Gomachuco avia muerto mucha gente: y havia prendido a un hermano suyo, el qual havia jurado de bever con la cabeça del mesmo Atabalipa: y el Atabalipa bevia con la suya: porque yo lo vi, y todos los que se hallaron con el señor Hernando piçarro: y el vió la cabeça con su cuero, y las carnes secas y sus cabellos: y tiene los dientes cerrados: y alli tiene un cañuto de plata: y encima de la cabeça tiene un copón de oro pegado, por donde bevia atabalipa quando se le acordava de las guerras que su hermano le avia hecho y echaban la chicha en aquel copon y saliale por la boca y por el cañuto por donde bevia.» (*La Conquista de la Nueva Castilla,* por Cristóbal de Mena, editada por Raúl Porras Barrenechea.)

(11) «Resta dezir de las mujeres públicas, las cuales permitieron los Incas por evitar mayores daños...» «No las llamavan por su nombre propio, sino «pampairuna», que es ramera.» (*Los Comentarios Reales de los Incas,* por el Inca Garcilaso de la Vega.)

(12) «Los Incas se yerguen en la plaza del Cuzco y pisan los cuerpos de sus enemigos vencidos.» (*Homenaje a D. Francisco Pizarro,* por Raúl Porras Barrenechea.)

(13) «Llamaban Ucu Pacha al centro de la tierra, que quiere dezir mundo inferior de allá abaxo, donde dezían que ivan a parar los malos, y para declararlo más le davan otro nombre, que es Çupaipa Huacin, que quiere decir Casa del Demonio.» (*Los Comentarios Reales de los Incas,* por el Inca Garcilaso de la Vega.)

(14) «Wirakocha es siempre el «animador de la piedra»; en la antropogonía, figura él creando al hombre, como diestro escultor, de pétreos bloques, no de plástica arcilla, como en el mito bíblico.» (*Ruta Cultural del Perú,* por Luis E. Valcárcel.)

(15) «Cuando españoles abrían estas sepulturas y desparcían los huesos, les rogavan los indios que no lo hiziessen, por que juntos estuviessen al resucitar, ca bien creen la resurrección de los cuerpos y la inmortalidad de las almas...» (*Los Comentarios Reales de los Incas,* por el Inca Garcilaso de la Vega.)

(16) La lamentación por el Rey difunto está inspirada en un fragmento del «Llanto de las Ñustas a la muerte del Inca Ata-

hualpa», que figura en el volumen *Literatura Inca*, de la Biblioteca de Cultura Peruana, editada por Ventura García Calderón.

(17) «Oh, Tierra Madre, a tu hijo el Inca tenlo encima de ti, quieto y pacífico.» *(Fábulas y Ritos de los Incas*, por Cristóbal de Molina.)

(18) «La divisa de los Incas compendia su espíritu: «Ama sua, ama lluclla, ama quella» (no robes, no mientas, no seas haragán). Este era el saludo cotidiano.» *(Historia de América*, por Luis Alberto Sánchez.)

BERNARDO ROCA REY

LA MUERTE DE ATAHUALPA

TRAGEDIA PERUANA EN UN ACTO

BERNARDO ROCA REY

Pachamcama casillacta quispillacta Cápac Ynca huahuay quicta marcary atalli.

«Oh Tierra Madre, a tu hijo, el Inca, tenlo encima de ti quieto y pacífico.»

(Plegaria popular incaica recogida por Cristóbal de Molina.)

PERSONAJES

El INCA ATAHUALPA, treinta años.

FELIPE DE POECHOS (a) «FELIPILLO»,
joven indio, intérprete.

VICENTE DE VALVERDE, fraile dominico.

Cuatro ALABARDEROS españoles (que
no hablan).

ACTO UNICO

Es la noche del 29 de agosto de 1533. Prisión del Inca Atahualpa, en Cajamarca. Desde los muros de piedra, desnudos y fríos, dos hachas encendidas iluminan la habitación.

Aparecen en escena ATAHUALPA, cargado de cadenas, y el fraile VALVERDE, con una cruz de madera entre las manos. El Inca viste una túnica severa y sobre la testa luce el «llautu» (1). A lo lejos se escucha el redoble fúnebre de los tambores castellanos, mezclado con plañidos de mujeres y broncas voces de la soldadesca.

VALVERDE

Ya estás bautizado.

INCA

Ya me tenéis completamente sometido.

VALVERDE

Convertido, quieres decir.

INCA

¡Sometido..., convertido..., da igual! ¡Ya me tenéis! Solo os falta ejecutarme; así lo tendréis todo.

VALVERDE

(Persuasivo.) Pizarro quiere ganar nuevos reinos para la cristiandad, quiere santificar en ellos los vasos destinados a la idolatría. No persigue aquí rescatar el Santo Sepulcro, sino...

INCA

(Violento.) ¡Qué va! No le interesan más sepulcros que aquellos que están repletos de tesoros.

VALVERDE

(Categórico.) ¡Dios lo envió a estas tierras!

INCA

¡Y el diablo lo ayuda a someterlas!...

VALVERDE

(Glorificando.) ¡Una esperanza de cielo lo ha traído y lo anima en su empresa!

INCA

¡Y una ambición de tierra no lo deja partir, y lo arrastra en su desatado tropel de crímenes!

VALVERDE

(Catequizando.) El gobernador ha organizado esta incursión a tu imperio para imponer en él el signo de la Vera Cruz.

INCA

Pero, al mismo tiempo, para quedarse en mi imperio...

VALVERDE

¡No! Cuando somete caciques les exige únicamente sumisión a Dios.

INCA

¡Y al emperador Carlos!

VALVERDE

Porque a la fe del caballero va unida la lealtad a su señor...

INCA

(Herido, para sí.) «Lealtad»... ¡Qué hermosa palabra!

VALVERDE

(Continuando su pensamiento.) ...Porque al fuego de su fe cristiana se suma el fuego de su voluntad poderosa.

INCA

¡Sí! ¡Y con estos dos fuegos incendia los dos mundos! ¡Incendia España con bajeles cargados de oro!

¡Incendia el Tahuantinsuyo con hogueras tremendas, en las que mis caciques son inmolados; en las que yo mismo, esta noche, iba a ser quemado vivo!

VALVERDE

(*Agresivo.*) ¡También tú incendiaste el imperio con guerra intestina! ¡Has dado muerte al príncipe Huáscar! ¡Ahora, pues, ha bajado la mano de Dios para castigar tu iniquidad!

INCA

(*Enérgico.*) ¡No! ¡Lo he dicho ya hoy ante el tribunal que me levantasteis: yo no ordené su muerte! El celo de mis capitanes obró más rápidamente que mi pensamiento, como os apresuráis también vosotros, ahora, a interpretar el designio de vuestro rey. Me habéis condenado a morir, cuando, tal vez, el propio señor de las Españas me habría protegido y respetado. ¿Por qué no habéis querido enviarme allá?

VALVERDE

(*Inquisitorial.*) Porque necesitamos ejemplarizar aquí. Tu ejecución no hará dudar a nadie de nuestra firmeza y severidad para los irreducibles. ¡Estás acusado de impulsar una rebelión contra nosotros!

INCA

¿Cómo? ¡Si me tenéis reducido en estas prisiones, aislado de los míos, vigilado día y noche!... ¿Cómo podría?

VALVERDE

Utilizando a tus servidores. Cuando hablas en tu lengua con ellos, te burlas y haces escarnio de nuestros mandatos, sembrando el odio contra nosotros.

INCA

¡No es verdad!

VALVERDE

¡Sí! ¡Tenemos un testigo!

INCA

¡Me calumnia!

VALVERDE

Tú mismo lo has aceptado cuando se te interrogó. Tus palabras turbias, artificiosas, nos lo dieron a entender claramente.

INCA

Hablé sin reveses, sinceramente. Dije que ignoraba cualquier movimiento de resistencia o sublevación; y decía verdad. ¿Cómo podía abrigar semejantes propósitos, sabiendo que sería yo la primera víctima de una insurrección?

VALVERDE

Sin embargo, tenemos noticias de que tus capitanes hacen gran junta de gente para destruirnos.

INCA

¡Qué equivocados estáis si pensáis que habían de moverse sin orden mía, pues, si yo no lo quiero, ni las aves volarían en mi territorio!... (Transición.) ¡Hasta hoy, candorosamente, creí en vuestra promesa de honor: yo no sería tocado!... Por mi parte, también yo me había obligado: debía entregar un fabuloso rescate; y estaba cumpliendo mi compromiso. ¡Y lo he cumplido! ¡Sobradamente lo he cumplido...! No deseaba, pues, sediciones que rompieran nuestro convenio; me había propuesto respetarlo hasta el fin. ¡He aquí la recompensa!... ¡Ah, execrable!... ¡Ahora, desde lo más hondo de mi ser, clamo justicia!... ¡Ahora, de todo corazón, ansío la revuelta!... ¡Y vendrá! ¡Sí, vendrá! ¡No conocéis a mi pueblo!

VALVERDE

Felipillo nos ha contado algunas cosas sobre él...

INCA

¡El miserable!

VALVERDE

Son más que suficientes.

INCA

¡El pérfido!

VALVERDE

Tenemos todos los detalles del pretendido levantamiento. Además, tu propio general Chalcuchima lo ha confesado.

INCA

¡Mientes! Chalcuchima es fiel; no habéis podido corromperlo haciéndole confesar falsedades. Chalcuchima no quebrantaría su fidelidad ni aun ante vuestras monstruosas torturas.

VALVERDE

¡El fuego!... ¡El fuego lo hizo temblar!

INCA

¡No! ¡Ni siquiera el fuego, estoy seguro! Podéis estigmatizarlo; todavía más: podéis entregarlo a las llamas, si queréis. He ahí un hombre que ha hecho un muñeco de la muerte y con él se ha divertido siempre. El día que ese pelele pretenda atemorizarlo, Chalcuchima se reirá de él.

VALVERDE

La muerte debe atemorizarnos. ¡Es el conocimiento de Dios! ¡El fin último del hombre!...

INCA

¡Principio o fin! ¿Qué más da?... ¿Sabes tú lo que eras antes de nacer? ¿En qué región de halados cristales o espesas tinieblas morabas?... Pues, la muerte, ¿no es acaso igual a ese «antes de nacer»? Volvemos al principio, a la Nada; eso es todo... Pavor deberíamos tener a la vida, al mundo cuando vamos a entrar en él. Felizmente la Naturaleza es tan sabia que nos priva de todo sentido cuando nacemos, porque, de tener conciencia, desgarraríamos las entrañas de nuestra madre para ahogarnos en ellas y no conocer así, jamás, la codicia, la injusticia, la traición... Volvemos a la Nada, y eso es todo...

VALVERDE

Vienes de aceptar el bautismo y hablas como un herético.

INCA

Hablo como un hombre, solamente, que ha visto cometer los mayores atropellos por codicia, que ha sido traicionado y a quien la injusticia lleva a la muerte... *(Camina unos pasos y se detiene completamente absorbido por el recuerdo.)* Mi padre lo había profetizado. Abatido ya por el temblor de las fiebres me dijo: «Voy a descansar con nuestro padre el Sol. Cuando me haya ido de vosotros, poco tiempo después vendrán hombres nuevos a sojuzgar nuestros dominios; ganarán nuestro reino, serán señores de él...» *(A* VALVERDE.) ¿Sabes cómo se llamaba mi padre?...

VALVERDE

Huayna-Capac, decimosegundo emperador.

INCA

Sus vasallos le llamaban «Amador de Pobres», y fue este el título que tuvo él en más estima, por encima de «Unico Señor» o «Poderoso Monarca». En toda esta tierra, desde el río Azul hasta la región de los Araucos sanguinarios, desde el mar hasta las crestas más ásperas del Ritisuyu, él fue padre bondadoso para los humildes y azote impacable para los abusivos y transgresores.

VALVERDE

Gran rey fue tu padre.

INCA

¿Crees que su hijo, a quien él tanto amaba, merece este castigo por haber tratado de imitarle?

VALVERDE

Te responderé por boca de tu propio pueblo. No hace sino unos minutos, cuando estabas atado a la picota y los haces de leña iban a ser encendidos a tus pies, oí, entre la multitud, estas palabras: «Nosotros—el rebaño—pagaremos el pecado del odio que un dios adversario desató entre los príncipes hermanos.» El culpable de este destino de tu pueblo eres tú. ¡Tú desencadenaste la tormenta sobre él! Es justo que un rayo de esa tormenta caiga sobre ti.

INCA

(Violento.) ¿Y por qué no también sobre vosotros? ¿Quién os ha llamado? Habéis venido a sembrar corrupción donde yo quería imponer orden y unidad.

VALVERDE

¡No! Aquello no tenía fin. Vuestra rivalidad había ensangrentado demasiado estas naciones. Deber nuestro era poner coto a tantos excesos. Tú, principalmente, te habías ensañado contra tus enemigos; la venganza te había cegado y la fiereza de tus resoluciones no conocía límite.

INCA

Pero ¿sabes tú, acaso, cómo acechan a un monarca las bajas pasiones, la intriga, la traición?... ¿Has gobernado alguna vez mi reino, este reino tan fecundo en taimados, para conocer la injusticia o el rigor de mis actos?... (Transición.) Yo heredé el cetro de mi padre. La ruta que me estaba señalada atravesaba por tenebrosas regiones de sangre y espanto. Hube de vencerlas, no sin dolor, para acatar el mandato divino. ¡Oh padre Sol!, ¿por qué eliges hombres para esta suerte de jornadas?

VALVERDE

(Frenético.) ¡No es el Sol el verdadero Dios!

INCA

En efecto, él me ha abandonado... cuando más necesitaba de su amparo.

VALVERDE

No lo nombres siquiera; has abjurado de él, y eso te salvó de la hoguera.

INCA

¡Pero no de la muerte!... *(Con decepción.)* ¿Qué he hecho yo, qué han hecho mis hijos para merecer tal infortunio? ¿Qué hemos hecho, sobre todo, para merecerlo de vuestras manos, cuando vosotros no habéis encontrado más que amistad y afecto en mi pueblo, cuando he repartido con vosotros mis tesoros, cuando de mí no habéis recibido sino beneficios?

VALVERDE

¡Y amenazas!

INCA

¿Cuáles?

VALVERDE

Nos enviaste un mensajero a Cajas para decirnos que pensabas desollarnos, cuando nosotros te habíamos hecho saber que veníamos de paz.

INCA

¡Eres sarcástico!... ¡Hermosa paz la vuestra! ¡Sometiendo mis reinos por la fuerza, esclavizando a mi gente, saqueando los templos, violando a las vírgenes destinadas al Sol!...

VALVERDE

¡La soldadesca es siempre brutal!... Yo no me he mezclado jamás en ello.

INCA

Pero ¿qué me importas tú? ¡Me importa el Imperio! ¡Me importan los enemigos del Imperio! ¡Los bandidos, todos juntos!... No trates de distinguirte entre

ellos diciéndome que tú no has ensuciado tus manos
en aquellos crímenes, que tú no has participado en el
reparto de mi rescate.

VALVERDE

¡Te lo juro! ¡Mi única misión aquí es traer la fe!

INCA

¡Pretendes ser recto, pero estás encharcado en mi
sangre..., porque tú me entregaste! ¡Tú, con esta misma cruz que traes ahora para reconfortarme!

VALVERDE

¡Un tribunal te ha juzgado! ¡Yo no formé parte
de él! ¡Yo nada tengo que ver con tu sangre!... Antes
bien, te he librado de las llamas.

INCA

Sin embargo, hoy, hoy mismo, antes que cayera el
sol, has leído mi sentencia y la has aprobado como
justa... ¡Qué más me da que hayan sido los Pizarro y
los Almagro quienes formaban el tribunal!... De ellos
esperaba esto. Eran mis jueces..., ¡burla de jueces...,
interesados en mi muerte! Necesitan ganar la tierra y
yo soy el principal obstáculo. ¡Pero tú, que aspiras a
la santidad y predicas la justicia, tú pudiste reprobar
esa condena! ¡Estaba en tus manos hacerlo! De otro
modo no se entiende para qué la sometían a tu juicio.
¡Tú, pues, me has condenado!... *(Transición.)* Agradezco, sin embargo, tu intervención cuando iba a ser encendida mi pira funeraria.

VALVERDE

¡Quise salvar tu alma!...

INCA

¡Ah, es verdad..., había olvidado esto!... ¡Ahora tengo un alma!

VALVERDE

¡Que pertenece a Dios!

INCA

Mientras el resto pertenecerá a vosotros...

VALVERDE

¡A mí sólo me toca la conquista de ellas, de millones de almas! *(Se oye un breve redoble de tambores.)*

INCA

(Cáustico.) ¿Vienen ya por la mía?

VALVERDE

(Dándole la cruz.) Ten, que te sirva de consuelo. *(Vase. Se escuchan dolorosos gemidos y ayes de mujeres. El* INCA *se queda petrificado en el centro de la escena. Redoblan macabramente los tambores; cuando estos terminan de sonar,* ATAHUALPA *cae fulminado sobre sus rodillas y, en tono patético, eleva al cielo la siguiente plegaria:)*

INCA

¡Oh Viracocha, Señor del Universo!
¡Oh Señor de la adivinación!
¿Dónde estás? ¡No me abandones!
Mi corazón es débil
para aceptar la muerte.
¡Escúchame! ¡Elígeme!
¡No permitas que muera!
Tu siervo te habla,
dígnate mirarlo,
acuérdate de él,
del rey del Cuzco.
A vosotros también os reverencio,
Tarapacá, Tonapa.
¡Oh Tonapa, mírame!
¿Será posible que me olvides
en el trance de la muerte?
¿Querrás desdeñar mi plegaria
o consentirás en darme
la fuerza que te pido,
el valor que necesito?...

Pero ¿serás lo que imagino,
o, tal vez, eres un fantasma,
un ente que inspira terror?...
¡Oh, si me fuera dado verte,
si quisieras revelárteme!...
Tú que me sacaste de la tierra
y me hiciste de barro,
¿dónde estás? ¡Oh Creador!
¡Mira que ya estoy
en brazos de la muerte!
Ven, pues, a mí, en mi ayuda,
grande como los cielos;
ven, como amo de la tierra;
tu hijo el Inca te llama.
¡Aliéntame! ¡Ayúdame!
¡Repara en mi aflicción!
¡Con toda la fuerza
de mi voz te llamo!...

> *(Suenan atronadoramente los tambores.
> El* INCA *se tapa los oídos y casi se revuelca
> por el suelo, enloquecido. Por último se le-
> vanta y grita:)*

¡Callad esos tambores!... ¡Calladlos!... ¡Un poco de silencio es todo lo que pido!... ¿Por qué recordarme a cada instante que allá, afuera, todo se prepara para el gran espectáculo de mi muerte?... ¡Oh, crueles españoles! ¡Levantad vuestro cadalso y orladlo con negros confalones! ¡Instruid a vuestros soldados para contener a mi pueblo cuando apretéis mi garganta! ¡Infamad mi nombre! ¡Ultrajad mi cadáver! ¡Pero no hagáis crecer mi muerte con vuestros tambores!... ¡Decid que eso termine! ¡Decid que lo ordena el Inca!

VOZ DE FELIPILLO

¡Eh!, señor don Rodrigo, callad los tambores. ¡Es orden del Inca! *(Los tambores redoblan con más estré-pito.)*

INCA

¡Piedad!... *(Se escuchan muy próximos los llantos y*

gemidos de las mujeres. El INCA *se precipita sobre el muro del foro, jadeante, desfalleciente. Tiembla convulsivamente. De pronto estalla gritando:)* ¡Oh pueblo mío!, ¿qué esperas? ¡Cesen ya tus lamentos y tus lloros!... ¿Es que merezco, quizá, solamente tus lágrimas, tu abandono? ¿No te he dado, acaso, todo lo que era y hasta lo que no era?... ¿No volqué mi sangre contra mi propia sangre para vengar los ultrajes que se te hacían?... ¿Y después, no te fui leal cuando el torvo extranjero pisó nuestras playas y vino hasta aquí para sobornarme? ¿No te fui leal?... ¿No te soy leal aún, ahora a veinte pasos de la muerte, cuando todavía podría gritar al español: «¡Deteneos! Derribad vuestra picota, quiero declararme vasallo de vuestro monarca»? ¡Empuña, pues, las armas y rescátame! ¡Que tu sangre ahogue a estos guerreros sedientos de sangre, ebrios de oro!... ¡Ven a mí! ¡Arranca de las duras garras de la muerte a tu rey!... *(Corto redoble de tambores.)* ¡Destrozad esos tambores!...

Entra FELIPILLO. Viste jubón y calzones de Castilla, cacles indios. Lleva puesto un casco español de vistoso plumaje.

FELIPILLO

Señor, he tratado de silenciarlos, pero...

INCA

(Interrumpiéndole bruscamente.) ¿Tú?... ¡No!... ¡Tú, no!... ¡Vete! Escóndete en los breñales y vive allí como bestia huida; que no te vea nadie, para que nadie se avergüence de ser hombre... Eres tan abyecto, tan ruin como el más despreciable reptil... ¡No! ¡Tú, no! ¡Vete!...

FELIPILLO

(Respetuoso.) Señor...

INCA

(Con ira contenida.) ¡Silencio!...

FELIPILLO

Señor...

INCA

(Incisivo.) ¿Qué...? ¿Serías capaz de proponerme una fuga?... Pero yo, ya nada puedo darte..., yo nada valgo..., yo nada soy... ¡Apenas un animal muerto de miedo! *(Con repugnancia.)* ¡Y tener que soportar tu presencia...! ¡Es atroz! El último momento de mi vida, ligado a ti; mis últimas palabras, recogidas por ti, para denigrarme, para invertirlas venenosamente... *(Haciendo un ademán, contenido, como si quisiera saltar sobre* FELIPILLO *para aplastarlo.)* ¡Oh, vete! ¡Vete, que estas cadenas son débiles para contener mi furia!... *(Sollozante, lleno de impotencia, cubriéndose el rostro entre ambas manos.)* ¡Quisiera llorar...!

FELIPILLO

(Ceremoniosamente.) Mi señor debe guardar...

INCA

(Hastiado.) ¡Calla!... Yo te lo voy a decir: *(Imitando el tono falso de* FELIPILLO.) «Mi señor debe guardar toda su prestancia y comportarse a la altura de su rango imperial.» *(Irónico.)* ¿No es eso?... ¡Claro! Debo contribuir a que las cosas salgan bien, tal como lo desean ellos. Yo debo subir al patíbulo entero, conservando mi ecuanimidad, para que mi pueblo no se altere ante el crimen, para evitarle dificultades a la conquista. *(Trágico.)* Pero ¡no! ¡Delante de él aullaré, gritaré mi miedo para contagiárselo a cada individuo de mi pueblo; para que vean en mí lo que a ellos los espera! ¡Es así como debo morir: gritando! Que vean en mi muerte la muerte de nuestra raza. *(Lejanamente redoblan los tambores.)* Pero, ¡ay!, esos tambores sonarán todavía hasta el último instante para que mi voz no sea escuchada, para que en el acto de mi muerte ellos puedan moverse aún majestuosamente como dioses inexorables de acero.

FELIPILLO

(Hipócrita.) Mi señor sabe que el Imperio entero se conduele en esta noche dolorosa. Pero es precisamente ese ronco y lúgubre redoble el que va diciendo a cada cual: «Tu Inca, tu señor, va a morir...» *(Maligno.)* Sería un acto de caridad apagar sus duros sones; pero ¿alguien se consternaría en el silencio...?

INCA

Podría muy bien morir en silencio, oyendo sólo el íntimo gemido de mi pueblo; pero no: al Inca se le obliga a caminar sobre la muerte al son de estos tambores. ¡Y qué caro los he pagado! De todo el Imperio llegó el oro, llenando esta prisión hasta la altura de mi mano *(Levantando un brazo en alto.)* para tener derecho a este tamborileo fúnebre.

FELIPILLO

Y a algo más.

INCA

Sí, es verdad, a algo, más: a tener alma. Se me ha regalado un alma... Mejor dicho, he comprado un alma a mis verdugos en artículo de muerte. En recompensa al alto precio que he pagado por ella, se me ha dado también esta cruz en donde debo hallar consuelo. En ella murió—se me ha dicho—el Rey de los Judíos. *(Vivamente.)* Tú, que eres ambicioso, aprende a fabricar este objeto. Mira qué fácil es: apenas dos maderos atravesados. Con él puedes someter reinos, esclavizar pueblos y asesinar emperadores... Si te parece que el símbolo está demasiado trillado, copia el del garrote —aquel en que voy a morir—y lánzate con él a conquistar mundos. ¡Puedes decir que en él murió el rey de los Quechuas!...

FELIPILLO

¡Blasfemas!... Recuerda que se te ha conmutado la pena de la hoguera por la del garrote al aceptar el bautismo.

INCA

(Punzante.) Sí, cuando me esgrimieron esa arma de doble filo: por un lado ardía, por el otro ahogaba. ¿Cuál hubieras preferido tú?... ¡Di!, tú que sabes evitar los riesgos, que te adelgazas ante ellos hasta llegar a ser invisible...

FELIPILLO

(Airadamente, arrebatado por la cólera.) ¡Basta!... Yo fui entregado por tus capitanes al invasor, para ser devorado por él; y supe ir resignadamente al sacrificio para aplacar la ira de los dioses blancos. Yo fui la víctima elegida para salvar la raza, para proteger tu Imperio. *(Despreciativamente.)* ¡A ti no te debo nada!... Atáronme a una barca tus caciques y lleváronme hasta las naves invasoras como un tributo para, con mi sangre, salvar la tuya. ¡Y supe ir resignado, animoso, inflamado de amor por ti! ¿Y ahora me acusas de cobarde? ¿A mí, que probé el más amargo de los tragos? ¿A mí me preguntas de qué muerte preferiría morir? ¡Yo elegiría, en ese caso, las flechas con las que asesinaste a tu hermano Huáscar...!

INCA

¡Mentira! Harías, una vez más, el traidor; entregarías todo a cambio de una coraza que te protegiera, o de un casco de acero como el que llevas puesto.

FELIPILLO

Y con él me siento más inocente que tú con ese «llautu» que has usurpado a tu hermano. *(Transición.)* Porque no son los tambores de tu funeral los que te atormentan, ¿verdad?... Es el rumor de las aguas del río Andamarca, teñidas de sangre fraterna, el que taladra tus oídos ahora. ¡Es el torrente que salta y se precipita entre las rocas arrastrando el cadáver de Huáscar!... ¡Pobre Huáscar!... Usurpado, asesinado; pero muerto en su ley, como Inca, sin la angustia de trocar en la hora postrimera su religión por una muerte más blanda. *(Sin piedad.)* ¿Quieres que disipe tus remordimientos? ¿Quieres que te divierta en esta última hora?... ¡Juguemos! ¡Juguemos a cambiar nuestros pecados...! ¡Dame a mí el «llautu»! ¡Ten mi casco extranjero! ¡Ten mi traición, dame tu crimen!... *(Le arranca el «llautu» y se lo pone, dejando entre las manos del* INCA, *turbado y abatido, el casco español.)* ¡Ahora yo soy el fratricida; tú, el traidor! ¡Yo, el Inca; tú, el esclavo! ¡Obedece!

INCA

(Aturdido.) ¡Calla...!

FELIPILLO

(Se transfigura y cobra una personalidad insospechada. Lleno de desfachatez y atrevimiento, va lanzando perversamente sus acusaciones al INCA.) ¡No! ¡No es el momento de callar! ¡No hay tiempo que perder!... Escucha la voluntad de tu amo: «Mi hermano Toparpa está muy cerca de los españoles. Me presumo que pretende hacerse coronar a mi muerte. ¡Ve y asesínalo! Inmediatamente visita en mi nombre a Pizarro; dile que estoy presto a aceptarlo todo: otra alma, si quieren dármela... Ofrece en mi nombre otro rescate en oro y plata; di que mi pueblo arrancará a las entrañas de la tierra cuanto de preciado guardan: ¡el látigo lo obligará a cumplir este compromiso! ¡Di que mis palacios del Cori-Cancha, los templos de Pachacamac, los tesoros de las vírgenes del Sol, todo, todo lo entrego a trueque de mi vida!...»

INCA

(Reaccionando.) ¡El juego me divierte!... Continuémoslo... Déjame hablar..., aunque no sé si lograré hablar como un traidor... *(Se pone el casco.)*

FELIPILLO

El que ha hecho de asesino en la vida, puede muy bien hacer de felón en el juego. Habla; te escucho.

INCA

Señor: ¿no has oído contar al invasor que aquel Rey de los Judíos, muerto en la cruz, fue entregado por uno de los suyos?... ¡Oh! Cuando supe que a este lo habían premiado con piezas de plata, descubrí que el oficio era fácil y lucrativo. ¡Por ti podían darme un arcabuz, un yelmo, tal vez un caballo!

FELIPILLO

(Sarcástico.) ¡Menguado! ¿A ese precio entregaste al Hijo del Sol?

INCA

Entregaba, señor, al ambicioso Atahualpa...

FELIPILLO

¿Por un caballo?

INCA

Ya te dije que lo hubiera hecho por un yelmo...

FELIPILLO

¿A mí por un yelmo?

INCA

¿Qué me importaba que se perdiera el Imperio entero, si yo iba a surgir de la nada para convertirme en un personaje de cierta importancia?... Me hastiaba este mundo en el que todos somos iguales. Yo quería labrarme mi propio destino, y, como un astro, irradiar mi luz propia.

FELIPILLO

(Saliéndose de la farsa a pesar suyo.) ¡Necio!

INCA

Sí, lo sé. Ahora lo entiendo. Nuestra sociedad no tenía como fin procrear seres individuales; nuestro destino era formar un todo compacto; algo mucho más digno y útil que aquellos conglomerados de aspirantes a explotadores.

FELIPILLO

¡Oh dioses! Es un honesto traidor este; yo debí escucharlo antes de asesinar a mi hermano. De ese modo, quizá, se hubiera evitado una guerra motivada por mi sola ambición.

INCA

¡No! También entiendo ahora por qué tus armas se levantaron contra Huáscar. ¡Ah, qué insatisfecho y cruel señor tenías por hermano y enemigo! No conforme con el señorío que tenía, vino a darte guerra. Le enviaste como mensajeros a tus hijos para rogarle que te dejara pacíficamente en lo que tu padre te había legado como herencia; pero él no quiso aceptarlo y mató a tus herederos. ¡Oh!, ¿cómo podía tu pueblo sufrir tal castigo y someterse a un tirano que daba tamañas pruebas de ferocidad?... Por eso me pesa, en verdad, no haberte sido leal; pésame cada palabra tuya cambiada por una mía cuando maliciosamente he interpretado tus frases al invasor; cuando te he difamado ante él; cuando te he calumniado, acusándote de desleal en tus tratos, diciendo que proyectabas lanzar tu gente contra ellos. Pésame mucho el afán que he tenido siempre de perderte, de hundirte en esta muerte prematura.

FELIPILLO

Demasiado tarde tu arrepentimiento. Te haré degollar; tus despojos quedarán expuestos durante toda una luna. Que los cóndores se alimenten con tus vísceras y los pumas bajen del monte a lamer tus huesos, para que de este modo quede memoria de mi crueldad. Y tenlo por seguro que así lo haré. Recuerda lo que te contaron mis guerreros en Zarán: al arrasar las tierras de Huáscar, un cacique se escondió de mí, y, como no pude hallarlo, de cinco mil hombres que tenía, le maté cuatro mil y le cautivé dos mil mujeres para repartir entre mi gente guerrera... Recuerda lo que tú mismo viste—y espántate de mi crueldad—en las puertas de la ciudad de Cajas: setenta quechuas había ahorcados de

los pies, porque uno de ellos había entrado en la casa
de las vírgenes del Sol... Y de mi fiero rigor una prueba más quiero ofrecerte: recuerda—y horrorízate al re-
cordarlo—cuando aquel caballero Hernando de Soto
hizo cabriolar a su caballo ante mis guerreros, hacién-
dolos retroceder un paso en mi presencia: ¡todos ellos
fueron ajusticiados! ¡A todos mandé decapitar, junto
con sus mujeres e hijos, aquella misma noche!

INCA

Señor, gracias a ti el Imperio no se ha desmembrado
ni hecho tributario: tu sacrificio nos redime. ¡He aquí
justificado todo! Y he aquí que reconozco tu valor, tu
heroico gesto. Tus hermanos continuarán la dinastía y
un nuevo sol alumbrará el Tahuantisuyo. El día vendrá
en que el invasor será arrojado a la mar de donde vino, y
estas tierras volverán a florecer, habrá paz, y se escucharán por doquier nuestros cánticos en tu memoria. ¡Oh
unificador del Imperio, perdón, te clamo perdón...! (Se
escuchan voces alteradas, que, casi inmediatamente, van
a convertirse en un alarmante griterío de multitud. Al
estallar este fenómeno, que debe dar la sensación por
un momento de que la muchedumbre va a irrumpir bruscamente en escena, el INCA, luego de despojarse del casco,
se paraliza, como tocado por un rayo, mientras FELIPI-
LLO se desasosiega y pierde el control. Suenan algunos
tiros de arcabuz. Se escucha el galope y relincho de los
caballos. Toques de cornetas y tambores. Después hay
calma, que el INCA aprovecha para hablar como iluminado.) ¡Oh Viracocha! Tú has levantado ese mar bravío
que ahora estrella sus olas contra estos muros. ¡Desata
en ellos la furia! ¡Anímalos en su valor! ¡Venid a mí,
a mi pueblo, mis quechuas valerosos...! ¡Hombres y
mujeres, tomad las armas...! (FELIPILLO atina, por fin,
a salir corriendo de la habitación. El griterío crece entonces en forma imponente. Vuelven a sonar las cornetas
y tambores. Galope de caballos. Luego, unos disparos
de arcabuz. Después, el silencio. Aparece FELIPILLO con el

rostro encendido y descarga sobre el INCA *todo su odio en una mirada vencedora.)* ¿Qué?... Di... ¡Habla!

FELIPILLO

¡Ha llegado oro del Cuzco!... Una caravana de hombres y llamas cargados de oro... Eso es todo.

INCA

Y esas voces, esos gritos heridos... ¿Vas a hacerme creer que mi pueblo no intentaba liberarme?

FELIPILLO

¡No! Españoles y quechuas gritaban solamente, llenos de júbilo, ante la llegada del oro. Los quechuas creen que con esta carga van a absolver tus crímenes...

INCA

En tanto, los cristianos se disponen a nuevo festín...

FELIPILLO

¡Como quieras! Pero nadie ha clamado por ti; todo ha sido, únicamente, vivas al oro; a ese oro en el que vienen descuartizados tus ídolos, aquellos que invocas en tu ayuda y, al mismo tiempo, entregas en pedazos para evitar tus cadenas. *(Los tambores redoblan fúnebremente.)* Pero ya pasó la algarabía, y otra vez los tambores anuncian la muerte.

INCA

Yo me pregunto: ¿la muerte de quién? ¿La tuya o la mía? Puesto que habíamos cambiado nuestros destinos, ¿recuerdas?... Tú eras mi Inca, yo te había traicionado; tú te proponías castigar mi infamia ejemplarmente, yo te imploraba perdón...

FELIPILLO

En eso estábamos, sí, cuando la locura se apoderó de ti; cuando creíste que los muertos habían resucitado y el noble Huáscar venía en tu ayuda... *(Los tambores*

BERNARDO ROCA: LA MUERTE DE ATAHUALPA

redoblan lúgubremente, dando la sensación de que van a aparecer en escena.)

INCA

¡Entonces, volvamos al engaño! ¡Embriaguemos a la muerte! ¿Oyes? Son tus heraldos; ya vienen. *(Tambores.)* ¡Se acercan! *(Tambores.)* ¡Es la hora! ¡Vas a morir! ¡No me arrastres contigo a las tinieblas! ¡Di que me has perdonado! ¡Di tu última palabra: perdón para el traidor...! *(Se lanza sobre* FELIPILLO, *decidido a matarlo asfixiándolo entre el muro y las cadenas que atan sus dos manos.)*

FELIPILLO

(Demudado, tambaleándose, al borde de desplomarse.) ¡No! ¡No! ¡No! ¡Silencio!... ¡Ha terminado el juego! ¡Basta! *(El* INCA *lo deja en libertad. Desgarrándose las vestiduras.)* ¡Tengo sed!... Esos tambores... Sí: tambores del infierno... ¡Y ellos, allí, con sus pesadas corazas, como astros de plata, hollando la tierra, dominándolo todo... Devoran los montes, arrancan de cuajo los bosques. Nada los amilana, porque son invencibles. ¡Invencibles, sí, invencibles! *(Histérico, sollozando como una mujer.)* ¡Y yo quiero vivir! ¡Quiero vivir! ¡Vivir! *(Queda agitado, convulso, como un perro apaleado.)*

INCA

(Digno, sobrio.) ¡Solamente unos instantes me separan de la muerte; antes que tú recuperes tu serenidad, yo me habré abrazado a ella para siempre, para la eternidad!... Sin embargo, mírame cuán entero y resuelto me hallo: mis piernas se han fortalecido como nunca y me dan la sensación de que podrían sostener un templo; mi cabeza está firme; mi cuello, poderoso como una torre. *(Tocándose el cuello.)* Es aquí donde voy a recibir el golpe de tu traición... En cambio, tú, hombre de arena, no alcanzas a soportar ni siquiera el peso de esta borla de lana. *(Le quita el «llautu».)* Devuélvemela. Tu cabeza, tu pobre cabeza, es demasiado débil para llevarla. *(Se pone el «llautu».)* Se necesita haber vivido por la tierra

para saber entregarse a la tierra, arrogantemente, como
un viejo tronco que cae, coronado de pájaros y vientos...
Algo indescifrable este morir por el mañana, como muere la flor para diseminar la semilla... No se puede decir,
pero es grande... Grande como la Muerte. ¡Oh Muerte!
Vienes por mí y a ti me entrego silenciosamente, sin
temor. Nadie escuchará mi voz en este trance; quiero
dejar de herencia a mi pueblo esta actitud ante el Destino.

Aparece VALVERDE en la puerta del foro con la cogulla puesta y
el libro de los Evangelios en la mano, seguido de Alabarderos.

VALVERDE

El buen Dios, el Todopoderoso, va a recibirte en su
reino.

INCA

(Dejando caer maquinalmente la cruz. Aparte.) ¡Oh,
qué terriblemente fuerte eres, Señor de cataclismos...!
(Sin mirar a VALVERDE *sale de escena, inmutable, hierá-
tico, lleno de majestad.* FELIPILLO *al verlo grita, cada
vez más desesperadamente, ahogado por los sollozos, cayendo de rodillas en tierra y casi arrastrándose tras él.)*

FIN DE
«LA MUERTE DE ATAHUALPA»

SEBASTIAN SALAZAR BONDY

NO HAY ISLA FELIZ

DRAMA EN TRES ACTOS
(EL PRIMERO Y EL TERCERO DIVIDIDOS EN DOS CUADROS)

Este drama fue estrenado en Lima, el 29 de abril de 1954, por el elenco del Club de Teatro, bajo la dirección de Reynaldo d'Amore.

PERSONAJES

Lucas.
Gustavo.
Dueñas.
Daniel.
Lucía.
Natalia.
Ramón.
Joven 1.º
Joven 2.º
Muchacha 1.ª
Muchacha 2.ª
Un Cliente.
Funcionario 1.º
Funcionario 2.º
Julia.
José Salvatierra.
Pedro.
Un Viejo.
Parroquiano 1.º
Parroquiano 2.º
Un Hombre.

La acción transcurre en un pueblo de la costa sur del Perú, durante aproximadamente treinta años.

SEBASTIAN SALAZAR BONDY

ACTO PRIMERO

CUADRO PRIMERO

El escenario muestra dos estancias. A la derecha, comedor modesto y limpio, con puerta de acceso al interior de la casa. En la pared del fondo, iluminado por una incipiente lamparilla de aceite, hay un cromo del Corazón de Jesús. A la izquierda, frutería y expendio de refrescos y *sandwichs*, cuya puerta en ochava da al exterior. Hay en esta sección una ventana—desde la cual se divisa el desierto—, un mostrador rústico, una mesa con sillas o bancos y estantes en los que se ven botellas, frutas y latas de conserva. Entre una y otra parte se distingue una puerta, apenas interrumpida por una cortina raída.

Al levantarse el telón es de noche. En torno de la mesa concluyen de jugar una partida de naipes tres hombres: LUCAS, el boticario; GUSTAVO, el peluquero, y DUEÑAS, un cacharrero de la región. En el mostrador, puestos los codos sobre él, DANIEL, propietario del establecimiento, lee un periódico. En el comedor de la casa, en tanto transcurre la acción en la pieza vecina, LUCÍA, mujer de DANIEL, dispone las cosas en su hogar. Luego, se sienta e inicia una labor de tejido. Ambas estancias se hallan alumbradas por lámparas de kerosene.

LUCAS

Me doy entero...

DUEÑAS

(Mirando las cartas y jugándolas lentamente.) Veremos, veremos...

LUCAS

(A GUSTAVO.) ¡Ei, no te duermas! Te toca.

GUSTAVO

¡Sí, sí! *(Juega.)* Bueno; a lo hecho, pecho...

LUCAS

No tiembles...

DUEÑAS

Renuncio.

LUCAS

(Descubriendo triunfalmente sus cartas.) ¡Póquer de ases, gordo! Dije que me daba entero...

DUEÑAS

(Poniéndose en pie y bostezando.) Yo debería tener diez mujeres... ¡Tengo una suerte de perro!

GUSTAVO

(Mostrándole sus cartas.) Mira, mira con qué me arriesgué. *(Arroja los naipes en la mesa.* LUCAS *los recoge y ordena.)* En cuanto a lo de la suerte, compadre, me parece que se queja usted sin razón. La tierra ha dado este año racimos de billetes.

DUEÑAS

¿La tierra? ¿A la arena le llama usted tierra? Uno le saca agua al desierto, quedándose en cada bombeo la sangre. ¿Y para qué? ¿Quiere usted decirme para qué? Cuatro lechuguitas, tres zanahorias y dos tomates más secos que una piedra.

DANIEL

(Levantando la cabeza de la lectura.) No se olvide de mi chanchito, don Santiago. Ya sabe que necesito por lo menos dos por semana.

LUCAS

¿Son también los chanchitos secos como piedras?

DUEÑAS

(A DANIEL.*)* Mañana le traigo uno... Eso sí, el precio ha subido un poquito. *(*DANIEL *se encoge de hombros.)*

LUCAS

A propósito, Santiago: ¿le mando vacunas? Hoy me llegó un lote.

DUEÑAS

De todas maneras, ¿quiere que pase por ellas?

LUCAS

Na hace falta. Se las envío con el chico. Tiene que ir donde la Inés, y de ahí a la charca hay un brinco.

GUSTAVO

¿Otro parto de la zamba?

LUCAS

No. Son unas frotaciones para el bizquito que se golpeó ayer. (Pausa.) A no ser que tú...

GUSTAVO

Oye, oye... Todo el pueblo sabe que me gustan las buenas mozas.

DUEÑAS

Sin embargo, de cuando en cuando prueba usted el bagre. (Ríe.) ¿No es cierto, don Daniel?

GUSTAVO

El pescado solo en cebiche... Y no meta usted a don Daniel en esto porque él es hombre serio.

LUCAS

Con sueño, querrás decir. Solo espera que nos despidamos.

DANIEL

¡Qué ocurrencia! Pueden quedarse acá hasta cuando les parezca bien.

GUSTAVO

(En son de broma.) ¿Nos parece bien o no? De lo contrario, nos quedamos una hora más...

LUCAS

Si mañana no tuviera que madrugar, de buena gana me estaba yo jugando y conversando hasta el amanecer. Y esto en su honor, Daniel, porque la casa es de las que jalan.

DANIEL

Muy amable de su parte.

GUSTAVO

¿Y para qué madrugas tú? Total, la gente se enferma igual...

DUEÑAS

Oiga, Lucas, a propósito, tengo un chico con fiebre. Le he estado dando las píldoras que me recomendó usted para el otro, pero la calentura no cede. ¿Qué me aconseja?

LUCAS

Tendría que verlo. ¿Los mismos síntomas?

GUSTAVO

El paludismo, sin duda.

DUEÑAS

Paludismo, sí. Eso me parece. *(A* Lucas.*)* A este le duele la barriga.

DANIEL

Déle un purgante primero. Ya sabe usted las porquerías que comen los muchachos.

LUCAS

Mañana, si puedo, me daré un salto por ahí.

GUSTAVO

¿Y nadie está con el pelo crecido? A los boticarios les llueven los clientes, pero a la peluquería no va ni el acalde...

LUCAS

Ese no se baña ni para la Pascua, ¡y se va a cortar el pelo!

DUEÑAS

Bueno, no toquemos el tema del alcalde porque nos dan acá las seis. *(A* DANIEL.) Hasta mañana... Salude a la señora.

LUCAS y GUSTAVO

Hasta mañana.

DANIEL

(Acompañándolos a la salida.) Hasta mañana. Que duerman bien. *(Cuando los tres hombres han desaparecido,* DANIEL *cierra primero la puerta, colocándole un barrote, y después la ventana. Va en seguida hasta el mostrador y saca de allí un pequeño cajón. Apaga la lámpara y pasa a la pieza siguiente.* LUCÍA *teje.* DANIEL *se sienta a la mesa al lado de su mujer, cuenta el dinero que extrae del cajón y anota cifras en un cuaderno. Al cabo de algunos instantes, sin levantar los ojos de su labor,* LUCÍA *le habla.)*

LUCIA

¿Qué tal?

DANIEL

(Atento a su tarea.) Bien...

LUCIA

(Sin mostrar excesivo interés.) ¿Cuánto?

DANIEL

Tres soles menos que ayer.

LUCIA

(Tras una pausa.) No llegaremos a ricos, Daniel, pero tampoco nos moriremos de hambre.

DANIEL

En Lima no hubiera llegado a ganar ni siquiera lo necesario para vivir decentemente. En cambio aquí no nos podemos quejar.

LUCIA

Dios es misericordioso.

DANIEL

(Optimista.) Esto mejorará con el tiempo. Cuando pongan la pista habrá más movimiento. *(Pausa.)* Quizá lleguemos a tener un grifo de gasolina.

LUCIA

No sueñes. Con que el negocio tenga clientes y que lo que ingrese diariamente en ese cajón nos sirva para educar a nuestros hijos, nos debemos dar por satisfechos.

DANIEL

No, no sueño. Hoy estuve hablando con un camionero. Me aseguró que no es difícil conseguir un grifo, sobre todo ahora que se va a construir la carretera.

LUCIA

¡Oh, harán falta recomendaciones, garantías...! *(Pausa.)* Recuerda que hasta unos meses eras solo un obrero.

DANIEL

(Exaltado.) ¡Y que no volveré a serlo! *(Pausa.)* Es posible que trabaje más y que aquí a veces gane menos que en la fábrica, pero ¿y esta sensación de estar creando mi vida para mí, acaso la tenía allá? No... *(Señalando el vientre de* LUCÍA.) Ahí está mi hijo, y mi hijo, te lo aseguro, no será un esclavo.

LUCIA

Dios nos ayudará. No lo dudes.

DANIEL

(Pausa.) Desde que supe que un hijo mío comenzaba a existir, te confieso que todo lo que nos rodea se hizo para mí más real.

LUCIA

(Pudorosa, sencilla, tomando la mano de DANIEL *amorosamente.)* Yo también veo esto diferente, Daniel. Es posible que todas las mujeres tengan la misma impre-

sión del mundo en víspera de un parto, pero no puedo dejar de pensar que se trata de algo extraordinario, único...

DANIEL

(Complacido.) Ayer iba a la botica, ocupada la cabeza, como de costumbre, con las cosas del trabajo, cuando de repente me acordé de él. Fue como un golpe de sangre, ¿sabes? Me imaginé entonces que lo que veía y sentía a mi alrededor era un enorme juguete que yo fafricaba para mi hijo.

LUCIA

(Acariciándole la cabeza como a un niño.) Daniel...

DANIEL

Claro, puro sentimentalismo... (Pausa. Alegre.) Pero voy a ser padre, ¡caramba!, y es lógico que me sienta chocho.

LUCIA

(Cordial.) Termina de hacer las cuentas. Mañana habrá que madrugar.

DANIEL

(Volviendo a la tarea e interrumpiéndola en seguida.) ¿Crees, de verdad, que la idea de tener un grifo es descabellada? Quizá viaje a Lima la próxima semana a hacer las averiguaciones.

LUCIA

Solo te pido serenidad. No es bueno precipitarse.

DANIEL

Precisamente por eso es que quiero hacer las gestiones personalmente. En fin, ya lo decidiré con más calma. (Pausa.) Concluiré con esto... (Vuelve a las cuentas.)

LUCIA

(Luego de una pausa.) Hay poca luz acá.

DANIEL

E_s cierto. Me arden los ojos. Mañana compraré otra lámpara.

LUCIA

También hay que comprar queso. Los estudiantes que pasaron esta tarde acabaron con todo el que había. ¡Qué manera de comer!

DANIEL

Lo anotaré para no olvidarme. *(Pausa. Poniéndose en pie.)* Listo.

LUCIA

Bueno... Guarda todo y vamos a la cama.

DANIEL

(Bostezando.) ¡Ah! Estoy rendido. Lleva la luz...

LUCIA

(Mientras salen abrazados.) ¡Pobre mi viejo! *(No bien han salido, suenan golpes premiosos en la puerta.* DANIEL *y* LUCIA *retornan a la escena.)* ¿Quién puede ser a esta hora?

DANIEL

Iré a ver. *(Vuelven a sonar golpes.)*

VOZ DE NATALIA

¡Daniel! ¡Lucía! ¡Abran, por favor!

LUCIA

¿No es la voz de Natalia?

DANIEL

(Que está en la puerta quitando el barrote.) Así parece. *(Hacia afuera.)* Espere un poco. Ya abrimos.

VOZ DE NATALIA

¡Soy yo, Daniel!

DANIEL

(Mientras abre.) Enciende la otra lámpara, Lucía. *(*LUCIA *obedece.)*

NATALIA

(Desgreñada, llorosa, se refugia en DANIEL.*)* ¡Daniel! ¡Daniel!

DANIEL

Pero ¿qué le sucede?

NATALIA

¡Ramón está borracho otra vez! ¡Me ha pegado!

LUCIA

Siéntese, Natalia. Cálmese. *(*NATALIA *se sienta en la silla que* LUCÍA *le alcanza.)*

DANIEL

¿Quiere un vaso de agua? *(Sirve agua en un vaso y se lo extiende.)*

NATALIA

¡Es la cuarta vez en un mes que lo hace! ¡Se pone como una fiera y me pega! *(Solloza.)*

DANIEL

Beba, Natalia...

LUCIA

¿Y dónde está?

NATALIA

(Tras de beber.) Gracias... *(Pausa.)* En la casa... Después de haberme golpeado se quedó tendido en el suelo como un trapo: ¡Yo soy débil! ¡Me va a matar! *(Llora.)*

LUCIA

Pase adentro mejor. Ahí descansará. *(Le ayuda a ponerse en pie.)*

DANIEL

Sí, es mejor que vayamos al comedor. *(Entre los dos la conducen al interior.)*

NATALIA

Esta mañana salió a trabajar. No le vi en todo el día. A las ocho regresó borracho, completamente borracho... No le dije nada porque cuando está así le tengo miedo... Se echó en la cama, y yo, para ayudarlo, me acerqué y le pregunté si quería café. Se levantó y me insultó, me pegó... Me quedé callada en un rincón, llorando en silencio. El fue hasta la cocina, sacó una botella de aguardiente y se la bebió íntegra... Después volvió a pegarme... *(Llora amargamente.)*

DANIEL

Debiera verlo un médico, Natalia. Mañana, cuando esté bien, usted se lo dirá.

NATALIA

Cuando no bebe es bueno y cariñoso, pero no sé lo que le pasa...

LUCIA

Quizá sufre, y se emborracha para olvidar sus preocupaciones.

NATALIA

Yo sé... Desde que perdimos al bebé... Y eso es lo que me reprocha. Pero no tuve la culpa, Lucía. Fue un accidente. ¿Soy una asesina? Dígame, ¿soy una asesina? *(Llora.)* No tuve la culpa, se lo juro.

LUCIA

Nadie tiene la culpa de una desgracia así.

NATALIA

El cree que yo lo maté. *(Desesperada.)* ¡Que yo maté a mi hijo!, ¿se da cuenta?

DANIEL

Tranquilícese ahora, Natalia. *(Pausa.)* Si quiere puede pasar la noche aquí...

LUCIA

Adentro hay una cama desocupada. ¿Quiere quedarse?

NATALIA

No, no lo puedo dejar abandonado. Si no les molesta, esperaré un rato y luego volveré a mi casa...

LUCIA

Como guste.

NATALIA

Perdónenme que acuda a ustedes, pero no tengo a nadie.

DANIEL

Somos vecinos, amigos, y debemos darnos la mano.

NATALIA

Gracias, Daniel.

DANIEL

¿No quiere que vaya a ver cómo está Ramón?

NATALIA

No, no hace falta. Se habrá quedado dormido.

DANIEL

Como desee. *(Pausa.)* ¿Está más tranquila ya?

NATALIA

Sí, felizmente. Por lo menos no me siento tan desamparada. *(Suenan golpes en la puerta.)*

LUCIA

(Con temor.) ¿Llamaron acá?

NATALIA

(Con terror.) ¡Es él! *(Se pone en pie.)* ¡Es él! ¡Daniel, es él!

DANIEL

En mi casa no se atreverá a hacerle nada. *(Suenan los golpes nuevamente.)*

NATALIA

¡No le abra, Daniel, por amor de Dios!

DANIEL

Si no le abro, insistirá...

LUCIA

Sí, anda a abrirle. *(A* NATALIA.*)* Con nosotros está usted segura... *(Suenan los golpes con más insistencia.)*

VOZ DE RAMON

¿No hay nadie?

DANIEL

(Mientras abre.) ¡Un poco de paciencia, hombre! ¡Ya está!

RAMON

(En el umbral, tambaleante.) ¿Dónde está?

DANIEL

Buenas noches, Ramón... ¿Qué hay?

RAMON

¡Vengo por mi mujer! ¿Dónde está?

DANIEL

Está usted borracho...

RAMON

(Da unos pasos y trastrabilla.) ¿Borracho? ¡Bah, siempre estuve borracho! *(Pausa.)* Tenía quince años y lustraba zapatos en una peluquería del centro... Gente distinguida, bien puesta... Y ya me emborrachaba. *(Empujando a* DANIEL *sin violencia.)* ¿Dónde está mi mujer? *(Sentándose.)* En ese tiempo creía que me esperaba un buen porvenir. No de hombre de negocios, o político, o profesional, no... Un porvenir, lo que se llama un porvenir decente... Y ya lo ve. Soy esto que a usted le repugna... Un borrachín...

DANIEL

No me repugna...

RAMON

(Fuerte.) ¡No disimule! ¡Le repugna! Y no es raro...
Le repugna a mi mujer. Sí, a ella. Me mira con los ojos
desorbitados como si viera un fantasma. Prefiero que
desaparezca. Un puñetazo y, zas, se acaba la mirada...
(Pausa.) ¿Está ahí?

DANIEL

(Serio.) Sí, pero no se irá con usted.

RAMON

¿Cómo dijo?

DANIEL

Natalia no se irá con usted, ¿comprende? *(Pausa.)* No
es posible que sea víctima de sus malos tratos. Es una
mujer excelente y merece otra suerte. *(Pausa.)* Se porta
usted mal...

RAMON

(Se pasa la mano por la cara.) Estoy muy borracho...
(Pausa.) Vinimos a este infierno para ser felices. Todo
se fue al diablo. *(Pausa.)* Desde la época en que lustraba
zapatos a hoy, ¡qué! *(Pausa.)* Había zapatos finos, delicados. Pero también había zapatos gruesos, ordinarios.
(Pausa.) ¡Ah, yo los trataba a todos igual! Y la vida no
es así... *(Pausa.)* Estoy muy borracho... *(Pausa.)* ¿Dónde
está?

DANIEL

Adentro, con Lucía...

RAMON

¿Llora?

DANIEL

Ya no... *(Pausa.)* Usted la desespera.

RAMON

(Con un grito angustiado.) ¡Pero es mi mujer!

DANIEL

¿Eso le da derecho a pegarle?

RAMON

(Triste.) Debiera estar aquí, conmigo... *(Pausa. Repentinamente tembloroso.)* Daniel, ella no me dejará, ¿verdad? ¿No me dejará? ¡La necesito tanto!

DANIEL

(Persuasivo.) Son ustedes jóvenes, Ramón. Pueden empezar de nuevo. Uno hace su destino, lo escribe. No sé cómo explicarme. Escoge el fracaso o el éxito. No es cuestión de suicidarse...

RAMON

¿Qué es peor? ¿Lustrar zapatos? ¿Recoger algodón? ¿Emborracharse? ¡Yo no escogí esta inmundicia! *(Pausa.)* Claro que no es cuestión de suicidarse, pero uno es un zapato grueso y está hecho para ser reventado... *(Pausa. Suplicante.)* ¡Dígale que venga! ¡Por piedad, dígale que venga!

NATALIA

(Que ha estado escuchando en la otra pieza.) ¡Ramón!

RAMON

(Tendiéndole los brazos.) ¡Natalia!

NATALIA

¡Ramón!...

RAMON

No te irás, ¿verdad? ¿No te irás, Natalia?

NATALIA

¿Cómo se te ocurre?

DANIEL

Prométale, Ramón, que es la última vez...

RAMON

Mañana amaneceremos abrazados como el primer
día... *(Pausa.)* Hasta que vuelva esto, el miedo...

DANIEL

Una taza de café le hará bien.

NATALIA

Si no es demasiada molestia...

LUCIA

Venga por acá.

NATALIA

(A RAMÓN.) Ven. Tomarás una taza de café...

RAMON

(Mientras pasan a la otra pieza.) Yo me decía: «Algún día seré como uno de los que se sientan aquí, se
afeitan, se cortan el pelo, se arreglan las uñas, se perfu-
man y se lustran el calzado...» *(Pausa.)* «Señor Ramón,
¿le echo colonia?» «No, agua de florida, por favor...»
(Ríe.) Uno escribe su vida... Uno escribe su vida, ¿no,
Daniel?

NATALIA

No pienses más...

DANIEL

Hay que empezar de nuevo.

RAMON

Me casé, vine aquí, trabajé como una bestia... Esperaba un hijo, ¿sabe? *(Pausa. Congestionado.)* ¿Dónde
está mi hijo? ¿Sabe usted dónde está?

NATALIA

¡Por favor, no vuelvas a eso!

RAMON

(Gritando.) ¿Sabe usted dónde está mi hijo, Daniel?

DANIEL

Olvide eso... Pueden tener otros.

RAMON

¿Para qué? ¿Para que lustren zapatos? ¿Para que se emborrachen? ¿O para que se enfermen y mueran como perros en un hospital?

NATALIA

¡Por Dios!

LUCIA

(Que viene con el café.) Aquí está, bien caliente.

RAMON

(A Lucia.) Usted esperaba un hijo, ¿no? ¡Mátelo antes que la miseria se lo arranque de las manos! ¡Mátelo, Lucía! ¡Todavía no es nada! ¡Un bulto! ¡Un tumor! ¡Mátelo!

NATALIA

¡Calla!

RAMON

(Desaforado.) ¡No me callo! ¡No! *(A Lucía.)* Eso que tiene usted en el vientre está condenado a muerte. Llevará usted el guiñapo afiebrado de su hijo al hospital y allí le dirán que no tiene remedio... *(A Natalia.)* ¿No es así? ¡Responde!

DANIEL

¡Ramón, sea usted hombre!

NATALIA

(Suplicante.) ¡Calla, Ramón, por amor de Dios!

RAMON

(Bajando el tono de la voz. A Daniel.) Usted me pide que sea hombre y eso no es fácil. Un hombre es algo complicado. *(Bebe temblorosamente la taza de café.)* Y ser borracho también es ser hombre...

LUCIA

(A NATALIA.*)* Eso le hará bien.

NATALIA

¿Cómo te sientes?

DANIEL

Déjelo, Natalia.

RAMON

(Sentándose y reclinando la cabeza en la mesa.) Uno piensa que ser hombre es fácil. Pone una cosa aquí, la otra allá... Un hijo, el hospital, la muerte... Escribe tu vida, Ramón, y no te suicides... ¡Sé hombre! Como si ser hombre fuera echarse a andar... Caminar, caminar... ¡Qué simple! *(Lentamente, después de balbucir palabras ininteligibles, su voz queda apagada por el sueño.)*

DANIEL

Le hará bien dormir...

LUCIA

Sí, que se quede así hasta que se sienta mejor.

NATALIA

¿Cómo podré retribuir tanta generosidad?

LUCIA

No se preocupe por eso. Más bien, creo que conviene buscar el medio de que se cure...

NATALIA

El se da cuenta de que beber así no es bueno, pero el vicio es más fuerte que su voluntad.

DANIEL

Quizá otro trabajo... Algo que le devuelva el optimismo...

NATALIA

Ha probado en vano tantas cosas el pobre...

LUCIA

(Tímidamente.) ¿Y otro hijo?

NATALIA

Tengo miedo.

DANIEL

¿Miedo? ¿Y de qué?

NATALIA

Aquello fue horrible. Usted no se imagina.

DANIEL

¿Por qué piensa que sucederá lo mismo?

NATALIA

No es que tema a la muerte, no. Pero ahora que Ramón vive de este modo, me aterroriza la idea de que mi hijo sea víctima de sus vicios...

LUCIA

¡Oh Natalia! ¡Eso es ingenuo! *(Se oyen bocinazos y voces de gente que se acerca.)*

DANIEL

Alguien viene. Veré quién es. *(Pasa a la tienda. Bulliciosamente entran dos parejas juveniles.)*

JOVEN 1.º

¡Buenas! ¿Hay algo de comer?

JOVEN 2.º

¡Qué comer! ¡Nos interesa beber!

DANIEL

A esta hora ya no despachamos, señor.

MUCHACHA 1.ª

¡Ay, no sea malito! Venimos con un hambre que somos capaces de devorarnos la mesa... *(Al JOVEN 2.º)* A pesar de que es un asco.

JOVEN 1.º

¡Un «sandwich» de queso! *(A la* MUCHACHA 2.ª*)* ¿Y tú, amor?

JOVEN 2.º

¡Yo soy partidario del trago!

MUCHACHA 2.ª

¡Mira, Perico, jamón! *(Pausa.)* ¡Ay, pero cuánta mosca!

DANIEL

No puedo atenderlos. Lo siento...

MUCHACHA 1.ª

¿Por qué? ¿Tenemos cara de asaltantes?

DANIEL

No he dicho eso, señora.

MUCHACHA 2.ª

¡Oiga usted, somos señoritas!

JOVEN 1.º

¿Se puede saber por qué se niega a atendernos?

DANIEL

Es muy tarde.

JOVEN 1.º

¿Sabe usted con quién está hablando?

DANIEL

No tengo ese honor...

JOVEN 2.º

(Un poco en broma.) Permítanme que los presente. El señor Javier de Argüelles...

JOVEN 1.º

(Agrio.) ¡Déjate de gracias, Gonzalo! *(A* DANIEL.*)* Le advierto que no está tratando con un cualquiera...

DANIEL

Eso no varía en nada la situación...

JOVEN 1.º

¡Usted es un insolente!

MUCHACHA 1.ª

¡Con el hambre que tengo!...

JOVEN 2.º

¿Y sed? ¿No tienes sed?

JOVEN 1.º

¿Quieren callarse? *(A* DANIEL.*)* ¡Le advierto que esto le va a costar caro!

DANIEL

No sé por qué.

JOVEN 1.º

Simplemente porque usted, por capricho, se niega a atendernos.

DANIEL

A las nueve, según mi costumbre, cierro la tienda. Y no hago excepciones.

MUCHACHA 1.ª

(Tomando al JOVEN 1.º *del brazo.)* Vamos, Perico, a otro sitio. Ya encontraremos un lugar más limpio. ¿No ves que esto es un chiquero?

JOVEN 2.º

Vámonos. *(Sale del brazo con la* MUCHACHA 1.ª*)*

JOVEN 1.º

Sí, eso es lo que va a pagar. La falta de higiene... *(*LUCÍA *y* NATALIA *contemplan la escena amedrentadas,* RAMÓN *duerme.)*

MUCHACHA 2.ª

¡Vamos, Perico!

JOVEN 1.º

(Saliendo con la MUCHACHA 2.ª*)* ¡Cholo imbécil!

MUCHACHA 2.ª

(En el mutis.) ¡Ay Perico, qué carácter tienes!

DANIEL

(En el umbral de la puerta.) ¡Maricones!

LUCIA

(Yendo a su lado.) ¡Déjalos, Daniel!

DANIEL

¡Qué se habrán creído! *(En el comedor,* RAMÓN, *despierto ya, se ha puesto en pie y va hacia la tienda.)*

NATALIA

(A DANIEL.*)* No le dé importancia, Daniel. Vieron la puerta abierta y creyeron que se podía entrar.

DANIEL

(Calmándose al ver a RAMÓN.*)* ¿Se siente mejor?

RAMON

(No muy firme.) Sí... Es decir... ¿He dormido mucho?

NATALIA

(A RAMÓN.*)* ¿Vamos a la casa? Te acostarás.

LUCIA

Por nosotros no se preocupen.

NATALIA

No es eso. Ramón debe dormir. *(A* RAMÓN.*)* ¿Vamos?

RAMON

Vamos... No sé qué hacemos aquí...

DANIEL

Yo les acompaño.

NATALIA

No se moleste.

DANIEL

Son cuatro pasos. Qué más da.

NATALIA

Hasta mañana, Lucía.

LUCIA

Hasta mañana.

RAMON

(A su mujer, extraviado.) Pero ¿qué hacemos acá?

DANIEL

Vamos... *(A* LUCÍA.*)* Ya regreso... (*DANIEL, RAMÓN y NATALIA, aquel apoyándose en esta, salen.* LUCÍA *va hasta la puerta de la calle y los ve salir. Permanece allí unos segundos, meditabunda.)*

T E L O N

CUADRO SEGUNDO

El mismo escenario. Han transcurrido diez años. En su aspecto general, el comedor y la tienda no han variado, a excepción de cuatro mesas, que han incrementado el mobiliario de esta última estancia, y de algunas latas de gasolina diseminadas por el suelo. A través de la puerta se divisa un grifo. También se percibe un mayor ajetreo, especialmente de obreros que trabajan en la construcción de la carretera.

Al levantarse el telón, DANIEL está tras el mostrador atendiendo a un cliente que abona su consumo y sale en seguida. En una mesa, cerca de él, se hallan el peluquero y el boticario, los cuales juegan a los naipes. Más allá, en otra mesa, beben cerveza y charlan dos Funcionarios de la empresa constructora. Es de mañana y hace calor. Se escuchan a lo lejos el ruido de la maquinaria y los gritos de los obreros en plena labor.

FUNCIONARIO 1.º

Igual a un convento, hermano. *(Pausa.)* Ya te acostumbrarás. Te olvidas de las hembras y prefieres esto... *(Señala el vaso de cerveza.)*

FUNCIONARIO 2.º

(Bebiéndose de un tirón el contenido del vaso.) Pienso ahorrar todo lo que pueda. Con billetes en la cartera se puede vivir bien en Lima...

FUNCIONARIO 1.º

¡Ah! Si parece que me estoy oyendo... Lo mismo decía yo cuando me metí en esta vaina. Pero ya verás: sol, polvo y aburrimiento nada más. Entonces no te queda otra solución que la cerveza de día y el pisco de noche. *(Saca un pañuelo y se enjuga la frente.)* ¿Otra?

FUNCIONARIO 2.º

No, gracias. Se suda más...

FUNCIONARIO 1.º

¿Terminaste las planillas?

FUNCIONARIO 2.º

Todo está listo para comenzar a pagar.

FUNCIONARIO 1.º

Tomamos la última y nos vamos. ¿Te animas?

FUNCIONARIO 2.º

Bueno... Pero la pago.

FUNCIONARIO 1.º

Como quieras. *(A* DANIEL.) Oiga... Otra cerveza. *(DA-*
NIEL *va hasta un rincón por la botella.)*

FUNCIONARIO 2.º

Este sí que se debe aburrir...

FUNCIONARIO 1.º

¡Ni creas! Esta cueva es una mina de oro. Estará
haciéndose de oro. *(En voz baja.)* ¿En qué gastan estas
bestias? Sopa y fríjoles con arroz todos los días. Un
vestido les dura toda la vida. ¿En qué gastan? *(DANIEL*
se acerca y sirve la cerveza. El hombre toca la botella.)
¡Pero está tibia!

DANIEL

Se ha terminado el hielo. Solo me traen dos kilos
diarios.

FUNCIONARIO 1.º

(A su amigo.) ¿Ves? ¡La gloria! ¡Arena, calor y cerveza tibia!

FUNCIONARIO 2.º

(A DANIEL.) ¿Por qué no compra un «frigidaire»?

DANIEL

(Con sonrisa indulgente.) No es tan sencillo.

FUNCIONARIO 1.º

¡Claro que no los regalan! Pero con un pequeño esfuerzo que haga...

FUNCIONARIO 2.º

Un préstamo en el Banco, un crédito...

DANIEL

Sí, se dice fácilmente; pero...

FUNCIONARIO 1.º

Con un «frigidaire» se multiplican los clientes. A los peruanos nos falta la iniciativa, el empuje de los gringos...

DANIEL

He pensado en el «frigidaire», no crea usted. Eso y otras cosas más quisiera yo. (*Pausa.*) He conseguido el grifo muchos años después desde el día que lo pedí.

FUNCIONARIO 2.º

¡Uf! Con la carretera nueva la gasolina va a ser pan caliente.

DANIEL

Poco a poco... (LUCÍA *entra en la otra estancia. Se acerca en seguida ,hasta la puerta divisoria y llama.*)

LUCIA

Daniel.

DANIEL

Voy... (*A los parroquianos.*) Con permiso. (DANIEL *va a la otra pieza. Allí habla con* LUCÍA.)

FUNCIONARIO 1.º

¿Ves? ¡Una bestia! ¡Plata, plata y más plata! ¿Para qué? Llegará a la vejez podrido en billetes y sus hijos se los fumarán como si fueran cigarrillos. No tienen nada en la cabeza y son cochinos como chanchos.

FUNCIONARIO 2.º

(*Indulgente.*) No parece mala persona...

FUNCIONARIO 1.º

No los conoces. Este, ahí donde le ves, tiene más plata de lo que parece. No quieras saber ni cómo duerme ahí dentro su familia. Unos sobre otros, como animales. No se bañan, y tienen el mar a unos kilómetros; no se visten, porque no necesitan aparecer bien en ninguna parte; no tienen compromisos, pues el pueblo es una birria... Como animales...

FUNCIONARIO 2.º

Eso es falta de cultura, de educación. *(Levantando el vaso.)* ¡Salud!

FUNCIONARIO 1.º

Tienen razón los gringos... A esta gente hay que meterle bala. *(Continúan hablando. En la otra mesa la partida concluye.)*

GUSTAVO

¡Hoy hace calorcito, ah!

LUCAS

¡Y no! Lo que es en la botica, felizmente corre fresco. Como forma esquina...

GUSTAVO

Está en buen sitio... *(Refiriéndose a los trabajos de la pista.)* No veo la hora en que estos se vayan. Han traído plata, pero también bastante suciedad.

LUCAS

El ingeniero me dijo ayer que dentro de una semana estará terminado el tramo.

GUSTAVO

¿Y a Ica? ¿Cuándo llegarán a Ica?

LUCAS

A fines del próximo mes. Me parece que la pista es buena. Ya era tiempo...

GUSTAVO

¡Caramba si era tiempo! Hay mucho comercio con Lima. Y como toda la riqueza del Sur se va para allá... (DANIEL *sale del interior de la casa y va hasta donde sus amigos.)*

DANIEL

¿Terminaron de jugar?

LUCAS

Le he dado una paliza fenomenal. Esta vez sí que está convencido de que soy un maestro.

DANIEL

¿No quieren tomar algo? Yo invito.

GUSTAVO

Yo, no; gracias. Tengo que ir a la peluquería. Dejé solo al muchacho. (*Se pone en pie.*)

LUCAS

Yo tampoco. Mi mujer me espera con el almuerzo listo. Además, no aguanta que yo ande, como ella dice, de jarana...

GUSTAVO

Pero ¿cuándo vas a mandar en tu casa?

LUCAS

Cuando tú me des el ejemplo, gordo... (*A* DANIEL, *en son de broma.)* ¿Supo lo de las alcachofas?

DANIEL

Usted me lo contó... Es para morirse de risa.

GUSTAVO

Vamos, vamos... Son puras invenciones... Vamos, que no quiero que tu mujer te rompa la cabeza.

LUCAS

Chau, Daniel.

DANIEL

Hasta la noche.

GUSTAVO

Adiós *(Salen. *DANIEL* va hasta el mostrador.)*

FUNCIONARIO 1.º

Acabemos con el resto. *(Sirve.)*

FUNCIONARIO 2.º

Sí. *(Bebe. Hace un gesto de repugnancia.)* No conozco nada más malo que la cerveza tibia.

FUNCIONARIO 1.º

(Haciendo sonar las palmas.) ¡A ver, la cuenta!

DANIEL

En seguida. *(Se acerca a la mesa y recoge las botellas y los vasos.)* Son tres soles...

FUNCIONARIO 2.º

¡Como en el Maury! *(Sacando el dinero y poniéndolo sobre la mesa.)* Ahí hay un sol cincuenta. *(A su amigo.)* Pon el resto.

FUNCIONARIO 1.º

(Arrojando la otra cantidad.) Cobra usted el piso, ¿no es cierto? *(*DANIEL* no responde. Los dos hombres hacen medio mutis.)*

FUNCIONARIO 2.º

(Volviéndose de la puerta.) ¿Tiene cigarrillos americanos?

DANIEL

Solo nacionales, negros.

FUNCIONARIO 2.º

(Mientras hace mutis.) Esto es lo que llaman un oasis... *(Ríe.)*

FUNCIONARIO 1.º

(*Siguiéndolo.*) No hay caso; hace falta que los gringos nos civilicen... ¡Todavía somos salvajes! (*DANIEL queda pensativo. LUCÍA cruza el comedor y aparece en la tienda.*)

LUCIA

Qué, ¿otra discusión?

DANIEL

Ya no me irrito en vano. ¿Sabes qué querían? Un «frigidaire» y cigarrillos americanos.

LUCIA

Ahora habrá que pensar en esas cosas. Con la pista...

DANIEL

(*Interrumpiéndola.*) Hace diez años que venimos pensando en la bendita pista. Por fin veremos si es cierto aquello de la prosperidad.

LUCIA

No nos podemos lamentar. No somos millonarios, pero...

DANIEL

Pero no hemos llegado al extremo de morirnos de hambre, ¿no es eso lo que quieres decir? ¡Oh! Diez años no pasan porque sí. Desde este mostrador se ve a los hombres tal como son... Comen, hablan, se mueven... Ninguno penetra hasta el fondo de tu corazón. Ninguno piensa en lo que cuesta fundar una isla feliz. Comen, hablan, se mueven como autómatas impenetrables y egoístas. (*Pausa.*) No quiero decir que estoy fatigado, aunque hay días en que se me ocurre que mejor sería abandonar todo y volver a la fábrica...

LUCIA

No estamos solos...

DANIEL

Sí, Lucía. Eso es lo que me detiene: recordar que dos seres inocentes están floreciendo bajo este techo, a nuestra sombra.

LUCIA

Ellos justifican nuestra vida, nuestras penurias... *(Cambiando de tono.)* Es raro que no hayan venido todavía *(Pausa.)* Voy a ver cómo anda la comida. Cuando lleguen no permitas que se queden aquí. *(Lo besa.)* Olvida esos disgustos...

DANIEL

Anda tranquila... (LUCÍA *sale. No bien esta ha hecho mutis, entra* RAMÓN. *Está desharrapado, la barba crecida. Muestra signos evidentes de atravesar por una crisis moral intensa.)*

RAMON

(En la puerta.) ¡El rey en su trono!

DANIEL

Me dijeron que te habías ido a Ica.

RAMON

¡Majestad, no me he ido a Ica! ¡No persigo a las putas!

DANIEL

No me parece el modo más justo de tratar a Natalia.

RAMON

¿No? ¿Qué es ella, entonces, si no es eso?

DANIEL

Pasa, no te quedes ahí.

RAMON

(Sin moverse.) Contéstame... ¿Qué es una mujer que abandona a su marido y se larga con otro hombre? ¿Qué es? Dímelo tú, que lo sabes todo...

DANIEL

No quiero hablar de ese asunto, Ramón. Es cosa de ustedes...

RAMON

¡Ah, la hermosa respuesta del intachable Daniel! «Es cosa de ustedes...» *(Avanza cojeando.)* Tu pureza es hipocresía... *(Gritando.)* ¡Pura hipocresía!

DANIEL

No grites. Comprendo que no estés de buen humor, pero prefiero no oír gritos.

RAMON

·¡He venido a gritar! *(Pausa.)* Ella estuvo aquí antes de irse... ¿Qué hicieron ustedes, mis amigos, para impedir que me abandonara?

DANIEL

Vino a despedirse, no a pedir consejos.

RAMON

Lo que ustedes han hecho es criminal... *(Gritando.)* ¡Sí! ¡Criminal! ¡Tu buen ejemplo! ¡Tu hogar! ¡Tu maldito negocio! ¡Tus hijos como dos pimpollos de doctor y dama de caridad! ¡Unos modelos! *(Pausa.)* Sin decir una palabra contra mí, tu mujer y tú aconsejaban a Natalia a irse detrás de un inmundo camionero. Solo con el ejemplo... ¡Y eso es criminal!

DANIEL

(Enérgico.) ¡Cállate! ¡No acepto calumnias ni insultos! *(Pausa.)* Mejor es que te retires...

RAMON

No, si no estoy borracho. He venido a decirte la verdad.

DANIEL

No es la manera.

RAMON

Es inútil que me amenaces, incluso que me pegues.
Tú has hecho que mi mujer me deje. A cada momento,
ante cualquier debilidad mía, resplandecías de virtud.
Esa es una manera de aconsejar. Ella me ha abandonado porque ustedes le dijeron que el hombre era per-
fecto y que yo no era un hombre, sino un mono alco-
holizado, un vagabundo, un ocioso. (*Pausa.*) Ya no la
tengo. Ahora estoy solo. Vivo en una habitación que es
infinita como el desierto, que es triste, que es som-
bría... ¿Estás satisfecho? (DANIEL *se ha aproximado a
él.*) ¡Pégame! ¡Pégame!

DANIEL

¡Cállate! (*Lo agita tomándolo de las solapas.*) ¡Cállate!

RAMON

(*Con cabeza gacha, sollozando.*) No puedo callarme.
No puedo...

DANIEL

(*Llevándolo hasta la mesa.*) Siéntate. (RAMÓN *se sienta.*) ¿Quieres beber algo?

RAMON

No, gracias... (*Pausa durante la cual, con un pañuelo
sucio, se enjuga las lágrimas.*) Desde ayer todo ha sido
turbio, tenebroso. Me eché a andar buscando la manera
de morir. Pero soy cobarde. Siempre lo fui. Ante cada
sueño me detuve atemorizado. Ante la muerte, que es
también un sueño, me ha sucedido lo mismo.

DANIEL

¿La muerte? (*Pausa.*) Siempre hay una solución
mejor.

RAMON

¿Cuántas veces he escuchado tus sermones optimis-
tas? No creo en ellos.

DANIEL

Te ha faltado la fe... Al primer tropiezo, te diste por vencido. Y lo que hay que hacer es justamente lo contrario. Golpear infatigablemente cada puerta hasta derribarla.

RAMON

Nacemos con un signo. La vida dice que no, que no, desde que uno abre los ojos. Recuerdo la casa donde nací y pasé esos años que la mayoría de los hombres evoca emocionada. Sólo veo miseria, enfermedad, hambre... Hambre, ¿sabes? Contra el hambre no puede un niño. ¿Golpeaste alguna vez esa puerta?

DANIEL

Mis padres eran pobres...

RAMON

Yo sí golpeé esa puerta, Daniel. Contra ella te puedes romper los puños *(Pausa.)* Y con hambre salí a la calle, a ser un vagabundo. Después vino la ignorancia. Otra puerta cerrada. No fui a la escuela, porque nunca tuve tiempo. Luego, el amor. Ya ves cómo ha terminado... Yo vine aquí como tú. ¿Qué tengo? ¿He golpeado puertas, o no?

DANIEL

Aún eres joven. Puedes empezar de nuevo.

RAMON

Nunca fui joven. Como soy nací... *(En ese instante entran, por la puerta de la calle, dos niños, PEDRO y JULIA, aquel de diez años y esta un poco menor. Entra alegremente y van hasta donde DANIEL.)*

PEDRO

¡Dile a esta, papá, que no meta los pies en la acequia!

JULIA

¡Mentira! ¡Este me empujó! ¡Me ha mojado los zapatos!

PEDRO

¡Es una zonza, papá! ¡Decía que tenía calor!

DANIEL

Vayan adentro. Su mamá los está esperando.

PEDRO

(A su hermana.) ¡Voy a decirle que te metiste en la acequia! *(Corre hacia el interior.)*

JULIA

(Tras él.) ¡Mentiroso! ¡Mentiroso!

RAMON

(Cuando han salido los niños.) Mi hijo sería un poco mayor que Pedro... *(Pausa.)* Tenía los ojos de Natalia, así, dulces... *(Se coge la cabeza entre las manos.)* ¿Qué he hecho, Daniel? ¿Qué he hecho? *(Desesperado.)* ¿Por qué la he perdido?

DANIEL

Se fue adolorida. Tratamos de convencerla...

RAMON

¿Qué dijo?

DANIEL

Dijo que se iba a Ica, a la casa de unos parientes, porque no podía soportar más la vida a tu lado.

RAMON

¿Y el hombre?

DANIEL

No habló de ningún hombre.

RAMON

Todos la vieron irse en el camión amarillo que carga verduras.

DANIEL

Eso no prueba que se fuera con un hombre.

RAMON

Días antes la vieron conversando con el chófer.

DANIEL

No hagas caso de lo que cuenta la gente.

RAMON

(Pausa. Con angustia.) No volverá... No volverá...
(Pausa.) ¿Crees que volverá?

DANIEL

Si te enmiendas... *(Pausa.)* Te quiere.

RAMON

¿Se me puede querer? Dime: ¿se me puede querer
tal como soy?

DANIEL

Confesó que te quería...

RAMON

No me dejó ni un papel... Un recado con la vecina,
dos palabras... *(Pausa.)* Creí enloquecer. Fui a la cocina,
cogí un cuchillo y salí a la calle, como perseguido, no
como perseguidor...

DANIEL

¿Y para qué el cuchillo?

RAMON

No sé para qué. He vagado como un sonámbulo...
(Pausa.) De pronto creí hallar a los culpables... Vi claro
para quiénes estaba destinado el cuchillo... *(Pausa.)*
¿Sabes en quiénes pensé? *(Pausa.)* En ti, en Lucía...

DANIEL

¡Es absurdo! ¿Qué ibas a hacer?

RAMON

Es fácil imaginarlo...

DANIEL

(Dando un paso atrás.) ¿A nosotros? Pero ¿por qué? ¿Qué mal te hemos hecho?

RAMON

Te lo dije hace rato. Ustedes son todo lo que yo no he podido alcanzar... No temas... No tengo fuerzas. *(Saca el cuchillo.)* Aquí está. *(Pausa. Con sarcasmo hacia sí mismo.)* ¿Ves? Tampoco he sabido golpear esa puerta.

DANIEL

(Perplejo.) Nunca lo hubiera sospechado.

RAMON

Hasta para ser asesino es necesario tener fe... No sé escribir mi historia. *(Camina cojeando hacia la puerta.)* Me voy.

DANIEL

¿Adónde vas?

RAMON

(Volviéndose pausadamente.) ¿Crees que lo sé?

DANIEL

(Yendo hacia él y poniéndole cordialmente la mano sobre el hombro.) Ramón, piensa en ti...

RAMON

Que piense en mí... ¡En mí! *(Ríe.)*

DANIEL

¿De qué te ríes?

RAMON

(A carcajadas.) ¡Me río de mí y de ti! ¡Me río del hombre!

DANIEL

No te comprendo... *(Se retira hacia el mostrador.)*

RAMON

(En seco, tenso e inmóvil.) Pero ¿no te has dado cuenta de qué porquería estamos hechos? Tú, yo, Natalia, tus hijos... Es algo como el barro. ¡El tiempo nos convertirá en terrones y los terrones se harán polvo! ¡Polvo sin alma, polvo estéril, polvo entre polvo! *(Ríe nuevamente.)* ¡Pobre Daniel! ¡Pobre barro orgulloso! *(Sale. DANIEL lo contempla irse. Queda un instante en suspenso. Sale luego de su abstracción, toma un trapo y se pone a fregar las mesas. A través del comedor, LUCÍA llega a su lado con los dos niños.)*

LUCIA

(A los pequeños.) Derecho a la peluquería, y de ahí, al colegio.

PEDRO

Sí, mamacita. Pero dile a esta que no me moleste y obedezca.

LUCIA

Eres el mayor y tienes que cuidarla.

PEDRO

Ella no me hace caso...

JULIA

(Yendo hacia DANIEL.) ¿Me das caramelos, papá?

DANIEL

(A LUCÍA.) ¿Cómo se ha portado?

PEDRO

¡Dejó la mitad de la sopa!

LUCIA

¡A ti no te han preguntado! *(A DANIEL.)* Se ha portado muy bien.

JULIA

Del número cinco, papá... De violeta...

PEDRO

A mí me das del tres...

DANIEL

(Va hasta el mostrador y de unos frascos del estante saca caramelos y los reparte entre sus dos hijos.) Bueno, es suficiente.

JULIA

¿Tan poquito?

LUCIA

Basta con eso. Despídanse de su papá.

PEDRO

(Besando a DANIEL *y luego a* LUCÍA.) Chau, papacito. Chau, mamacita.

JULIA

(El mismo juego.) Hasta luego... *(Salen ambos corriendo.)*

LUCIA

(Yendo hasta la puerta.) ¡Con cuidado! ¡Con cuidado! *(Les envía besos.)*

DANIEL

(Que ha llegado a su lado. Profundamente.) Pobrecitos...

LUCIA

¿Pobrecitos? ¿Por qué dices eso?

DANIEL

No sé...

LUCIA

¿Por qué, Daniel? *(El no responde.)* ¿En qué piensas?

DANIEL

(Como siguiendo el hilo de una reflexión secreta.) Pienso en el barro de que están hechos...

LUCIA

(Alarmada.) ¿Por qué dices eso, Daniel? Explícate...

DANIEL

(La toma de los brazos tiernamente y la besa en la frente.) No me hagas caso. Son cosas que se dicen cuando no se sabe qué decir... *(Ella lo mira incrédula, interrogante.)*

TELON LENTO

ACTO SEGUNDO

El mismo lugar, diez años más tarde. El comedor y la tienda han variado bastante. Ante todo, se respira ahí un aire de limpieza y prosperidad que antes no existía. Las paredes de ambas estancias lucen ahora alegre empapelado. En el comedor, los muebles son nuevos, aunque de ninguna manera lujosos. En la tienda hay una heladera eléctrica y otros artefactos modernos. A través de la puerta y la ventana se divisan construcciones recientes.

Es mediodía. Al levantarse el telón, Lucía, en el comedor, trata de ayudar a Daniel a ponerse ante un espejo la corbata. En la tienda, Julia, hija de ambos, una muchacha de aproximadamente diecinueve años, lee una revista. Se oyen a distancia los acordes de una marcha ejecutada por una banda. Es un día de fiesta y el ambiente lo dice.

LUCIA

Pero ¡estate quieto!

DANIEL

¡Oh!

LUCIA

Si te mueves así, es imposible que el nudo salga derecho.

DANIEL

No sé por qué diablos tiene uno que ponerse estas tonterías. Total, se trata de descubrir un nuevo altar en la iglesia y no de asistir a un baile.

LUCIA

¡A ti te encantaría ir en «overall»! *(Irritada.)* ¡No te muevas, Daniel!

DANIEL

(Deshaciéndose de ella.) ¡Déjame! Me la arreglaré solo...

LUCIA

¡A ti te sale hecha una tripa!

DANIEL

La dejo así. ¿Ves? Ya está... *(Se mira en el espejo.)*

LUCIA

En vez de corbata, parece que llevaras envuelta al cuello una media vieja.

DANIEL

Después de todo, no soy ningún galán de cine.

LUCIA

Pero tampoco pareces una persona decente. Jamás te elegirán alcalde.

DANIEL

El que sale perdiendo es el pueblo. Yo no iría a la Municipalidad a llenarme los bolsillos de dinero...

LUCIA

Calla. Ya comienzas a decir barbaridades. *(Alcanzándole el saco.)* Ponte esto... *(El comienza a colocarse la prenda.)* ¡Así lo arrugas! Eres incorregible...

DANIEL

¿Tengo que andar tieso como un palo? *(Se mira en el espejo.)* Estoy muy bien así. *(Pausa.)* ¿Estás lista?

LUCIA

Falta que me peine...

DANIEL

Se hace tarde. A las doce comienza la ceremonia. ¿Qué hora es?

LUCIA

Pregúntale a Julita... *(Sale.)*

DANIEL

(Pasando a la otra pieza.) ¿Qué hora es?

JULIA

(Mira su reloj y vuelve la vista a la lectura.) Diez para las doce...

DANIEL

(Pausa. Luego de dar una vuelta por la pieza.) ¿No me dices qué tal quedo vestido de caballero?

JULIA

(Lo mira. Riendo.) ¡Papá, pareces disfrazado de enterrador! No hay duda que lo único que te sienta es el «overall».

DANIEL

(Algo amoscado.) ¿Es denigrante el «overall»?

JULIA

¿Denigrante? No... Tampoco es un honor llevarlo, ¿no es cierto?

DANIEL

(Pausa.) Yo creo que sí... *(La muchacha sonríe escéptica. Pausa. Cordial.)* Lamento que no quieras venir con nosotros.

JULIA

Ya sabes que a mí no me divierte ver a esos viejos estúpidos hacerse reverencias.

DANIEL

(Serio.) Entre esos viejos estúpidos estamos tu mamá y yo.

JULIA

¡Oh, no he querido decir eso!...

DANIEL

(Dolorido.) Cada vez te comprendo menos. ¿Por qué estás siempre de mal humor? ¿No tienes todo lo que necesitas?

JULIA

¡Esto no es el Paraíso, papá!

DANIEL

¿Y dónde está el Paraíso? Dímelo, y nos mudamos mañana mismo.

JULIA

Quizá no existe. Lo que sí existe, por supuesto, es un lugar que es el mismo infierno. (*Con el fin de concluir.*) Bueno, eso es cuestión de gustos...

DANIEL

Cuando tu madre y yo vinimos aquí, esto era, efectivamente, el mismo infierno... No había más de diez casuchas y las habitábamos veinte locos. Hoy, ya ves... (*Va hasta la puerta.*) Somos algunos miles y cada día se unen a nosotros otras gentes con nuestra misma fe. (*Pausa.*) Desgraciadamente, ni tú ni Pedro quieren comprender una verdad tan sencilla. (*Pausa.*) Día a día, nuestro sudor, nuestras lágrimas, nuestros pesares, nuestras dichas, han levantado paredes y creado vidas. (*Pausa.*) Tú y Pedro crecieron al compás del pueblo, con él. Cada momento de tu vida y la de él representa una conquista. Sin embargo...

JULIA

Sin embargo, no nos resignamos a heredar sin protestas este nido de víboras maldicientes, este rincón de soledad y miseria. ¿Es esto lo que quieres decir? (*Agria.*) No dejo de renegar de la hora en que nací mujer, pero cumplo mi condena como puedo. (*Pausa.*) En cambio, Pedro se divierte. Recibe su dinero, estudia, o simula que estudia, y se da una gran vida...

DANIEL

No quisiste estudiar.
    ¿Envidias a Pedro? No sé verdaderamente por qué.

JULIA

¡Oh papá, los hombres son libres! En cambio, nosotras estamos destinadas a vivir cosidas a las faldas de la madre o a los pantalones del padre, hasta que aceptemos la otra cadena, la del matrimonio.

DANIEL

(Ex abrupto.) Pero ¿qué deseas? ¿Largarte, irte por ahí y ser un estropajo que todo el mundo manosea? *(Pausa.)* ¡Hazlo cuando quieras! ¡Estoy harto!

JULIA

¡Tú me obligas a hablar!

LUCIA

(Entrando.) ¿Qué sucede? *(Padre e hija quedan en silencio.)*

DANIEL

Nada...

LUCIA

¿Qué pasó? ¿Peleando de nuevo?

JULIA

No pasó nada... *(Pausa.)* Son las doce. Van a llegar tarde...

DANIEL

(Calmado ya.) No te preocupes. Vámonos ya.

LUCIA

No me explico por qué tenemos que andar todo el día como perros y gatos... *(Pausa. A* DANIEL.*)* Ya te he dicho que no le dirijas la palabra. Así evitas sus insolencias.

JULIA

¡Yo no he dicho ninguna insolencia, mamá!

DANIEL

(*Apaciguador.*) Es cierto: no ha dicho ninguna insolencia. (*En la puerta aparece el gordo* GUSTAVO.)

GUSTAVO

¿Van a la iglesia?

LUCIA

Salíamos en este instante, Gustavo.

GUSTAVO

Vamos juntos.

DANIEL

Vamos.

GUSTAVO

¡Caramba, don Daniel, se ha puesto usted el traje de luces!

LUCIA

Si supiera que he tenido que metérselo con calzador...

DANIEL

No exageres... (*A* GUSTAVO.) Esta ropa no es mi especialidad.

GUSTAVO

Está usted que parece un ministro.

DANIEL

¿Debo corresponder al piropo?

GUSTAVO

No hace falta. (*Riendo.*) Yo siempre estoy elegante... (*Salen los tres conversando animadamente.* JULIA, *que durante la escena anterior permaneció retirada, va hasta la mesa donde está la revista y se sienta para proseguir con la lectura. No bien ha tomado asiento, se pone en pie nuevamente, va hasta la radio y la hace funcionar. Suena una melodía melancólica. La muchacha baila arrobada al compás de la música. De pronto se escu-*

cha el ruido del motor de un automóvil que se detiene a la puerta. Entra luego un joven de aspecto deportivo y porte elegante. JULIA se detiene. Va hasta la radio y la apaga.)

HOMBRE 1.º

Buenos días.

JULIA

(Simulando indiferencia.) Buenas... ¿Qué se le ofrece?

HOMBRE 1.º

(Animado.) Primero, algo fresco, porque con solo verla a usted le sube a uno la temperatura.

JULIA

(Coqueta.) No es usted tímido... ¿Qué le sirvo?

HOMBRE 1.º

Cualquier cosa... Una «kola».

JULIA

(Saca una botella, la destapa y la coloca sobre el mostrador.) ¿Cañita?

HOMBRE 1.º

Vaso... *(Pausa mientras ella sirve. Tras de beber un trago.)* ¿Atiende usted solita en este gran establecimiento?

JULIA

(En tono de broma.) Al personal le hemos dado vacaciones... Además, adentro está mi marido.

HOMBRE 1.º

¿Tan joven y casada? ¿Quién fue el miserable...?

JULIA

(Sonriente.) Un boxeador...

HOMBRE 1.º

Entonces, perdón... Ya no me parece tan miserable... *(Pausa.)* ¿Qué peso?

JULIA

Peso pesado, como usted.

HOMBRE 1.º

Estamos en condiciones de subir al «ring».

JULIA

¿Quiere que lo llame? Mide un metro noventa de estatura.

HOMBRE 1.º

Más tarde. Esperemos a que se encoja...

JULIA

Es difícil. Nunca se baña...

HOMBRE 1.º

¡Caray, qué inconveniente! *(Tratando de tomarle la mano.)* Lo siento por usted.

JULIA

(Eludiéndolo.) ¿No va usted un poco rápido?

HOMBRE 1.º

Me gusta la velocidad. ¿A usted no?

JULIA

No mucho... Es peligrosa. *(Se oye la música de la banda.)*

HOMBRE 1.º

¿Qué pasa hoy aquí? ¿Fiesta o entierro?

JULIA

Una fiesta que parece un entierro.

HOMBRE 1.º

Aquí no debe divertirse usted mucho...

JULIA

Puede usted imaginárselo. La ceremonia de hoy es el acontecimiento más alegre de los últimos cincuenta años. Bendicen un nuevo altar en la iglesia.

HOMBRE 1.º

Una buena ocasión para pecar...

JULIA

(En el colmo de la coquetería.) ¿Es una propuesta *(Deja el mostrador y va hasta la mesa donde dejó la revista.)*, o una observación de turista?...

HOMBRE 1.º

(Acercándosele.) Una observación de turista no es, por supuesto.

JULIA

No veo, entonces, la necesidad de que acorte usted las distancias.

HOMBRE 1.º

¿Quiere que le confiese una cosa? *(Más cerca.)* Cuando viajaba hacia acá en el automóvil, al ver los basurales que llaman pueblos, me decía a mí mismo que ni por todo el oro del mundo viviría en uno de estos horrendos lugares. A pesar de ello, acabo de decidir que me quedo aquí...

JULIA

¿Qué lo entusiasmó? ¿La fiesta?

HOMBRE 1.º

Quizá la «kola»... *(Está más junto a ella.)*

JULIA

Está bien, pero para decir eso no tiene por qué acercarse tanto.

HOMBRE 1.º

(Acercándose más. JULIA *ofrece una resistencia muy débil.)* La «kola» o tú, que eres encantadora.

JULIA

(Tolerante.) No sea atrevido...

HOMBRE 1.º

(Tratando de abrazarla.) Me gustas... *(Forcejean.)*

JULIA

¡Suéltame o grito! *(El insiste. Menos amenazadora.)* Aquí no, por favor.

HOMBRE 1.º

(Intentando besarla y casi consiguiéndolo.) No te arrepentirás, te lo aseguro. *(La besa.* JULIA *apenas resiste. Luego, cede.)* Eres muy rica... ¿Cómo te llamas?

JULIA

Julia... *(Tratando de separarse nuevamente.)* ¿Y tú?

HOMBRE 1.º

Jorge... *(Pausa.)* Acá estás perdiendo tu tiempo.

JULIA

Déjame...

HOMBRE 1.º

(Abrazándola nuevamente.) Ven...

JULIA

'No, aquí no.

HOMBRE 1.º

Ven... *(*JULIA *vuelve a ceder. Se besan largamente. En ese preciso momento entra* PEDRO, *hermano de* JULIA. *Al oír sus pasos, los jóvenes se separan apresuradamente.)*

JULIA

(Titubeando.) ¿Tú? ¿Qué haces aquí?

PEDRO

Veo cómo aprovechas el tiempo. *(Pausa embarazo-sa.)* ¿No me presentas a tu amiguito?

JULIA

Este... El señor Jorge... Mi hermano Pedro... Estudia en Lima...

PEDRO

(Seco.) ¿Jorge qué? ¿No tiene apellido?

HOMBRE 1.º

(Adelantándose a JULIA, *que vacila.)* Jorge Salvatierra. *(Va hacia* PEDRO *con la mano extendida.)* Mucho gusto.

PEDRO

(Sin corresponder al saludo.) ¿Se puede saber qué significa esto?

JULIA

Es cosa mía, Pedro. Tú no te metas.

PEDRO

¿Y el viejo? ¿No está el viejo?

LUCIA

Se fue con mi mamá a la iglesia. Hoy inauguran...

PEDRO

(Cortante.) Ya sé... *(Pausa. Duro.)* Pregunto qué significa esto. A lo mejor el señor puede responderme.

HOMBRE 1.º

No hemos hecho nada malo. No sé a qué viene ese tono...

PEDRO

¿Se olvida usted de que estoy en mi casa?

JULIA

¡También es la mía!

PEDRO

Eso no te autoriza a comportarte como una... mujerzuela.

JULIA

No seas ridículo. ¿Desde cuándo te escandaliza un beso?

PEDRO

(Recio.) ¡Tus cochinadas hazlas en la calle, no aquí! Buena fama tienes ya para añadirle más laureles...

HOMBRE 1.º

No puedo permitir que insulte a la señorita...

PEDRO

(Enérgico.) Oiga: en vez de asumir actitudes de caballero andante, mándese mudar. Tengo malas pulgas.

JULIA

(Gritando.) ¡Mándate mudar tú, estúpido!

PEDRO

¿Quieres callarte la boca? *(Al hombre.)* No quiero violencias... *(Haciendo sonar los dedos y señalándole la puerta.)* ¡Largo! ¡Largo!

HOMBRE 1.º

A ver si afuera es usted tan valiente... *(Entra un* VIEJECITO, *que tímidamente habla desde el umbral de la puerta.)*

VIEJO

¿Tiene cigarrillos?

PEDRO

(Brusco.) ¡No! *(El* VIEJO *se retira amedrentado.)*

HOMBRE 1.º

Lo espero afuera...

JULIA

No, Jorge... *(Dubitativa.)* Búscame más tarde. A las seis voy a la plaza...

HOMBRE 1.º

Me gustaría darle una lección a este grosero.

JULIA

(Empujando al hombre hasta la puerta.) Vete, te lo suplico... Búscame en la plaza, a las seis.

HOMBRE 1.º

(Mientras sale.) Que conste que lo hago por ti. *(Hace mutis.)*

JULIA

(Cuando el forastero ha salido.) ¿Desde cuándo eres mi tutor? ¿Se puede saber?

PEDRO

¡Solo te falta cobrar! ¡Ya recibes clientes en la casa!

JULIA

¿Qué quieres, perro?

PEDRO

Yo, nada... Esperaré al viejo para contarle una historia de su hijita que lo va a divertir mucho. Le diré que la inocentona se besa con el primero que pasa por la carretera...

JULIA

¡Es mi enamorado!

PEDRO

¿De dónde te van a salir aquí enamorados de esa clase? ¿Crees que no conozco a los tipos del lugar?

JULIA

Viene siempre...

PEDRO

Viene siempre y no sabías su apellido...

JULIA

Lo sé... Vacilé porque me sorprendiste, nada más...

PEDRO

Bien... Dime cómo se apellida...

JULIA

(Acorralada.) No estoy para jugar a las adivinanzas.

PEDRO

¿Te olvidaste ya? *(Dueño de la situación.)* A mí no me vas a engañar.

JULIA

No quiero hablar más contigo. *(Trata de irse.)*

PEDRO

(Interponiéndosele.) Te fregaste... Estás en mis manos.

JULIA

(Indignada.) ¿Para qué vuelves? ¿Por qué no te quedas allá gozando de tu libertad como un puerco? ¡Sádico, solo regresas para hacer daño!

PEDRO

Deberías usar el método contrario. Pedirme, por ejemplo, que no diga nada.

JULIA

(Vencida.) Siempre fuiste cruel, dominante...

PEDRO

(Con suficiencia.) No seas injusta. Hay cosas sobre las cuales no he abierto la boca. ¿No las recuerdas? ¿Quieres que te refresque la memoria? *(Pausa. Dando unos pasos hacia ella.)* ¿Y el chileno? ¿Te acuerdas del chileno y el arrozal? ¿Y la fiesta de los Hernández y el asunto del baño? *(Pausa. Apartándose.)* ¿He sido discreto, o no?

JULIA

Te convenía callar, eso es todo.

PEDRO

Pero no dije ni pío... Es lo importante... *(Pausa.)*
No sabes vivir. Lo que haces es absurdo. Por aburrimiento estás derrochando tu... belleza, tu juventud. ¿No
te has dado cuenta que ese es el capital de una mujer?

JULIA

¿Y qué quieres que haga aquí?

PEDRO

No te apures. ¿Qué falta te hace besarte como una
loca con cualquiera? Yo no soy moralista. Lo mejor es
hacerse desear. De otro modo, es como si tiraras oro por
la ventana.

JULIA

(Rompiendo a llorar de pronto.) ¡Yo sé que hago
mal! ¡Yo sé! ¡Pero no puedo evitarlo! *(Pausa.)* Me siento como en una cárcel, sin poder escapar, atada de pies
y manos... Y hay momentos en que el odio a todo esto
se transforma en odio a ellos, que no tienen la culpa de
ser diferentes a mí. *(Pausa.)* ¿Para qué fui al colegio?
¿Para qué me hicieron creer que era mejor que ellos?
¿Para qué me enseñaron a pensar que, gracias a su sacrificio, el mundo era mío, todo mío? *(Enjugándose las
lágrimas.)* Ellos son los culpables, y no lo sospechan.
(Pausa. Suplicante.) No les cuentes nada, Pedro... Yo
sé que los hago sufrir y no quisiera que añadieran un
pesar más a sus muchos pesares... *(Pausa.)* ¿Me lo pro-
metes? Haré por ti lo que quieras.

PEDRO

No diré nada.

JULIA

Gracias.

PEDRO

(Tras una larga pausa.) ¿Tardarán? Debo volver esta misma tarde a Lima.

JULIA

Creí que te quedarías unos días.

PEDRO

Antes de las seis debo regresar.

JULIA

¿Viniste por dinero?

PEDRO

(Responde que sí con un gesto.) Poca cosa... Debo comprar unos instrumentos.

JULIA

No es buena época. El viejo acaba de donar dinero para el nuevo altar de la iglesia. *(mirándose la cara en un espejo de mano.)* ¿Se nota que he llorado?

PEDRO

Tira la plata en tonterías. Altar... ¿Para qué hace falta un altar en esta cueva de beatas?

JULIA

Eso le hace feliz. Le gusta sentirse filántropo.

PEDRO

Me ayudarás a conseguir que me dé. Favor con favor se paga.

JULIA

Haré lo que pueda. No creo que me pida consejo.

PEDRO

Dile que sabes que esos instrumentos son indispensables, que Pipo Fuentes también los ha pedido...

JULIA

Bueno... *(Pausa.)* ¿Se nota que he llorado?

PEDRO

Anda, lávate la cara. Tienes los ojos irritados. (JULIA *se levanta y va al interior de la casa.* PEDRO *queda en escena. Enciende un cigarrillo y fuma nerviosamente. Al poco rato vuelven* DANIEL *y* LUCÍA.)

LUCIA

(En cuanto ve a PEDRO.) ¡Hijito, qué sorpresa! *(Lo besa.)*

PEDRO

(Cariñoso.) ¿Cómo estás? *(A* DANIEL, *con ademán familiar.)* ¿Cómo te va?

DANIEL

(Mientras se quita el saco.) Más o menos... ¿Y a ti? ¿Los estudios?

PEDRO

He venido solo por unas horas. *(Pausa.)* Quiero hablar contigo...

LUCIA

(Con preocupación.) ¿Estás enfermo? Te veo un poco pálido.

DANIEL

Tú siempre viendo enfermedades. *(A* PEDRO.) ¿De qué se trata?

PEDRO

Nada grave. *(A* LUCÍA.) Estoy perfectamente, mamá. Tranquilízate.

LUCIA

¿Comes bien? ¿Te gustó el dulce de fresas que te mandé?

PEDRO

Soy un buen diente. Con decirte que el dulce de fresas lo despaché en tres días.

LUCIA

¡Qué barbaridad! Ni le tomarías el gusto. Sigues siendo un niño. *(Pausa.)* Bueno, voy a preparar el almuerzo. *(Sale.* JULIA *vuelve.)*

JULIA

¿Dónde dejé mi revista?

PEDRO

Ahí está. En la mesa...

JULIA

(Va hacia el sitio indicado. A DANIEL.*)* ¿Qué tal la ceremonia? *(*DANIEL *le responde con un ademán.)*

LUCIA

(Que ha quedado demorada en el comedor. Levantando la voz.) ¡Se moría de calor! ¡Nos tuvimos que salir antes que concluyera la misa! Cuando más viejo está, más caprichoso se pone... *(Va hacia el interior. Los jóvenes ríen.)*

DANIEL

Eso era un verdadero horno... Fuimos por cumplir. *(A* JULIA, *que sigue riendo.)* Sírveme una limonada.

PEDRO

A mi mamá le encanta la vida social.

JULIA

(Mientras sirve el refresco.) Si fuera por ella, todos los días habría un acto público. *(Tendiéndole el vaso a* DANIEL.*)* Está helada.

DANIEL

Felizmente no le ha dado por la política.

PEDRO

¡Que ni te oiga, papá, porque es capaz de fundar un partido!

JULIA

Y hacer una revolución... *(Ríe.)*

PEDRO

Carácter no le falta.

DANIEL

Más bien le sobra. Si lo sabré yo. Esta mañana, cuando llegamos a la iglesia, más de treinta personas se habían quedado sin asiento porque faltaban bancas. ¿Saben lo que hizo? Se fue donde el sacristán y le obligó a traer las sillas y el sofá de la sala de la casa del cura...

JULIA

Me imagino lo que va a decir el padre Miguel cuando se entere.

PEDRO

(Cerca de DANIEL.*)* ¿Tienes algo que hacer ahora? Podemos hablar.

DANIEL

¿Tan urgente es?

PEDRO

Cuanto antes, mejor, ¿no te parece?

DANIEL

Bien. Vamos al comedor.

PEDRO

Podríamos dar una vuelta afuera.

DANIEL

Con este calor, ni pensarlo. El sol me mata...

PEDRO

(Resignado.) Si es así... *(Pasa al comedor.)*

DANIEL

(Siguiéndole.) Estas entrevistas en privado no presagian nada bueno. *(Se sienta.)* Siéntate.

PEDRO

Gracias. *(Se sienta también.)*

DANIEL

¿De qué se trata?

PEDRO

Mira... Necesito unos aparatos de medición topográfica... Un teodolito y...

DANIEL

(Interrumpiéndole.) ¿Y los que compraste el año pasado?

PEDRO

¿El año pasado? ¿Cuáles?

DANIEL

¡Caramba, qué memoria tan frágil tienes! Te di más de dos mil soles.

PEDRO

¡Ah, sí! Estos son otros. *(Pausa.)* Son unos instrumentos nuevos que ahorran trabajo. Un invento norteamericano. *(Pausa.)* Pipo Fuentes ya los compró... Pregúntale a Julia...

DANIEL

Bien, bien... No me expliques. *(Pausa.)* ¿Y cuánto valen?

PEDRO

El modelo más sencillo lo puedo conseguir en mil soles.

DANIEL

(Después de una pausa, preocupado.) ¿Cuándo necesitas del dinero?

PEDRO

Se me ha presentado una ocasión. Me han dado plazo hasta mañana.

DANIEL

(*Pausa.*) No tengo ahora esos mil soles. A fin de mes...

PEDRO

Me han dado plazo hasta mañana. De otro modo cuestan más del triple.

DANIEL

He hecho gastos...

PEDRO

Pero si...

DANIEL

No tengo ni cien soles disponibles...

PEDRO

¿No puedes pedirlos prestados?

DANIEL

Jamás he recurrido a ese sistema.

PEDRO

Deber no es un delito. Tienes amigos...

DANIEL

No me gusta pedir. Descarta ese medio.

PEDRO

(*Con insolencia.*) Pero ¿es posible que la tienda y el grifo no den mil soles para una eventualidad? ¿Y si estuviera enfermo?

DANIEL

La tienda y el grifo dan para eso y más, Pedro. Todo lo que hay en ella lo he comprado al crédito y aún lo estoy pagando. Además, ya te lo he dicho, he tenido gastos.

PEDRO

(*Acre.*) ¿Qué gastos puedes tener tú?

DANIEL

¿Cómo qué gastos...?

PEDRO

(En el mismo tono.) ¡Donaciones para la iglesia! ¡Plata para ese cura ladrón y las arpías que le rodean!

DANIEL

(Enérgico.) ¡Mi dinero lo empleo en lo que me da la gana! No eres tú la persona más indicada para pedirme cuentas de lo que hago con él. *(JULIA, en la otra pieza, pone atención en la disputa.)*

PEDRO

¡Nunca lo he hecho! ¡Pero si quisiste darte el lujo de tener un hijo ingeniero, es lógico que primero que nada, en vez de tirar la plata a la calle, pagues sus gastos!

DANIEL

¿Te ha faltado algún mes la pensión? ¿No estás trajeado y calzado como es debido? ¿No tienes alimento y hasta diversiones? ¿De qué te quejas?

PEDRO

¡Bah, como si solo de esas migajas viviera un hombre!

DANIEL

(Procurando serenarse, pero violento aún.) Yo no tuve ni esas migajas...

PEDRO

¿Qué me quieres decir con eso? ¿Que me resigne a ser un esclavo como tú?

DANIEL

¡No tuve ni esas migajas, y, sin embargo, aunque digas lo contrario, no soy un esclavo! He creado mi vida con mi esfuerzo y estoy orgulloso de lo que soy.

PEDRO

Entonces debiste destinarme a lo mismo. ¡Solo te exijo que cumplas con el compromiso que te impusiste al enviarme a estudiar una carrera!

DANIEL

¿Me acusas de faltar a ese compromiso? ¿Unicamente porque no te doy ahora mil soles que no tengo? ¡Qué mezquino eres!

PEDRO

(En pie.) No he venido a discutir si soy mezquino o no. Como tengo que pagar mañana mismo esos instrumentos, recurriré a cualquier medio, lícito o ilícito, para tener la plata que me hace falta. Adiós. *(Va a salir.)*

DANIEL

¡Pedro!

PEDRO

(Se detiene.) Qué...

DANIEL

(Paternal.) Este no es el modo más apropiado de hablarme. *(Pausa.)* A fin de mes tendrás los mil soles...

PEDRO

(Frío.) Los necesito mañana mismo. No estoy jugando.

DANIEL

Dile al que te los vende que espere.

PEDRO

Tiene otras propuestas. Es un extraño y no puedo pedirle favores.

DANIEL

¿Es que no comprendes? No tengo ese dinero...

PEDRO

(Insidioso.) Comprendo, comprendo muy bien. *(Pausa.)* Comprendo también que no soy el cura. Ese sabe

cómo tocarte el corazón. Yo, no. *(Hace el ademán de irse.)*

DANIEL

(Excitado.) ¿Quién te hizo así? *(Tomándole de los brazos.)* No existías aún, eras apenas una esperanza, y yo ya pensaba en tu futuro. Arañé la tierra para darte todo lo que fuera necesario. Te vi crecer, y en el fondo del alma me sentí dichoso al verme multiplicado, mejorado, exaltado en ti. Los años no fueron algo incierto que se me escapó entre los dedos, sino sangre llenándote las venas. Fui, es verdad, un esclavo, un esclavo de ti. Un día te vi partir, tal como yo hubiera deseado verme, hacia un porvenir mejor. Y me miré en el espejo viviente que eras, feliz de haberme realizado en ti. *(Pausa.)* Y ahora te desconozco... He hecho un ser que no entiendo...

PEDRO

No debí venir. *(Pausa.)* Detesto los dramas.

DANIEL

No debiste nacer...

PEDRO

Es verdad. Si soy todo lo opuesto a lo que soñaste, sobro aquí. *(Pausa.)* No volveré más.

DANIEL

No me necesitas, eso es todo.

PEDRO

¿No te necesito? ¿No he venido en busca de ayuda?

DANIEL

Nunca te la negué. *(Pausa.)* ¿Quieres que te repita que en este momento no tengo mil soles? *(Pausa.)* Si esos instrumentos son más importantes que la verdad, te confieso que me siento impotente para ayudarte. Solo una cuestión de vida o muerte puede ser tan apremiante...

PEDRO

(*Tras una larga pausa.*) Esos mil soles que te he pedido no son para comprar ningún instrumento... (*Pausa.*) Es, efectivamente, una cuestión de vida o muerte.

DANIEL

Explícate...

PEDRO

El dinero no lo necesito para comprar nada... Estoy obligado a llevar esta misma noche esos mil soles a Lima.

DANIEL

¿Para qué? ¿Una deuda de juego quizá?

PEDRO

(*Seco.*) La verdad no es grata. (*Pausa.*) Una mujer va a tener un hijo mío.

DANIEL

(*Asombrado.*) ¿Un hijo? ¿Un hijo tuyo?

PEDRO

Sí. (*Pausa.*) Y si esta misma noche no la operan, tendré que abandonar los estudios y casarme. (*Pausa.*) O huir, que es lo más lógico.

DANIEL

(*Sin entender, indeciso.*) ¿Operar? No comprendo...

PEDRO

Operar, sí, operar...

DANIEL

¿Matar a la criatura? ¿Eso es lo que dices?

PEDRO

¡Oh, matar! La palabra no es propia para el caso. Se trata de eliminar una cosa imprecisa. (*Pausa.*) ¿Tendré el dinero?

DANIEL

(Ahora seguro firme.) Te agradezco la confidencia, te la agradezco de veras. Y me alegro de no tener mil soles. *(Pausa.)* Operar..., ahora comprendo. Cortar de raíz eso que dices que es una cosa imprecisa, y que, sin embargo, late, respira, se mueve y dice torpemente que existe. *(Pausa. Lento.)* Asesino. *(Lo coge por las solapas.)* ¡Asesino! *(JULIA, que volviera a distraerse con la revista, se levanta de puntillas y va hasta la puerta a escuchar la escena.)*

PEDRO

(Atemorizado.) ¡Déjame!

DANIEL

¡Mil soles para matar! ¡Espléndido! ¡Nada más que mil soles! ¡Está barata la muerte en la ciudad! ¡La muerte por ese precio es regalada! ¡Asesino!

PEDRO

¡Suéltame, que no respondo de mí!

DANIEL

(Gritando, sin control ya.) ¡Matarás todo aquello que te mortifique! ¡Sí, claro, y matarás por mil, por diez mil, por cien mil soles, conforme suba el precio de la infamia! ¡La vida es una mercadería barata! ¡Yo no engendré a un asesino!

PEDRO

(Forcejeando.) ¡Déjame! ¿Te has vuelto loco? *(JULIA acude, pero no atina a hacer nada.)*

DANIEL

(Que ha derribado a su hijo.) ¡Asesino! ¡Asesino!

JULIA

¡Papá! ¡Papá!

DANIEL

(Como poseso.) ¡Asesino! ¡Asesino! *(Aparece* Lucía.*)*

LUCIA

(Con un grito de terror.) ¡Daniel! *(*DANIEL *deja inmediatamente a* PEDRO *y queda rígido y silencioso.* Lucía *dice, yendo hacia* PEDRO.*)* ¿Qué te ha hecho, hijito?

PEDRO

(Poniéndose en pie.) Nada, mamá. Me voy. Déjame...
(Sale hacia la calle. JULIA *lo sigue.)*

JULIA

(Afuera ya.) ¡Pedro! ¡Pedro!

LUCIA

¡Pedro!

DANIEL

¡No lo llames! ¡No es nuestro hijo!

LUCIA

(En tono de reproche.) ¿Por qué le has pegado?
¿Por qué?

DANIEL

No es nuestro hijo.

LUCIA

(Llorosa.) ¿Por qué lo has maltratado?

DANIEL

(Abrazándola. Con un sollozo hondo, desgarrador.)
¡No es nuestro hijo, Lucía! ¡El que se fue a Lima era
otro! ¡Otro!

LUCIA

¿Qué ha pasado, Daniel? ¿Qué ha pasado? *(*DANIEL *no
responde. Solloza abrazado a su mujer. Entran a la tienda, en ese momento, dos parroquianos. Toman asiento
en una mesa.)*

PARROQUIANO 1.º

¿Qué vas a tomar?

PARROQUIANO 2.º

Primero, un pan con queso. De trago, lo que quieras.

PARROQUIANO 1.º

¿Pisco?

PARROQUIANO 2.º

Pisco. *(Suenan las palmas.)*

PARROQUIANO 1.º

(Sonando también las palmas.) ¿Aquí no atiende **nadie?** *(Quedo se oye el sollozo de* DANIEL.*)*

TELON

ACTO TERCERO

CUADRO PRIMERO

El mismo escenario. Han transcurrido más de cinco años desde el acto anterior. El comedor se halla iluminado y en él, en torno de la mesa, cenan LUCÍA, JULIA y DANIEL. La tienda permanece a oscuras. Se distinguen en ella listones de madera, sacos de cemento y ladrillos, como si estuviera a punto de realizarse un trabajo de construcción.

Al levantarse el telón, los tres comen en silencio hasta que JULIA habla.

JULIA

¿Me alcanzas el pan, mamá? *(LUCÍA le da la panera.)* Gracias. *(Pausa larga.)*

LUCIA

(A DANIEL.) ¿Agua? *(Con un ademán DANIEL responde que sí.)*

JULIA

Por favor, a mí también...

LUCIA

(Mientras sirve el agua.) ¿No tienes frío? Esa blusa está muy descotada.

JULIA

No tengo frío.

LUCIA

¿Por qué no te pones la chompa azul?

JULIA

(Sin amabilidad.) ¿Cómo se te ocurre que ese azul va con este rojo? *(Pausa. Disgustada.)* Si me vistiera conforme a tu gusto, parecería una loca.

LUCIA

(Luego de un ademán de resignación. A DANIEL.*)*
¿Sigues con dolor de cabeza? ¿No quieres una aspirina?

DANIEL

No. Ya se me pasará.

LUCIA

Debieras hacerte ver por el médico. No es natural
que...

DANIEL

No hace falta.

LUCIA

Tu hígado necesita un tratamiento. No creo que ande bien.

DANIEL

(Con amargura.) ¿Qué es lo que anda bien?

LUCIA

Es necesario cuidar la salud.

DANIEL

La salud es un reflejo del alma, y para el alma no
hay médico.

LUCIA

Ese es un buen pretexto...

DANIEL

Es una razón, no un pretexto...

LUCIA

Yo sé el origen de ese dolor de cabeza. Esta tarde
estuviste ayudando a los cargadores a entrar la madera
y los sacos de cemento. No estás para esos esfuerzos.

DANIEL

Para la gente como yo, el trabajo es un alimento.
Como el pan, ni más ni menos... *(Pausa.)* Además, mien-

tras me tenga en pie, nada podrá impedir que me ocupe de lo mío. *(Pausa.)* Hay quienes tienen hijos... Yo no.

LUCIA

(En tono de reprobación.) Daniel...

DANIEL

Perdona. Hago mal en tocar un tema del que yo mismo he prohibido que se hable. Ni una palabra más.

LUCIA

¡Oh Daniel!

JULIA

(Poniéndose en pie.) Mamá, voy a dar una vuelta un rato.

LUCIA

Son más de las nueve, Julia.

JULIA

¿Y qué?

LUCIA

Que no me parece bien.

JULIA

No te parece bien, no te parece bien... Solo voy a dar una vuelta a la plaza con Zoila y las Mansilla...

DANIEL

(Bruscamente.) ¡Zoila y las Mansilla son Zoila y las Mansilla!

JULIA

Pero, ¡papá!

DANIEL

(Enérgico.) ¡A dormir!

JULIA

¡No soy una niña!

DANIEL

¡A dormir, he dicho!

LUCIA

Pero ¿qué entretenimiento puedes encontrar paseando a estas horas por la plaza?

JULIA

Converso con mis amigas, me río...

DANIEL

¿No has conversado y te has reído bastante durante todo el día?

JULIA

¿Por qué quieres que viva encerrada? No soy una monja.

DANIEL

(Sarcástico.) No es de monja la fama que tienes.

JULIA

¿Te han venido de nuevo con chismes?

DANIEL

(Agrio.) Cuando el río suena...

JULIA

(Irritada.) ¡Mentiras! ¡Mentiras! ¡No estoy dispuesta a aceptar que des crédito a todo lo que inventan los envidiosos de este asqueroso pueblo!

LUCIA

(Para evitar la discusión.) No peleen. por Dios...

DANIEL

¡No se trata de una pelea! Esta muchacha anda mal, eso es todo. Mírala... ¿Tiene aspecto de mujer decente?

JULIA

¿Es que quieres que me vista como vieja?

DANIEL

¡Quiero que te vistas como una persona cuerda!

JULIA

(Con ironía.) Sí, ya sé a lo que llamas una persona cuerda.

LUCIA

(Suplicante.) Cállate, Julia.

JULIA

¿Sabes lo que es una persona cuerda para él, mamá? Una persona cuerda es la que se revienta lustrando pisos o fregando platos, lavando ropa o cocinando, criada noche y día, esclava durante toda la vida de un hombre. Una persona cuerda es una persona como tú, una víctima de la servidumbre. *(Aspera.)* No soy una persona cuerda. ¡Quiero vivir! ¡En esta pocilga, enterrada en este páramo, quiero vivir, cueste lo que cueste, la poca vida que me ha tocado vivir! ¡Y quiero mi libertad! ¡Ese aire sucio que me corresponde, que es solo mío, quiero respirarlo sin temores! ¡Salir a la calle, de día y de noche, a sentirme dueña de mi dicha o mi desdicha por ridículas que les parezcan a los demás!

LUCIA

¡Julia!

DANIEL

(Contenido y abrumado.) Déjala que se vaya a donde le dé la gana.

JULIA

Gracias por el permiso... *(Sale de prisa a la calle.)*

DANIEL

(Pausa.) Déjala, Lucía. *(Pausa.)* Esta, como el otro, no tiene remedio.

LUCIA

(*Con abatimiento.*) No soy partidaria de la intolerancia. Quizá haciéndola reflexionar...

DANIEL

Estoy blando, vacío ya. Y es tarde. (*Pausa.*) Se irá también. Lo presiento.

LUCIA

(*Sin comprender.*) ¿Julia? ¿Dónde puede ir esa criatura?

DANIEL

No se irá sola. Bastará que alguien pase y le diga que sobre la tierra, cerca o lejos, hay un lugar donde vivir es como soñar. (*Pausa.*) Más tarde sabrá, como hoy lo sabemos nosotros, que el paraíso no es terrenal...

LUCIA

Estamos a tiempo de impedir que la engañen...

DANIEL

¿Y cómo? ¿No está acaso dispuesta a crer a ciegas en cualquier fantasía? (*Pausa.*) Lo mismo sucedió con Pedro. (*Pausa.*) ¡Qué fácil ha sido para él la existencia! (*Pausa.*) Mi única esperanza es que ahora, al cabo de estos años, comprenda qué equivocado estaba...

LUCIA

(*Medrosa.*) Está trabajando. Hace una vida seria.

DANIEL

¿Pedro? (*Escéptico.*) ¿Cómo lo sabes?

LUCIA

No sé si debo decírtelo. (*Pausa.*) En fin, no debo ocultártelo... Hoy llegó una carta de él. (*Saca del bolsillo un papel que desdobla cuidadosamente.*) Es agente viajero de una firma extranjera. Recorre todo el país...

Dice que hace tres días el pobrecito pasó por aquí y que no se detuvo porque...

DANIEL

¿Por qué?

LUCIA

Tuvo miedo de ti.

DANIEL

Es absurdo... *(Con sorna.)* ¡Agente viajero! ¿Y la carrera?

LUCIA

No dice nada de eso...*(Pausa.)* Está trabajando y gana bastante dinero.

DANIEL

¡Cuánto tiempo perdido!...

LUCIA

(Suave.) Tiene dos hijos.

DANIEL

¿Eso dice ahí? *(Le arrebata la carta y la lee.)* ¿Dónde está lo de los hijos?

LUCIA

Hace un mes recibí otra.

DANIEL

¿Otra? *(Pausa.)* ¿Cuánto tiempo hace que te escribe?

LUCIA

No hace mucho...

DANIEL

¿No hace mucho? Confiésame desde cuándo te escribe. ¿Le contestas?

LUCIA

Sí, le contesto.

DANIEL

Dime la verdad... ¿Hace mucho que te escribes con él?

LUCIA

No te molestes, Daniel. Comprende que es mi hijo, que lo quiero. *(Pausa.)* Hace muchos años que mantenemos correspondencia.

DANIEL

¿Y dinero? ¿Le has enviado dinero?

LUCIA

(Embarullada.) No, no. Dinero, no.

DANIEL

(Serio.) Muéstrame tu libreta de ahorros. Estoy seguro de que le has enviado dinero.

LUCIA

No le he enviado ni un centavo, Daniel. Créeme...

DANIEL

¡Lo has estado manteniendo! ¡Muéstrame tu libreta de ahorros ahora mismo!

LUCIA

(Acorralada.) Le he mandado algo para los chicos, un regalito...

DANIEL

¿Cuándo? ¿Hace tiempo?

LUCIA

¿Qué importa la fecha? *(Pausa.)* Estuvo en dificultades, sin empleo, sin nadie que lo ayudara... Le presté unos soles para que saliera del apuro.

DANIEL

¡Lo has estado manteniendo! ¡Tú serás la culpable si es un indeseable! *(Pausa. Vuelve a la carta.)* Aquí dice que solo hace un mes trabaja como agente vendedor. Eso no significa nada... *(Pausa.)* ¿Piensas que alguien

que vive su juventud a costillas ajenas va a acostumbrarse al trabajo de la noche a la mañana? No conoces
el alma humana. Eres débil...

LUCIA

(Aferrándose a sus sentimientos.) Es mi hijo...

DANIEL

También es mío, ¿no es así? Por eso es que no puedo consentir que se forme en la peor de las escuelas,
la del ocio... Está perdido.

LUCIA

Te complaces en pronunciar esa palabra... Perdido,
perdido... ¿Por qué tiene que ser un perdido? Solo le
hemos dado buenos ejemplos...

DANIEL

Ahora sé que hay ejemplos contraproducentes...
(Pausa.) Todo es tan oscuro.

LUCIA

(Tomándole cariñosamente las manos.) No hemos
fracasado, Daniel.

DANIEL

(Tras de mirarla profundamente.) ¿Fracasado?
(Pausa.) A pesar de todo, no estamos solos. El silencio
alrededor nuestro no es el de la muerte. Siento un pueblo nuevo, vivo, en torno de la casa. Ese el es fruto de
nuestras fatigas... Esta mañana precisamente pensaba
en esto.

LUCIA

¿Eso fue lo que te tuvo absorto contemplando la calle, lejos de aquí?

DANIEL

No estaba lejos. *(Pausa.)* Acababan de pasar los chicos de la escuela. Y recordé cómo era este lugar cuando
llegamos. El arenal lo cercaba, lo ahogaba, y era un in-

significante soplo humano en medio de una estéril soledad. Cualquiera hubiera dicho que apostábamos contra el Destino, que lo desafiábamos. Sin embargo, cien niños son el futuro. Y ese futuro nos considerará, a ti y a mí, aunque nadie dentro de cincuenta años recuerde siquiera nuestros nombres, como vencedores de esta Naturaleza sedienta y muda...

LUCIA

Esos niños también son nuestros hijos.

DANIEL

Mis hijos... Eso pensé al verlos pasar. Y los hijos de ellos también serán mis hijos. *(Pausa larga.)*

LUCIA

Pedro y Julia no son malos. Son diferentes porque viven en otro tiempo y con otras ideas. Tienen sueños distintos a los que tuvimos nosotros. Pero no son malos.

DANIEL

Quizá es mejor no juzgarlos.

LUCIA

(Tierna.) Perdónalos si te han hecho daño.

DANIEL

(En pie, yendo hacia ella y besándola tiernamente en la frente.) Tengo el corazón hecho de la misma materia que el tuyo. Los quiero. También los necesito a mi lado. *(Pausa.)* Estoy viejo.

LUCIA

Tu alma no está vieja...

DANIEL

(Tornándose jovial y despreocupado.) Sí, estoy viejo. Y me muero de sueño. ¿No te parece que es hora de dormir?

LUCIA

Sí, es tarde ya. *(Se levanta.)* Hablar es muy difícil, ¿no es cierto? No siempre se dice lo que se piensa. *(Pausa.)* ¿Apagas la luz?

DANIEL

En seguida. *(Pausa.)* ¿A qué hora dijo que venía el albañil?

LUCIA

No aseguró nada.

DANIEL

¡Qué gente! *(Suenan golpes en la puerta.)*

LUCIA

Debe de ser Julia, que se ha olvidado de la llave... *(Mientras* DANIEL *va a la puerta.)* Daniel...

DANIEL

Sí...

LUCIA

No le digas nada... *(*DANIEL *no responde. Abre la puerta y aparecen* LUCAS *y* GUSTAVO.*)*

LUCAS

Perdona la hora. Se trata de algo urgente.

GUSTAVO

Buenas.

DANIEL

No es molestia. ¿En qué puedo servir?

LUCAS

(Mientras van hacia el comedor.) No es más que un rumor, pero...

GUSTAVO

Un rumor, sí; pero ya sabes que mejor es prevenir que remediar. *(A* LUCÍA.*)* Buenas noches. Menos mal que no dormían...

LUCIA

Nos íbamos a acostar en este instante.

DANIEL

Siéntense, siéntense. ¿Un cafecito?

LUCAS

Si está ya preparado, no me opongo.

LUCIA

(A LUCAS.) ¿Y tú?

LUCAS

Bueno... (LUCÍA va al interior.)

DANIEL

Y bien: ¿qué pasa?

GUSTAVO

(A LUCAS.) Dilo tú.

LUCAS

El hijo de Menéndez, el del tambo, llegó ayer de Lima.

GUSTAVO

El injerto, tú le conoces.

DANIEL

Ya sé quién es.

LUCAS

Hace unos días estuvo con el diputado Marchena. Este le dijo que ya estaba casi decidido el desvío de la carretera hacia el mar.

DANIEL

¡Estaría borracho!

GUSTAVO

¿Recuerdas que hace tres meses te dije que algo había oído yo? Tú me contestaste que no creías en ese absurdo. A mí me lo había contado un ingeniero del mismo Ministerio...

LUCAS

El muchacho dice que el diputado habló de eso como una cosa hecha. Y, lógicamente, ha venido preocupado.

DANIEL

No es para menos. Eso es condenarnos a muerte.

LUCAS

¿Quién lo duda? De un plumazo matan al pueblo.

GUSTAVO

¿Y qué les cuesta a ellos echar un plumazo?

DANIEL

(Perplejo.) ¿Pero para qué desviar la carretera? *(Entra* LUCÍA *trayendo una cafetera humeante.)*

LUCIA

¿Carretera? ¿Qué carretera?

DANIEL

¿Qué carretera? La panamericana... El sector de acá.

LUCAS

Según el hijo de Menéndez, el diputado estaba convencido de que el proyecto era muy conveniente. Dicen que con el desvío se ahorran cerca de tres horas de viaje...

DANIEL

¿Y desde dónde el desvío?

GUSTAVO

El injerto no lo sabe bien. Lo único concreto al respecto es que quedaremos prácticamente aislados.

DANIEL

(A LUCÍA.) ¿Te das cuenta? *(Pausa.)* Es increíble... *(*LUCÍA *sirve el café en silencio.)*

LUCAS

Menéndez vino a consultarme y fuimos inmediatamente a ver al alcalde. Te imaginas el efecto que le hizo. Se acaba de meter en el negocio del cine... *(Pausa.)*
Bueno, para ser breves... Hemos acordado que una comisión vaya a Lima y hable con el ministro. Es la única manera de saber qué hay de verdad en todo esto.

GUSTAVO

A mí me parece la única salida... ¿Y a ti?

DANIEL

(Lejano.) Es increíble...

LUCAS

Mañana salgo para Lima con el alcalde. Queríamos
saber si estabas dispuesto a acompañarnos.

GUSTAVO

Más bien veníamos a pedirte, como un favor especial,
que aceptaras formar parte de la comisión. *(DANIEL permanece como ensoñado. No contesta.)*

LUCAS

Todos estuvimos de acuerdo en que era indispensable tu presencia. ¿Contamos contigo?

DANIEL

(Ido.) Es increíble...

LUCIA

(Suave.) Daniel, te hablan...

GUSTAVO

(Embarazado.) En fin, si no lo deseas o no te es
posible...

DANIEL

(Patético. En pie.) ¿No es increíble esto? ¿No es
como si, de pronto, Dios lanzara un rayo sobre nues-

tras cabezas y nos fulminara? *(Pausa.)* Y, sin embargo, no es Dios el que arrasa con nuestro pueblo. Tampoco es la peste, el hambre, el fuego, el agua... No es la tierra que estalla y se abre para devorarnos. *(Pausa.)* Es un hombre, un hombre como nosotros, sentado ante un escritorio, entre ruidos de teléfonos y máquinas de escribir, entre expedientes e informes, entre sellos y firmas, el que nos condena a perecer perdidos en este desierto que nosotros creímos aplacar...

LUCAS

Todo tiene remedio...

DANIEL

¿Qué remedio? ¡Oh, siempre habrá razones para justificar una medida así! Razones de peso, como se dice. ¿Somos, acaso, en el mapa de una oficina, algo más que un insignificante punto? ¿Se distinguen en él nuestros corazones envejecidos por tanta esperanza y tanto amor? ¿Qué es todo esto para quien pasa vertiginosamente por la carretera? Nada, una mancha informe en un paisaje triste. El que lee el nombre del pueblo en el mapa y el que veloz lo mira mientras corre hacia el fin, ¿saben cuántos padecimientos sin queja nos ha costado poner esa mancha informe en este paisaje triste? No... Ellos borran una marca de tinta en una zona gris y monótona de sus planes. Y allí nada sangra. Todo queda como antes. Y quizá el hombre que comete este crimen es bueno, ama a su esposa y a sus hijos, tiene un perro y canta mientras se peina... *(Pausa.)* ¿Qué remedio hay, Lucas? ¿Qué remedio?

LUCAS

¿Quieres decir que no hay manera de impedir que se realice el desvío?

DANIEL

Salas de espera, gestos de impotencia, negaciones, desaires y hasta burlas. Esa es la cosecha de una comisión. *(Pausa.)* No, prefiero esperar aquí la muerte. *(Pausa larga.)*

GUSTAVO

(Con ingenuidad.) Es una lástima. Todo eso se lo podrías decir a los de allá.

LUCAS

(A LUCÍA.*)* ¿No crees que Daniel debe venir con nosotros?

LUCIA

(Que ha permanecido en silencio.) No sé, Lucas... No sé nada...

DANIEL

No voy. Decididamente no voy. Desviar la carretera, alejarla del pueblo, es clavarnos un puñal, lo comprendo. *(Pausa.)* Pero estoy tranquilo...

LUCAS

No hay que tomarlo así, Daniel.

GUSTAVO

La cosa, en verdad, no es tan trágica. Se trata, como Lucas dijo al entrar, de un rumor.

DANIEL

La muerte se acompaña con esa música. *(Pausa.)* Gracias por haberme tenido en cuenta. *(Pausa.)* Allá no sabría qué decir...

LUCAS

(Poniéndose en pie.) Bueno. Si es así, nos vamos.

DANIEL

Gracias de nuevo...

LUCAS

(A LUCÍA.*)* No hay por qué desesperar. Buenas noches.

LUCIA

(Que ha avanzado con DANIEL.*)* Buenas noches...

DANIEL

Que tengan suerte...

GUSTAVO

Hasta mañana.

DANIEL

Hasta mañana. *(Cuando han salido* LUCAS *y* GUSTAVO, DANIEL *cierra la puerta despacio. Luego, vuelve al comedor.)*

LUCIA

(Abrazándose a él.) ¿Qué irá a pasar, Daniel?

DANIEL

(Calla. Luego de una pausa.). Es tarde. Vamos a dormir. *(Pausa.)* ¿Apago la luz?

LUCIA

Sí. *(*DANIEL *apaga la luz. La escena queda en penumbra.)*

DANIEL

(Mientras hacen mutis.) Mañana, sábado, hay que comprar dos kilos de mantequilla. Si el albañil no viene hasta las doce, habrá que llamar al que vive... *(Siguen hablando hasta que la voz se pierde. Al poco rato de que ambos han desaparecido, se abre la puerta de calle y entra* JULIA *con un hombre que se detiene en el umbral.)*

JULIA

(En voz baja.) Espérame en el auto.

HOMBRE 2.º

(También en ese tono.) Temo que no te dejen salir.

JULIA

Entro a mi cuarto y saco mi abrigo. Eso es todo. ¿No me crees?

HOMBRE 2.º

¿Están durmiendo?

JULIA

Parece que sí. Vuelvo en seguida.

HOMBRE 2.º

Dame un beso.

JULIA

Es una imprudencia. Tenemos mucho tiempo por delante.

HOMBRE 2.º

Bésame.

JULIA

(Después de besarlo.) Espera... *(JULIA entra en la casa. El hombre queda solo en la puerta. Enciende preocupado un cigarrillo. JULIA retorna.)* ¡Vamos! ¡Creo que me han sentido! *(Salen de prisa. Por la precipitación de la huida dejan abierta la puerta. Aparece LUCÍA.)*

LUCIA

(Con un grito desgarrador, corriendo hacia la puerta.) ¡Julia! *(Se escucha el motor de un automóvil que arranca apresurado. LUCÍA queda en el umbral, llorando.)* ¡Julia! ¡Julia! ¡Julia! *(Aparece DANIEL y, detenido a pocos pasos de su mujer, inmóvil, mira la escena.)* ¡Se ha ido! ¡Se ha ido!

T E L O N

CUADRO SEGUNDO

Más o menos, un mes después. Nada ha variado en el escenario, pues aún se hallan en un rincón de la tienda los materiales de construcción. Es de noche. La puerta de calle está entreabierta y ambas piezas se hallan en penumbra. Las únicas luces son las de la lamparilla que ilumina al Corazón de Jesús, en el comedor, y la que penetra en la tienda desde afuera.

Al levantarse el telón, no hay nadie en escena. A lo lejos suenan nueve graves campanadas. La puerta se abre y entra GUSTAVO. Va hasta el comedor y desde ahí llama a DANIEL.

GUSTAVO

(*Sin levantar la voz.*) ¡Daniel! ¡Daniel!

DANIEL

(*Aparece. Su aspecto denuncia un hondo abatimiento.*) Gracias por haber venido, Gustavo.

GUSTAVO

Es mi deber. (*Pausa.*) ¿Y cómo se siente ahora? (*Ha señalado al interior de la casa.*)

DANIEL

No ha vuelto en sí todavía. (*Se sienta. Con angustia.*) ¿Por qué todo esto? ¿Por qué?

GUSTAVO

Debes descansar un poco. Yo velaré.

DANIEL

No puedo cerrar los ojos, Gustavo. (*Pausa.*) Tengo miedo.

GUSTAVO

El médico dijo que había esperanzas. Estate tranquilo.

DANIEL

Las desgracias se suceden sobre la casa como olas incontenibles. Uno debiera ver el peligro antes que sobreviniera sobre las personas y las cosas queridas... Es tan horrible lo imprevisto.

GUSTAVO

(Tomando asiento a su lado.) Nadie está libre de una enfermedad.

DANIEL

Sí, nadie está libre de una enfermedad. Tampoco nadie está libre de perder el amor, el hogar y el pueblo del que es parte viva. ¿Y qué? ¿Eso basta para conformarse?

GUSTAVO

No quiero ser impertinente, Daniel, pero creo que exageras un poco. Quizá los nervios...

DANIEL

¿Mis nervios, dices? ¡Oh, no; no es eso! ¡Cómo no rendirse al fin ante tantos golpes! *(Pausa.)* Sin ella estoy solo, solo como nunca. *(Pausa.)* Ya sé que tengo buenos amigos, pero hablo de una soledad helada, más íntima. *(Pausa.)* Todo a mi alrededor se ha derribado como si hubiera estado hecho de una sustancia débil. Y yo sé que no es así. Todo fue hecho con mi sangre, y mi sangre es dura. *(Pausa.)* Lucía, mis hijos, el pueblo, estaban hechos con mi sangre. Y todo ha caído. *(Pausa.)* Ella está allí dentro, ajena a mí, distante. Le hablo y no me responde. La miro en los ojos y no hay en ellos el fulgor de su ternura... *(Se toma la cabeza entre las manos.)* Solo dice dos palabras, dos nombres: Julia y Pedro, Pedro y Julia...

GUSTAVO

(Disimulando la emoción.) Hay que ser fuerte. El médico ha dado esperanzas.

DANIEL

(Vivamente.) ¿Y eso qué importa? Es ella la que ha perdido las esperanzas. Y yo también...

GUSTAVO

Es preciso que reposes, Daniel. Te lo ruego. Es más: te lo exijo.

DANIEL

Gracias por tratar de ayudarme. Tú y Lucas son lo único que me queda.

GUSTAVO

Todo el pueblo te quiere y respeta. ¿No lo sientes acaso?

DANIEL

Ustedes son el pueblo. Los que lo hicieron conmigo... *(Pausa.)* El pueblo, ¡qué cosa imperceptible para los demás! Los que no amasaron adobes con su negro polvo, los que no cavaron tumbas para los muertos en su tierra seca y candente, no pueden comprenderlo... El pueblo es algo de adentro, de muy adentro. *(Pausa. Con acento irónico.)* ¿Ha dado también el médico esperanzas?

GUSTAVO

Hoy debe retornar la Comisión... Es la tercera y es probable que traiga buenas noticias.

DANIEL

Sin embargo, ya comenzó la emigración. *(Pausa.)* Son los jóvenes. Van a fundar otro pueblo. *(Pausa.)* Llegarán a un lugar desolado, triste, abrumado de soledad, y pondrán su voz en el silencio. ¿No es lo que nosotros hicimos aquí?

GUSTAVO

La Comisión fue esta vez dispuesta a hablar con el presidente. ¡Oh, yo creo que él comprenderá que no es por simple capricho que queremos que no se desvíe

la carretera! Comprenderá, Daniel. Todo volverá a ser
como hasta hace un mes, y los que se fueron volverán...

DANIEL

Nuestras razones son demasiado sentimentales. Se
dirán: «Es absurdo. Esta gente ama cien o doscientas
casas de barro y caña, y quiere impedir el progreso
(nada menos que el progreso, Gustavo) en nombre de
ese amor...»

GUSTAVO

Te imaginas a los gobernantes como hombres de
hielo. Son como tú y yo...

DANIEL

Sin duda... Pero están muy distantes.

GUSTAVO

Es más tónico ser optimista.

DANIEL

(En pie.) Es hora de cambiarle la bolsa de hielo a
Lucía.

GUSTAVO

Te ayudaré.

DANIEL

No, gracias. Prefiero hacerlo solo.

GUSTAVO

Como quieras. Estoy a tus órdenes.

DANIEL

Haz un poco de café. Ahí están la cafetera y la co-
cinita de ron. Calienta el agua.

GUSTAVO

Vamos a ver cómo me sale.

DANIEL

Vuelvo en seguida. *(Sale.* GUSTAVO *enciende el fuego y pone agua a hervir. Pasan unos breves segundos. La puerta de calle se abre y aparece* LUCAS.)

LUCAS

Buenas...

GUSTAVO

¿Alguna novedad?

LUCAS

Ya regresaron. Dentro de un rato informarán. He venido para decirte que fueras.

GUSTAVO

No puedo dejar solo a Daniel. Está muy nervioso.

LUCAS

¿Cómo sigue Lucía?

GUSTAVO

Igual... Dudo de que esté fuera de peligro.

LUCAS

Antonio logró encontrar en Lima a Pedro. Prometió venir cuanto antes, de serle posible, esta misma noche.

GUSTAVO

A Daniel le hará mucho bien ver a sus hijos. De Julia, ¿qué se sabe?

LUCAS

Dice Antonio que, aunque Pedro le aseguró que no la veía, iba a tratar de traerla...

GUSTAVO

Ojalá lleguen a tiempo.

LUCAS

¿Vienes?

GUSTAVO

Le diré a Daniel de qué se trata.

LUCAS

·La cita es para dentro de unos minutos. *(Retorna* DANIEL. *Camina como somnámbulo.)*

DANIEL

(Para sí.) Dice algo, pero no entiendo. No entiendo nada. *(Se sienta.)* Le pongo la mano en la cabeza, y me mira, me mira... No entiendo.

LUCAS

Daniel, la Comisión ha vuelto. Gustavo y yo vamos a la Municipalidad un momento.

DANIEL

Sí, sí...

GUSTAVO

Procura descansar. Te traeré las novedades.

DANIEL

Solo quiero que me diga una palabra... Quizá desea hablar y no puede.

GUSTAVO

Así es la enfermedad. Mañana estará mejor, no lo dudes.

DANIEL

Sí, mañana... Estará mejor... *(Pausa.)* Vayan tranquilos. Yo estaré al lado de Lucía. Tendré sus manos entre las mías. Tengo vida y puedo compartirla con ella. *(Se levanta y se dirige al interior.)* Le daré mi calor. No es mucho, pero se lo daré... *(Medio mutis. A sus amigos.)* Vayan, vayan... *(Sale.)*

LUCAS

No está bien.

GUSTAVO

Debiera quedarme...

LUCAS

Tu presencia allá es importante. En caso de que las noticias no sean buenas, tenemos que adoptar una decisión firme. No es posible andar con paños tibios.

GUSTAVO

Se me hace un cargo de conciencia dejar solo a Daniel.

LUCAS

Mandaremos a alguien a reemplazarte. No conviene que faltes allá, porque pueden creer que sacas el cuerpo.

GUSTAVO

Pero todo el mundo sabe que Lucía está enferma y que Daniel no tiene a nadie que lo acompañe.

LUCAS

Tú conoces a la gente. Dirán que es un pretexto.

GUSTAVO

Mandaremos a alguien. A tu mujer, por ejemplo...

LUCAS

Mi mujer está con el ataque de reumatismo. Ya veremos. Son las nueve y media y no tenemos tiempo que perder.

GUSTAVO

(Va hasta la puerta que da al interior. Decidido.) Vamos. *(Salen por la puerta que da a la calle. La escena queda vacía. De lejos viene la campanada de la media hora. Inmediatamente se oye un grito desgarrado de* DANIEL: *«¡Lucía!» Silencio. Luego, tambaleante y demudado, retrocediendo con los ojos clavados en el dormitorio, aparece* DANIEL.*)*

DANIEL

Lucía, Lucía... No te quedes así. Te lo suplico, Lucía. *(Da unos pasos hacia atrás y se agarra de la mesa para no caerse.)* Tengo vida, hablo, me estremezco, te amo... Levántate y tómala. *(Sube el tono de la voz.)* Lucía... *(Con un grito.)* ¡Lucía! ¡No me dejes solo! ¡No me abandones! *(Avanza hacia la puerta. Se desploma en una silla. Como despertando.)* Llegamos un día de junio, ¿te acuerdas? Y los días pasaron velozmente. También pasaron velozmente Pedro, Julia, los automóviles, las casas, las nubes... No queríamos ser ricos, sino simplemente dichosos. Y todo pasó velozmente. Era una fe, y nadie nos dijo que todo era una mentira, una ilusión instantánea. *(Pausa.)* ¿Quién nos habló de la verdad? ¿Quién? *(Fantasmagórico, espectral, surgiendo de la penumbra, aparece* RAMÓN.*)*

RAMON

Yo.

DANIEL

(Como si RAMÓN *le hablara desde dentro de sí. Durante toda la escena.* DANIEL *preguntará y contestará monologando, sin dirigirse a su interlocutor.)* Ramón...

RAMON

Yo te hablé de la verdad. Te dije que todo era inútil...

DANIEL

Aquello fue hace tantos años...

RAMON

Estabas ciego. Solo ahora has abiertos los ojos. *(Pausa.)* Tus hijos se han ido, tu mujer ha muerto, tu pueblo está agonizando. ¿Es esto lo que perseguías enardecido? El desastre es el fin de tu vehemencia.

DANIEL

No perseguí nada que no fuera lícito perseguir. Quería alcanzar la paz.

RAMON

Tú decías jactancioso que cada uno es autor de su destino.

DANIEL

¡Cómo no había de decirlo si eso era lo que en mi corazón palpitaba y desde él se desbordaba por toda mi alma!

RAMON

Te mentías a ti mismo y mentías a los demás. *(Pausa.)* Tú y yo trajimos al nacer el estigma de la derrota. Quisiste borrarlo como si ese signo no estuviera adherido a nuestra carne como la piel...

DANIEL

(Pausa.) ¿A qué has venido?

RAMON

(Camina lentamente en torno a DANIEL.*)* No he venido porque sí. Tú me has llamado.

DANIEL

Sí... De pronto te recordé. Pero ¿por qué? ¿Por qué?

RAMON

Porque yo soy la verdad.

DANIEL

¿El fracaso es la verdad?

RAMON

Quizá... O la resignación...

DANIEL

¿Debí dejar que la vida me aplastara como a un gusano?

RAMON

Fuiste y eres un gusano. Jamás quisiste aceptarlo, pero es así.

DANIEL

(Desesperado.) No es fácil ver qué sorpresa nos espera más allá de nuestros pasos, en el confín de cada aventura... *(Pausa.)* Un gusano... Tienes razón...

RAMON

Un gusano que aspiraba a ser un dios, a crear un universo. Con sus escasas fuerzas, juntando debilidad y debilidad, pretendía superar su desdichada condición terrena. *(Pausa.)* Otro gusano, menos incauto, aceptó el estiércol, y él fue todo lo gusano que se puede ser. Aquel fue abatido por su propia ambición. Su universo se desplomó sobre su pobre existencia. He aquí una fábula trágica... *(Pausa.)* ¿Dónde está tu isla feliz?

DANIEL

(Melancólico.) Esta debió ser mi isla feliz...

RAMON

No hay isla feliz, Daniel. Jamás la hubo, ni la habrá... Lucía no ha arribado tampoco a una isla feliz. Simplemente ha muerto.

DANIEL

(Herido. En pie.) ¡No; eso, no! ¡Tengo que creer que para ella han terminado las incertidumbres, los temores, las amenazas. *(Pausa. Más calmado.)* Su quietud no reclama ya nada. Está en paz.

RAMON

(Frío.) Su quietud es la de la muerte. *(Pausa.)* Cuando hayas abandonado este lugar, cuando las paredes comiencen a despellejarse, cuando los tejados se vengan a tierra, cuando las puertas cedan a los vientos, cuando los árboles y las plantas se sequen fatigadas de abandono, cuando desaparezca de aquí toda huella humana, tu huella y la huella del vecino, la huella de tu amigo y la de tu enemigo, habrá quietud también. No se escucharán voces, pasos, ladridos, campanas. Ni siquiera

quedarán recuerdos. ¿Quién, por más loco que sea, dirá que eso es la paz?... ¡Esto habrá muerto!... ¿Oyes? ¡Muerto!

DANIEL

(*Atónito.*) Muerto...,

RAMON

Repite la palabra, Daniel. Muerto... (*Pausa.*) Es breve y cruel. Se desliza por entre los labios como un arma delgada y rauda. (*Pausa.*) Muerta tu historia, muerto tu nombre, muerto tu ser, muerto todo lo que fuiste y lo que de ti provino... Muertos también tu confianza, tu vanidad... ¡Qué poca cosa es todo esto!

DANIEL

Muerta Lucía...

RAMON

Y el infortunio es completo, despiadado. Recogerás algunas ruinas—trapos, retratos, papeles—, e irás a vagar como un ciego entre desconocidos e indiferentes... (*Pausa.*) Eso es todo.

DANIEL

¡No puede ser! ¡No puede ser!

RAMON

Puede ser... (*Pausa. Insinuante.*) A menos que...

DANIEL

¿Qué? ¿Qué?

RAMON

A menos que tú también decidas morir.

DANIEL

¿Morir? ¿Y cómo? ¿Cómo?

RAMON

Es fácil. Morir con todo esto. (*Pausa.*) ¿No es esta ya una sepultura?

DANIEL

(Recorre el lugar con la vista.) Una sepultura... Mi sepultura.

RAMON

Una sepultura como esta casa no contiene deseos. *(Pausa.)* Es fácil. Clausurarás las puertas, cerrarás para siempre las ventanas, apagarás las luces. Todo el secreto consistirá luego en quedarse inmóvil e insensible. *(Pausa.)* Al principio escucharás las palabras de los que vendrán a buscarte. Te sentirás tentado a salir porque, amable o cruenta, la vida es un apetito tenaz. Vencerás esa tentación. Irás cayendo poco a poco en gratas honduras. Te llegará el eco del fragor de los otros, pero estarás lejos, en toda tu pureza, de estas negras cadenas... Lo demás será la muerte, una empresa distinta.

DANIEL

¿Viniste a esto? ¿Para esto te llamé?

RAMON

Siempre estuve en ti...

DANIEL

Nunca lo supe, hasta hoy...

RAMON

No me necesitaste antes...

DANIEL

(Caminando hacia la tienda.) Clausuraré las puertas, cerraré para siempre las ventanas, apagaré las luces. Me quedaré inmóvil e insensible...

RAMON

Nada más, Daniel. Te quedarás inmóvil e insensible...

DANIEL

(Que ha tomado una madera, un martillo y clavos del suelo.) Nada más... (RAMÓN *desaparece.* DANIEL *coloca la madera sobre la puerta y como un autómata comienza a clavarla a modo de travesaño. Cuando concluye, toma otras y repite la operación, cada vez más frenético. Lo mismo hace con la ventana. Luego, apaga la luz de la lamparilla. Se sienta en una silla, agitado. Sobre su cabeza, a través de una rendija, cae un rayo lunar. Lentamente se va calmando. A los pocos instantes queda absolutamente quieto... Desde afuera vienen voces cada vez más cercanas.* DANIEL *levanta la cabeza, mas no se pone en pie. Está tenso.)*

VOZ DE LUCAS

La puerta, cuando salimos, estaba abierta. *(Golpea.)*

VOZ DE GUSTAVO

Es raro. Toca más fuerte. Es posible que se haya quedado dormido. *(Golpean con más vigor.)*

VOZ DE LUCAS

¡Daniel!

VOZ DE PEDRO

¿Pero cómo lo dejaron solo?

VOZ DE JULIA

¿No habrá salido a buscar algo? *(*DANIEL *se incorpora levemente. Se libra en él una lucha interior.)*

VOZ DE GUSTAVO

¡Daniel! ¡Daniel! *(Más golpes.)*

VOZ DE PEDRO

¡Somos nosotros, papá! *(*DANIEL, *en un ademán de desesperación, se toma la cabeza entre las manos cubriéndose los oídos.)*

VOZ DE GUSTAVO

¡Daniel! ¡Tus hijos han regresado!

VOZ DE JULIA

¡Papá! *(Suenan golpes.)*

VOZ DE PEDRO

¡Papá! *(Arrecian los golpes.* DANIEL *permanece convulsivo, sumido en sí.)*

VOCES

(Sollozantes, angustiadas, juntas, formando una agria melodía de la que los golpes marcan el terrible compás.) ¡Daniel! ¡Papá! ¡Mamá! ¡Daniel! ¡Daniel! ¡Daniel *(La figura de* DANIEL *es solo un bulto, una sombra, nada. Telón.)*

FIN DE
«NO HAY ISLA FELIZ»

ENRIQUE SOLARI SWAYNE

COLLACOCHA

DRAMA EN TRES ACTOS

ENRIQUE SOLARI SWAYNE

DEDICATORIA

*Dedico esta obra, en general, a
todos los que están empeñados, generosa, sana y vigorosamente, en
forjar un Perú más justo y más feliz. En forma especial, la dedico a
todos aquellos que están empeñados en la habilitación de nuestro
suelo como morada del hombre.
Porque, quizá, ellos también podrían
decir, con el protagonista de la
obra: «Estamos combatiendo la miseria humana y estamos construyendo la felicidad de los hombres
del futuro.»*

EL AUTOR.

Huaraz, abril de 1955.

PERSONAJES

DÍAZ.
FERNÁNDEZ.
ECHECOPAR.
ROBERTO.
SANTIAGO.
SÁNCHEZ.
SOTO.
BENTÍN.
TAIRA.
Una MUCHACHA.
AYUDANTE.
OBREROS.
Un MUCHACHO.

EL ESCENARIO.—El escenario, que es igual para los tres actos, está constituido en la siguiente forma (desde la perspectiva de los actores): A la izquierda, una tosca cabaña de troncos, con techo de calamina. La pared izquierda es de roca y presenta una gran abertura (es la ventana del abismo). A la derecha, una puerta que da hacia el socavón. A la derecha del escenario, un socavón que termina en uno o dos grandes arcos de roca. Se sobrentiende que este socavón se comunica con el túnel.

En la cabaña se encuentran dos escritorios y aparatos de in-

geniería (mesa de dibujo, reglas T, teodolitos, etc.). En la pared del fondo de la cabaña se ve un gran plano de la región, que puede ser el aquí representado.

En las otras paredes debe haber dos clavos, para colgar un manojo de llaves y un rollo de mecha. El mapa debe estar colgado de tal forma que caiga al suelo al producirse el último temblor de tierra. Al lado derecho de la puerta de la cabaña, llave de luz.

VESTUARIO.—Ropa de campo para ingenieros: *slacks*, botas de media pierna, cascos. El vestuario debe corresponder a una región muy fría (bufandas, guantes). La ropa de Fernández debe ser elegante (casco y botas nuevas, casaca de piel).

LOS TEMBLORES.—Los temblores deben ser de distinta intensidad. Los primeros son relativamente débiles y el último muy fuerte. Los temblores tienen todos su ritmo creciente. La mejor manera de lograrlos es golpeando rápidamente con los puños las puertas de ingreso al escenario; a falta de ellas, grandes cajones vacíos, que produzcan un ruido sordo y lejano. En el momento culminante del temblor debe remecerse también la cabaña. Al producirse los dos últimos temblores debe titilar la luz de la cabaña. Igualmente, en ambos, pero más en el último, debe arrojarse pequeñas piedras sobre el techo de calamina de la cabaña.

INTERMEDIO.—Entre los actos I y II debe concederse al público una pausa de cinco minutos; entre los actos II y III, una pausa de quince minutos.

LOS PERSONAJES.—ECHECOPAR es un hombre sumamente varonil, casi rudo, desaliñado. Su habla es pausada y enérgica. Cuando se encoleriza es cortante y casi desmedido. También debe ser unas veces tierno, otras socarrón. En el acto III, todo su ser está tocado por un halo profético. En la última escena, su voz es absolutamente serena, íntima y transfiguradamente feliz. FERNÁNDEZ es un muchacho muy bien educado, tranquilo, varonil, bondadoso y aristocrático. BENTÍN es inteligente y nervioso, posee cierta tendencia declamatoria y no es muy atinado en sus expresiones. SOTO es serio y natural. DÍAZ, frívolo, inconsistente. Conviene, aunque no es indispensable, que ECHECOPAR y BENTÍN sean mestizos; DÍAZ y FERNÁNDEZ, blancos. Edad: ECHECOPAR y SOTO, entre cuarenta y cinco y cincuenta; FERNÁNDEZ y BENTÍN, entre veinticinco y treinta; DÍAZ y SÁNCHEZ, entre veintidós y veinticinco.

NOTA.—En la entrada al teatro, conviene poner un cartel dando a conocer al público que durante la pieza se simulan temblores de tierra. Puede también avisarse que si, por extraña casualidad, se produjera durante la representación un verdadero movimiento sísmico, el público será avisado expresamente.

DEDICATORIA.—Donde se impriman programas, debe anotarse, en la carátula de este, la dedicatoria que aparece en la primera página.

ACTO PRIMERO

El ingeniero Díaz trabaja en el escritorio de la izquierda. Se interrumpe para consultar el reloj. Da muestras de aburrimiento. Vuelve a trabajar. Se oye acercarse el ruido de un autocarril que, un momento después, se detiene muy cerca de la barraca. Llaman a la puerta. Díaz se levanta y se dispone a abrir. Pero antes que lo haya hecho, la puerta se abre e ingresa el ingeniero Fernández. Este lleva botas y casco nuevos y elegante «slack» con casaca de piel. Pendiente del cuello, lleva un estuche de binoculares.

DIAZ

¡Adelante, adelante! Me imagino que es usted el ingeniero Fernández.

FERNANDEZ

Exactamente. ¿Con quién tengo el gusto...?

DIAZ

Díaz, encantado. *(Se estrechan las manos.)*

FERNANDEZ

Creo que es a usted a quien vengo a reemplazar...

DIAZ

Sí, ¡a Dios gracias! Dentro de pocos meses también usted soñará todas las noches con el reemplazo.

FERNANDEZ

Quizá no sea así...

DIAZ

No se haga usted ilusiones. ¡Esto es el infierno!

FERNANDEZ

En Lima me lo han explicado con toda claridad.

DIAZ

¿Y a pesar de eso se vino? ¡Si yo lo hubiera sabido! (*Riendo.*) Para mí que viene usted huyendo de la Policía... o de alguna mujer.

FERNANDEZ

No vengo huyendo de nadie. Más bien vengo buscándome a mí mismo.

DIAZ

Pues aquí se va a encontrar a sí mismo hora a hora, minuto a minuto, de día y de noche, hasta que se harte y se largue, como yo. ¡Abandonar la ciudad para meterse en un túnel húmedo y helado!

FERNANDEZ

(*Encogiéndose de hombros.*) Me interesa hacerme hombre. Pero ¡qué frío de los demonios hace aquí! (*Cierra la puerta.*)

DIAZ

Como que estamos sepultados en el centro mismo de los Andes. Y eso que hoy es un día de calor. ¿Se toma un trago? (*Saca del bolsillo una licorera.*) Es «whisky» puro.

FERNANDEZ

(*Bebe y devuelve la botella.*) Gracias.

DIAZ

(*Bebe.*) Sin esto no se puede vivir a cinco mil metros de altura. Pero sentémonos. No debe tardar en venir Echecopar. (*Se sientan.*)

FERNANDEZ

En el campamento me dijeron que lo encontraría aquí.

DIAZ

Debe de haber ido a la central tres, o donde Soto, a la laguna.

FERNANDEZ

¿Qué es eso de las centrales? No entiendo nada.

DIAZ

Es bastante fácil. Nosotros estamos aquí, en la central dos, que queda exactamente en el centro de este túnel, que es el túnel uno.

FERNANDEZ

Eso lo sabía ya.

DIAZ

Bien. Si sale usted de aquí, hacia la derecha, por donde ha venido, pasa primero por la central uno, que está casi a la salida del túnel. Después sale usted del túnel y pasa por el campamento, ¿no? Luego viene el valle, los pueblos...

FERNANDEZ

Sí, todo eso lo recuerdo.

DIAZ

Bueno; si usted sale de aquí, de donde estamos, y va hacia la izquierda, más o menos a un kilómetro y poco antes que acabe el túnel, llega a la central tres.

FERNANDEZ

Y saliendo del túnel, ¿adónde se llega?

DIAZ

El túnel acaba en una pequeña quebrada. El camino sigue unos trescientos metros por la falda del cerro y entra en otro túnel. Después viene una serie interminable de túneles y puentes, y más túneles y quebradas y puentes. El túnel dos es el más largo: tiene cosa de cuatro kilómetros.

FERNANDEZ

¡Es una obra formidable!

DIAZ

¡Extraordinaria! Pero quiero acabar de explicarle. El túnel uno y el túnel dos están, pues, separados por una pequeña quebrada, completamente cerrada y bastante alta. Arriba de esa quebrada, y un tanto lejos del camino, hay una laguna: es la laguna Collacocha. Y en la quebrada, pero al otro lado de la laguna y encima de un pequeño cerro, está la central cuatro, o central de Collacocha. Naturalmente, los otros túneles y el campamento tienen también sus centrales.

FERNANDEZ

Ahora entiendo perfectamente.

DIAZ

Orientarse aquí es muy sencillo. De todos modos, dentro de poco tiempo estará usted tan harto de todo esto como lo estoy yo ahora.

FERNANDEZ

Quién sabe si eso dependa del carácter de cada uno. Por ejemplo, el ingeniero Echecopar creo que está ya hace mucho tiempo aquí...

DIAZ

Algo así como ocho años. Siete, mejor dicho, porque un año estuvo afuera. Vino una Comisión de Lima y tuvieron un pleito espantoso. *(Confidencial.)* Imagínese que Echecopar, en una asamblea, delante de todos los obreros, llamó a los de la Comisión «una banda de ociosos y desalmados». Un año después, los trabajos iban tan mal que tuvieron que llamarlo de nuevo. Y aquí lo tiene usted tan campante y feliz como siempre. Cuanto más pasa el tiempo, tanto menos lo comprendo: ¡imagínese, ser feliz en este infierno!

FERNANDEZ

Quizá no sea tan difícil...

DIAZ

Mire usted *(Se levanta y apaga la luz. La barraca queda en la penumbra. Tan solo una luz pálida penetra por la ventana del abismo.)* ¿Ve usted? Una penumbra húmeda, un silencio helado y sucio, eso es todo. Pues bien: estamos en la hora más alegre del más radiante día primaveral. Aquí, este es un clima de golondrinas, de brisas perfumadas. ¡Es el climax del embrujo bucólico!

FERNANDEZ

¡Caramba!...

DIAZ

¡Asómese usted a la ventana!

FERNANDEZ

(Después de haberse asomado.) ¡Qué horror! Da vértigos...

DIAZ

Aguarde. ¿Ve esas florecitas rojas que crecen en la ventana? Son exactamente seis. Cuéntelas, si quiere. Es el vergel bíblico del ingeniero Echecopar. Para él, esa es la eclosión botánica más jubilosa de la Naturaleza.

FERNANDEZ

(Arrancando una flor.) ¡Qué hombre extraño!...

VOZ DE ECHECOPAR

(De lejos y con eco, grita.) ¡Echecopaaaaaaaaaar...!

FERNANDEZ

¿Qué ha sido eso?

DIAZ

Es Echecopar mismo, que está viniendo. El no usa autocarriles. Va a pie por el túnel, jugando con el eco. Se llama a sí mismo y se ríe a carcajadas. Llegará dentro de cinco minutos.

VOZ DE ECHECOPAR

(Ríe.) ¡Ja, ja, ja, ja, jaaaaaaaaaaaa...!

DIAZ

¿Lo oye? Todos los días es igual: sus gritos, sus risas, sus saludos. En este mismo momento está ocurriendo a medio kilómetro de aquí: el túnel, la oscuridad, los pasos que retumban, los obreros con sus linternas. *(La escena se oscurece. Lo que sigue ocurre en la boca del escenario. Por ambos lados, silbando o hablando en voz baja, circulan obreros aislados, o en grupos, todos con linterna de mano, lamparinas, etcétera.)*

VOZ DE ECHECOPAR

(Muy cerca.) ¡Echecopaaaaaaar! *(Un grupo de* OBREROS *aparece por la derecha y se detiene.)*

OBRERO 1.º

(A los demás.) ¡El ingeniero Echecopar!

ECHECOPAR

(Aparece por la izquierda y se detiene. Teatralmente.) ¡Salud, hijos de la noche y el silencio, primos del frío y del abismo, hermanos del cóndor y del viejo Echecopar!

TODOS

Buenos días, patrón, buenos días...

ECHECOPAR

Pero ¿es de día?

OBRERO 1.º

(Desconcertado, a los otros OBREROS.*)* ¿Es de día...?

ECHECOPAR

¿O es de noche...?

OBRERO 2.º

(A los otros OBREROS.*)* ¿Es de noche?

OBRERO 3.º

No es de día ni de noche. *(Todos ríen.)*

ECHECOPAR

No es de día ni de noche: ¡es de túnel! *(Risas.)*

OBRERO 4.º

¡El patrón, siempre de broma!

OBRERO 1.º

Hoy hace mucho frío en el túnel, patroncito...

ECHECOPAR

¿Mucho frío?

TODOS

Mucho frío, mucho frío...

OBRERO 1.º

Pero no importa, patrón. Cuando le oímos a usted entrar gritando en el túnel, nos olvidamos del frío y nos ponemos alegres.

ECHECOPAR

¡Ajá! He hecho preparar en el tambo un espléndido café para los que han trabajado de noche.

TODOS

(Alegres.) ¿Hay café?

ECHECOPAR

Y lo habrá siempre para los formidables trabajadores de Collacocha.

OBRERO 2.º

Vamos, entonces.

TODOS

Vamos, vamos... *(Avanzan hacia el extremo de la izquierda, mientras* ECHECOPAR *cruza hacia la derecha.)*

ECHECOPAR

(Deteniéndose y avanzando hacia ellos.) ¡Ruperto! *(Los* OBREROS *se detienen.)* ¿Cuánto se ha avanzado esta noche en el asfalto del túnel dos?

OBRERO 1.º

Serán unos treinta metros, pues, patrón...

ECHECOPAR

¡Formidable! ¡Treinta metros más cerca de todos los que nos aguardan! ¡Hasta más tarde, entonces!

TODOS

Adiós, patrón, adiós... *(Salen por la izquierda.)*

ECHECOPAR

¡Adiós, hijos del abismo y de la tiniebla, hermanos del silencio y del viejo Echecopar! *(Dos sombras de obreros cruzan de izquierda a derecha.)*

LOS DOS

¡Buenos días, patrón!

ECHECOPAR

¡Ah! Roque y Mateo, buenos días. *(Las dos sombras desaparecen por la derecha. Otra sombra cruza de derecha a izquierda.)*

SOMBRA

Buenas noches, patrón...

ECHECOPAR

Buenas noches, Pedro... ¿Y cómo va la mujer?

SOMBRA

¿La mujer? ¡Ya parió ayer en la tarde! ¿Serás padrino, pues, patrón?

ECHECOPAR

El bautismo, para el sábado al mediodía. Yo llevo el pisco.

SOMBRA

Muchas gracias, patrón. Buenas noches. *(Sale por la izquierda.)*

ECHECOPAR

¡Buenos días! ¡Buenas noches! ¡Buenos túneles! Coman bien, duerman bien, tengan hijos, trabajen duro: métanle el hombro al Ande. ¡Millones de hectáreas de tierra nueva nos aguardan! ¡Buenos días, mar Pacífico! ¡Buenos días, selva virgen! ¡Buenas noches, Roque y Mateo, Pedro y tu hijo! *(Alejándose por la derecha.)* ¡Buenos días, túnel! Puna, ¡buenas noches! ¡Buenos túneles, hombres del futuro! *(Desaparece por la derecha. La escena se ilumina y aparece la barraca tal como estaba antes.)*

DIAZ

(Encendiendo la luz.) Vaya usted preparándose. ¿Sabe lo que hizo conmigo el día de mi llegada?

FERNANDEZ

¿Qué hizo?

DIAZ

Me dijo: «Oye, monigote: toma una silla y anda a sentarte al túnel.» Le pregunté qué debería hacer allí, y me respondió: «Nada. Absolutamente nada. Pones la silla en el suelo, te sientas y te quedas sentado. Así comenzarás a conocer tres cosas fundamentales: el silencio, el frío y la oscuridad. Son los tres elementos que te rodearán constantemente. Conócelos, aprende a dialogar con ellos, arráncales sus secretos, porque para individuos como tú en el país hay solo dos caminos: o te enfrentas a los elementos, que en nuestro país son hijos de la cólera de Dios, o te vas a Lima, a adular a los potentados, a ver si les caes en gracia y te hacen rico.»

FERNANDEZ

Curioso personaje... Pero no le falta algo de razón.

DIAZ

Y también me dijo: «Si quieres enfrentarte a los elementos, aprende antes a estar solo. En nuestro maldito país solo llega a ser fuerte el que sabe estar solo y puede prescindir de los demás.»

FERNANDEZ

Yo no le negaría toda la razón...

DIAZ

Echecopar tiene la manía de los hombres fuertes que necesita el país; se ríe de todo lo demás. Hablando del Perú y de los peruanos, es implacable. Aunque sospecho que, en el fondo, es un gran patriota. A veces se emborracha con los indios y se queda a dormir en sus chozas. ¡No comprendo cómo puede soportar la pestilencia! Pero él dice que el único hedor que no resiste es el de la adulación y la maledicencia. *(Se oye acercarse los pasos de* ECHECOPAR.*)* Y no se vaya a molestar cuando le diga que usted es también uno de la «pandilla de tirifilos» o del «rebaño de monigotes» o de la «banda de ladrones». Pero aquí está ya. *(Se sienta rápidamente en su escritorio y hace como si trabajara.* ECHECOPAR *entra y, sin reparar en nadie, va a sentarse a su escritorio. Retira unos papeles, enciende un cigarrillo y se dispone a trabajar.)* Ingeniero: le presento al ingeniero Fernández, que viene a reemplazarme.

ECHECOPAR

(Sin levantar la vista.) ¡Ajá!

FERNANDEZ

(Acercándosele y de mala gana, en vista del frío recibimiento.) Buenos días. *(*ECHECOPAR *se levanta y va a ponerse delante de* FERNÁNDEZ, *ríe, cada vez más fuerte, hasta estallar en una carcajada.)* Oiga: ¿me puede usted decir de qué se ríe? *(*ECHECOPAR *trata de coger los prismáticos, pero* FERNÁNDEZ *le aparta la mano con energía.)*

ECHECOPAR

(Súbitamente colérico.) Pero ¿se han creído en Lima que aquí vamos a filmar películas para Hollywood? ¿Para qué demonios me mandan a mí monigotes disfrazados de ingenieros?

FERNANDEZ

(Cortante.) Yo no soy monigote, ¿entendido?

ECHECOPAR

(A quien ha gustado la dureza de FERNÁNDEZ, *entre burlón y conciliador.)* ¡No se indigne, hombre, no se indigne! Pronto reconocerá usted mismo que es una de las figuras más ridículas que han entrado en este túnel, con excepción, naturalmente, de Díaz y de don Alberto Quiñones, nuestro presidente del Directorio.

DIAZ

(Tratando de ser gracioso.) El ingeniero Echecopar es un hombre original, ¿no se lo dije? Hay que ser tolerante con él...

ECHECOPAR

¡Tú cállate! *(A* FERNÁNDEZ.*)* ¿Qué pensaría usted de mí, ingeniero Fernández, si me viera en un baile, en Lima, con la indumentaria que llevo ahora? Lo mismo... *(Se interrumpe, reparando en la flor que* FERNÁNDEZ *tiene en la mano. Va hacia la ventana, cuenta las flores y se vuelve colérico.)* Señor Fernández: aquí, como en cualquier parte, uno puede ser todo lo imbécil que quiera, siempre que eso no le haga mal a nadie. Mi imbecilidad consiste en querer a las flores que crecen en mi ventana...

FERNANDEZ

(Cortado.) Yo no podía saber que hacía mal arrancando una...

ECHECOPAR

Pues ahora lo sabe. Y le prohíbo terminantemente que las toque. *(Pausa incómoda.)* Mire, Fernández: aun-

que usted no lo crea, me es simpático. Por lo menos
más simpático que Díaz. Voy a preocuparme por hacer
de usted un ingeniero de verdad, un hombre fuerte.
¿Por qué se ha disfrazado de ingeniero para venir aquí?
¿A qué vienen esos prismáticos en medio de las tinieblas? Démelos. (FERNÁNDEZ *se los entrega y* ECHECOPAR
los coloca sobre su escritorio.) ¿Cree que va a ver mujeres desnudas al otro lado del precipicio? Aquí usted
me ve a mí y a Díaz, y yo y Díaz le vemos a usted.
También están Soto, Bentín, Sánchez, Roberto y los
cuatrocientos indios trabajadores. Usted los ve a ellos
y ellos le ven a usted. Nada más. Nada nuevo. Nunca
otra cara. ¿Se afeita usted con espejo? (FERNÁNDEZ *asiente con la cabeza.)* Entonces, se verá de cuando en cuando a sí mismo. ¿Le parece terrible? Pues no lo es, se lo
aseguro; un hombre puede soportar todo.

FERNANDEZ

¿Me he quejado, acaso?

ECHECOPAR

No. *(Pausa.)* Bueno, Fernández, desde hoy reemplaza
usted a Díaz. ¿Quiere iniciarse con una tarea un tanto
curiosa?

FERNANDEZ

Inmediatamente.

DIAZ

Pero creo que ya es la hora del desayuno.

ECHECOPAR

Aquí no hay hora del desayuno. Fernández, saliendo
de aquí, a la derecha, a unos quinientos metros, hay
una puerta blanca con una cruz negra pintada encima.
Es nuestro almacén de explosivos. Quiero que me traiga
en un autocarril diez cajas de cartuchos. Esta es la
llave. *(Coge la llave de la pared y se la entrega.)*

DIAZ

(Asustado.) ¡Qué! ¿Piensa usted volar el túnel?

ECHECOPAR

¡Cállate! *(A* FERNÁNDEZ.*)* ¿De acuerdo, entonces?

FERNANDEZ

Claro que sí.

ECHECOPAR

Así me gusta, muchacho. (FERNÁNDEZ *va a salir.)* Haga todo con cuidado. Encienda también las luces posteriores del autocarril, porque el tren con el relevo está por llegar.

FERNANDEZ

Perfectamente. *(Desaparece hacia el túnel.)*

ECHECOPAR

(Desde la puerta.) Al regresar ponga su autocarril en el desvío de la derecha con las luces rojas encendidas...

FERNANDEZ

(Desde afuera.) Así lo haré. *(Se oye el encendido del motor de un autocarril.* FERNÁNDEZ *aparece nuevamente en la puerta.)* Si lo hace para probarme, sepa que usted no es aquí el único valiente. *(Sale. Se oye alejarse el autocarril.)*

DIAZ

No teme usted que...

ECHECOPAR

Tú cállate y aprende de Fernández a no tener miedo. *(Llamando por el dictáfono.)* ¡Aló, aló, central del campamento!

ROBERTO

(Por el dictáfono.) Central del campamento...

ECHECOPAR

Roberto: que parta el tren con los relevos.

ROBERTO

Muy bien, ingeniero.

ECHECOPAR

(Al dictáfono.) ¡Aló, aló, central uno...!

SANTIAGO

(Por el dictáfono.) Central uno.

ECHECOPAR

Santiago, dentro de unos minutos va a pasar el tren con los relevos. Avisa al maquinista que hay un autocarril cargando explosivos.

SANTIAGO

Muy bien, ingeniero.

ECHECOPAR

(Al dictáfono.) ¡Aló, aló, central tres! *(Aguarda.)* ¡Central tres, aló! *(Aguarda.)* ¡Aló!... No hay nadie. Sánchez podría ser un magnífico ministro. ¡Jamás se le encuentra! ¡Aló, central tres!...

DIAZ

¿Nadie?

ECHECOPAR

Nadie. No trabajan para rendir, para ser útiles. Trabajan para tragar.

DIAZ

Quizá tengan razón. Confieso que a mí me pasa algo semejante. ¿A usted no?

ECHECOPAR

No. Yo trabajo para no morirme de hambre, y también para ser útil. Tengo algunas ideas al respecto, pero de nada serviría exponértelas a ti. ¡Aló, aló, central tres! ¡Central tres! ¡Nada! Y también trabajo para que mi mujer eduque a sus hijitas en el mismo colegio que las de las señoronas. Si no, se muere... ¡Aló, central tres!

SANCHEZ

(Por el dictáfono.) Sí, central tres...

ECHECOPAR

¿Sánchez?

SANCHEZ

Diga, ingeniero...

ECHECOPAR

Que se alisten las patrullas. El tren con el relevo llega en diez minutos.

SANCHEZ

Muy bien, ingeniero.

ECHECOPAR

Sánchez, si la próxima vez no contestas inmediatamente, te largo.

SANCHEZ

Ingeniero, es que estaba viendo una perforadora que...

ECHECOPAR

(Interrumpiéndolo.) ¡Nada! Te pago para que atiendas al teléfono. (DÍAZ *se asoma a la ventana.)* ¡Aló, aló, central de Collacocha!

AYUDANTE

(Por el dictáfono.) Central de Collacocha.

ECHECOPAR

Llámame al ingeniero Soto.

AYUDANTE

Ha salido, ingeniero.

ECHECOPAR

¿Sabes adónde ha ido?

AYUDANTE

A la laguna no ha subido, ingeniero, porque estuvo allí hace un rato. Debe de estar en camino al campamento.

ECHECOPAR

Ya.

DIAZ

(*Desde la ventana.*) Arriba, una tirita de cinta azul:
el cielo. Abajo, una tenue serpentina blanca: el río. Y
en medio, dos paredes de piedra de mil quinientos metros de altura, separadas por unos palmos... (*A* ECHECO-
PAR.) ¿Puede usted vivir así?

ECHECOPAR

(*Trabajando.*) Sí.

DIAZ

¿Puede usted ser feliz metido en una barraca que
por un lado da a un túnel y por el otro a un precipicio?

ECHECOPAR

(*Sin levantar la vista.*) ¿Por qué no? ¿No lo son otros
metidos en una oficina o en un club?

DIAZ

¿Pero no extraña usted nunca la ciudad, la gente
bien vestida, las mujeres, las flores?

ECHECOPAR

(*Riendo.*) ¡Oh, no, no, no! Hace tres años que fui por
última vez y aún no siento los menores deseos de regresar.

DIAZ

Yo me vuelvo loco de alegría al pensar que dentro
de tres días estaré allá.

ECHECOPAR

Mira, yo no lo oculto: mi mujer y mis hijas son
envidiosas y necias, como muchas. Creen que la situación del mundo se va a arreglar organizando fiestas
para dar a los pobres por caridad lo que merecen por
derecho. Mi hermano es un adulón que no pierde un
besamanos en Palacio. Además, es uno de esos tipos

que se sonríen distinto, según la persona a que saludan. Es débil con los fuertes y fuerte con los débiles, al revés de lo que debe ser. Y mi hijo, que es periodista y poeta, cree que en el Perú vale más participar poéticamente en el dolor universal que taladrar montañas y salvar abismos. Naturalmente, me cree un animal. No sabe que si nuestro país estuviera un año en manos de cretinos como él, nos olvidaríamos hasta de cómo se enciende el fuego. ¿Para qué, pues..., para qué? *(Ruido de autocarril que se acerca.)* ¡Ah, ese debe de ser Soto!

DIAZ

Es usted un hombre original.

ECHECOPAR

Si crees que es originalidad preferir el olor de los indios a la pestilencia de la molicie y la indignidad... *(Ruido y pito de tren.)* Ya llegan los relevos.

DIAZ

Bentín llega ahora con las patrullas de relevo. ¿Piensa usted hablar con él sobre la reunión sindical de esta tarde?

ECHECOPAR

(Cortante.) Yo no trato con Bentín. Si quieren entenderse conmigo, que me manden a Rojas. Rojas es revolucionario porque ama a los de abajo; Bentín, porque odia a los de arriba. El también incurre en el pecado nacional de no amar a nadie. Porque tú sabes que aquí nos odiamos y nos despreciamos entre blancos, indios, cholos, negros, zambos, ricos, pobres, cultos y analfabetos. No es un mal muchacho, pero me hartan sus discursos.

DIAZ

¿Puedo irme a desayunar?

ECHECOPAR

Anda. Y di que al mediodía manden en un autocarril

almuerzo para mí y para Fernández. (*El autocarril se detiene. Entra* SOTO.)

SOTO

¿Se van ustedes?

ECHECOPAR

No. Yo voy a quedarme aquí todo el día.

DIAZ

Yo tengo un hambre canina. (*A* ECHECOPAR.) ¿Puedo irme, ingeniero?

ECHECOPAR

Vete.

DIAZ

Hasta la tarde, señores.

SOTO

Hasta luego, Díaz. (DÍAZ *sale. Se oye alejarse su autocarril. Vehemente.*) Echecopar: ¡algo importantísimo!

ECHECOPAR

¿Qué pasa, Soto?

SOTO

Echecopar: ¡la muerte está rondando en Collacocha!

ECHECOPAR

¿Y por qué no me la trajiste? Hace tiempo que tengo curiosidad de conocerla.

SOTO

No es para bromear. Hace media hora que he bajado de la laguna. Echecopar: ¡en seis horas, el nivel del agua ha bajado sesenta centímetros!

ECHECOPAR

(*Alarmadísimo.*) ¿Qué?

SOTO

Sesenta centímetros, ¿comprendes? Son miles de metros cúbicos...

ECHECOPAR

(Interrumpiendo.) ¿Sesenta centímetros?

SOTO

Son miles de metros cúbicos de agua que han desaparecido, Echecopar...

ECHECOPAR

(Reponiéndose.) Bueno, viejo, ¿no sabes que esas cosas suelen ocurrir? ¿No es así, acaso, nuestro país? Hay una laguna: un cerro la aplasta. Luego, un río se lleva al cerro y, finalmente, vuelve a salir la laguna un par de kilómetros más allá.

SOTO

Echecopar, te suplico...

ECHECOPAR

Y el hombre que quiere dominar esta Naturaleza tiene que ser fuerte, como ella.

SOTO

Echecopar, por Dios, ¿no te das cuenta?

ECHECOPAR

Nada, hombre, tú te asustas de todo. Los últimos días han estado cayendo grandes bloques de hielo de los nevados; ha aumentado enormemente la presión del agua, se han abierto grietas en el fondo y ha habido grandes filtraciones. Eso es todo. ¿No es natural?

SOTO

Comprendo..., comprendo... Pero, Echecopar, por Dios, ¿adónde irán a salir esas grietas?

ECHECOPAR

¿Pero te crees que yo soy Papalindo para saberlo todo?

SOTO

¿Y si las grietas van a salir a la quebrada, o al túnel?

ECHECOPAR

(Levantándose.) ¡Imposible, Soto! Olvidas lo que nos han dicho los geólogos: trabajamos en un gigantesco macizo de millones y millones de toneladas. Los mares de todos los planetas no podrían moverlo.

SOTO

Echecopar, te ruego que me respondas con la mayor seriedad: ¿sabes exactamente lo que estás diciendo?

ECHECOPAR

¿Y cuándo digo yo lo que no sé? ¡Niñerías, Soto, niñerías! Estás solo allí arriba y tienes miedo, eso es todo. Ahora que, tratándose de este país, yo nunca respondo de nada. *(Ríe.)* Tú sabes que toda la fuerza y la pujanza que le faltan aquí al hombre las tiene, con creces, la Naturaleza salvaje, contra la que tú y yo luchamos.

SOTO

Entonces, ¿no crees que sea necesario tomar precauciones?

ECHECOPAR

¿Y qué precauciones quieres que tome?

SOTO

Que no se trabaje hasta que se normalice el nivel de la laguna.

ECHECOPAR

¡De ningún modo! El año pasado, en las tres ocasiones en que ocurrió algo parecido, me hiciste paralizar el trabajo para nada. No se puede hacer esperar a la civilización tan solo porque un hombre tiene miedo.

SOTO

Es que algún día puede ocurrir una catástrofe. ¿Te imaginas si la laguna se viene por el túnel? ¿Puedes imaginarte lo que pasaría?

ECHECOPAR

En alguna forma hay que reventar, Soto. No podemos contar con algo que lo mismo puede ocurrir hoy como dentro de cien o de mil años, o nunca. Además, ¿qué quieres que haga? ¿Pretendes domar una cordillera con cintitas celestes? Yo, por mi parte, estoy dispuesto a asfaltar esta carretera con mis huesos y con los de ustedes.

SOTO

Es que no todo está en nuestras manos...

ECHECOPAR

No; todo, no. Pero portarnos como hombres de verdad, eso siempre está en nuestras manos. Lo que pasa es que, como todos, tú ves en nuestra obra tan solo una inversión, un negocio, que ni siquiera es tuyo. Pero nuestra obra es más que eso. Estamos combatiendo la miseria humana y estamos construyendo la felicidad de los hombres del futuro.

SOTO

Echecopar, ¡son sesenta centímetros!

ECHECOPAR

Somos un país demasiado salvaje como para darnos el lujo de hacer esperar al progreso y a la civilización. ¿No han comenzado, acaso, las lluvias? ¿No sabes que si no defendemos algunos puntos, un par de huaycos destruye en media hora lo que hemos hecho en dos años?

SOTO

Como quieras, viejo; pero la muerte ronda en Collacocha.

ECHECOPAR

¡Pues acuéstate con ella!

SOTO

¡Eres intolerable!

ECHECOPAR

Nada. Si tienes miedo, lárgate, que ya conseguiré otro. *(Amistoso.)* ¿Sabes tú cuántos miles mueren al año porque no hay medicinas ni alimentos? ¿Sabes tú que cada hora que se trabaja aquí significa rescatar a muchos de la muerte y la miseria? Todo esto no puede detenerse porque un señor Soto tiene miedo...

SOTO

¡Yo no tengo miedo! *(Se oye el ruido del tren que se detiene y rumor de voces.)*

ECHECOPAR

¡Lárgate, entonces, a tu laguna! ¿A qué demonios has venido?

SOTO

Adiós, Echecopar. Ojalá tengas razón. (SOTO *sale.*)

ECHECOPAR

(Desde la puerta.) Aquí no se trata de quién tiene razón. El que está llevando la felicidad a otros, no puede tenderse a roncar en el camino. *(Regresa a su escritorio. Mira unos momentos el mapa que está detrás de él. Hace un gesto de despreocupación y se dispone a trabajar. Entra* BENTÍN.)

BENTIN

Buenos días, ingeniero.

ECHECOPAR

Buenos días, Lenin.

BENTIN

(Sonriendo.) Gracias por la comparación. Lenin fue un gran hombre.

ECHECOPAR

¿Y yo no soy un gran hombre? Y Pedro Mamani, el brequero, ¿no es un gran hombre? Pedro Mamani come, trabaja, procrea, duerme, anda en harapos, come hambre, duerme en el suelo y goza de la vida. Yo encuentro eso sencillamente formidable.

BENTIN

Pero Lenin, ingeniero... Piense usted en la situación europea de principios de siglo...

ECHECOPAR

La situación europea... La situación europea... ¡Qué demonios me importa a mí eso, hombre!

BENTIN

Es que no se puede pensar como usted, ingeniero. Hay causas universales. ¡Todos somos hermanos!

ECHECOPAR

Lo serás tú, anarquista de carnaval. Yo no, ¿entiendes? Yo soy hermano de Soto y de Sánchez y de Fernández y de los cuatrocientos indios que trabajan aquí y de los Quiñones. De nadie más.

BENTIN

¿Y los millones de hombres que sufren en el mundo?

ECHECOPAR

No faltará otro que se preocupe por ellos. Yo soy hermano de los que puedo tocar, de los que puedo reventar o enaltecer. De nadie más. Tú no haces nada por los indios de aquí. ¿De qué les sirve a ellos que seas hermano de los pobres de la India, o del Turquestán?

BENTIN

Es que, además, ingeniero...

ECHECOPAR

(Cortando.) Además no hay sino dos cosas, hombre: los grandes apóstoles, que ni tú ni yo lo somos, y las grandes mentiras y la conversación, y el negocio y el arribismo. ¡Me indignas! Pero ¿piensas tú en la situación del país? ¡Nadie trabaja! ¡Todos conversan! Los directores conversan de mujeres. Los indios conversan de su hambre. Tú conversas de tus hermanos del Turquestán. Y, entre tanto, los puentes se tienden solos, los túneles se abren solos. No sé. Debe de ser un milagro de fray Martín...

BENTIN

Es que yo insisto en que la democracia...

ECHECOPAR

(Cortante.) ¡Qué democracia ni qué veinte mil demonios! Tú no insistes sino en tus mentiras y en tus estupideces. ¿Acaso te he dicho yo que vengas a hablarme de la situación europea? Yo rompo montañas y salvo abismos. ¡Qué cuernos, si tú lo comprendes y lo agradeces..., o tus hermanitos de Siberia..., o tus primitos de Beluchistán...!

BENTIN

Bueno... bueno. *(Cambiando de tema.)* Ingeniero, he venido...

ECHECOPAR

¡No!

BENTIN

¿Cómo?

ECHECOPAR

Que no.

BENTIN

Si todavía no he preguntado nada...

ECHECOPAR

Pero ibas a hacerlo.

BENTIN

En efecto. He venido, ingeniero, a pedirle algo a lo que usted no puede negarse.

ECHECOPAR

Pues bien: me niego.

BENTIN

Habla usted como si supiera lo que le voy a preguntar.

ECHECOPAR

¿Te vas a callar? Tú has venido a preguntar si asistiré a la reunión sindical. Pues no, no voy a ir. Contigo, nada, ¿oyes? Tú no amas a nadie. Tú odias a los ricos, y lo que quieres es reventarlos, para hincharte tú mismo. Te mueres de envidia, eso es todo; te asfixias de resentimiento y de vanidad.

BENTIN

(*Colérico.*) Haré como si no lo hubiera oído, ingeniero. Pero antes de irme quiero decirle que en esa reunión se va a tratar de la cancelación de los contratos y del pago de las indemnizaciones.

ECHECOPAR

Me importa un bledo.

BENTIN

Yo lamento sinceramente que un hombre de su situación sea sordo a las justas reclamaciones de los obreros...

ECHECOPAR

¡Sordo! ¡Sordo! ¡Bellaco! ¿Pretendes tú que yo haga túneles, y que consuele a los obreros, y que diga misa, y que sea diputado? Que tus obreros hagan sin mí túneles como estos, que unan ellos sin mí la costa con la selva. O hazlo tú, monigote sin pantalones, y reconoceré que soy sordo.

BENTIN

Nadie niega, y yo menos que nadie, los méritos indiscutibles de su labor personal. Pero esos méritos no deben ser obstáculo para que usted colabore en la solución de los problemas nacionales.

ECHECOPAR

¡Ajá! ¿De modo que construir caminos no es contribuir en la solución de los problemas nacionales?

BENTIN

Me refiero al problema social de los obreros...

ECHECOPAR

Me importa un bledo. Yo quiero y aprecio a Pedro Mamani, a Jacinto Valdivia, a Huamán Quispe y a todos. Converso con ellos, nos tomamos unos tragos. Si necesito algo, se lo pido. Si quieren algo, se lo doy. Cada uno de ellos es para mí exactamente como cualquiera de los Quiñones. Sus compañeras y sus hijos son para mí exactamente como las esposas y los hijos de los señorones. Eso es todo. Si todos fuesen como yo, no existirían los problemas de que hablas y tú te irías al demonio.

BENTIN

Está usted verdaderamente obcecado.

ECHECOPAR

Totalmente obcecado. Mi misión en la tierra es habilitar nuestro maldito país como morada del hombre, hacer su suelo transitable, abrir caminos para que los hombres se acerquen a ellos. Eso y nada más haré.

BENTIN

No es eso lo que dije...

ECHECOPAR

Y créeme que mi obstinación no conoce límites. Estoy obcecado; además, soy gruñón, majadero, terco, sucio y retrógrado. Bueno; sal y verás un túnel. Sigue a la izquierda y verás otro túnel..., sigue y verás un puente, sigue y verás otro túnel y otro puente..., y otro..., y otro..., y otro. Soy un ingeniero de Caminos; bueno, ahí están mis caminos. Hoy o mañana pasará por aquí el primer camión de la selva. De la selva al mar..., ¡se dice en dos palabras! Tú eres un revolucionario. Bueno, ¿dónde está tu revolución? ¡Contesta! ¿Dónde está?

BENTIN

Una revolución es algo que los acontecimientos...

ECHECOPAR

¡Qué acontecimientos ni qué niño muerto, hombre! ¿Dónde está tu patíbulo? ¿Dónde está tu osadía? ¿Dónde está tu amor? ¿Dónde está tu sacrificio? Solo hay mentiras, y resentimiento, y envidia. Haz tu revolución como yo hago mis túneles y después hablaremos...

BENTIN

(Exasperado.) ¡Esto es el colmo! ¡Usted niega los más elementales derechos del hombre!

ECHECOPAR

No los niego, imbécil. Lo que niego es que tú y mis diez mil paisanos que se parecen a ti sean auténticos defensores de ellos. Me revientan los apóstoles de su propia conveniencia. Y otra cosa, que puedes creerme: jamás, mientras pueda evitarlo, moveré un dedo por los derechos del hombre en nuestro país. ¿Nueve millones de hombres oprimidos, extorsionados, sangrados por cuatro o cinco millonarios? ¿Un rebaño de elefantes acosado por un paralítico? ¡No me hagas reír, hombre..., no me hagas reír!...

BENTIN

Es que los plutócratas y los aristócratas, amparados...

ECHECOPAR

(Cortando.) ¡No me hagas reír, hombre! Sal y verás mis túneles y mis puentes. ¡Que vengan tus plutócratas y tus aristócratas a destruirlos! Por este camino que me ha quemado las pestañas ocho años mientras tú roncabas o discurseabas, pasarán alimentos y maderas para la costa, máquinas y medicinas para la selva. Este camino, que lo he hecho a pesar de tus huelgas y de la miopía de los directores, incorpora a la Humanidad millones de hectáreas de tierra feraz. ¡Ven tú a hablarme, ahora, de la situación europea de principios de siglo!

BENTIN

Pero usted mismo tiene que reconocer que la plutocracia ha participado en la construcción de su camino...

ECHECOPAR

(Furioso.) ¿Quién? ¿Qué has dicho? La Compañía Quiñones y Quiñones puso el dinero..., ¿entiendes?, el dinero, que es lo más anónimo e impersonal que existe. Un millón de soles, venga de un santo o de un bribón, es siempre, fatal y únicamente, un millón de soles. Que se ponga cualquiera de los directores en la puna, cargado de millones y amanecerá en la panza de un buitre.

BENTIN

Y si los desprecia tanto, ¿por qué trabaja usted para ellos?

ECHECOPAR

¿Para ellos? Yo trabajo para mi país..., ¿entiendes?..., ¡para mi pueblo! *(Cogiéndolo de las solapas y zamaqueándolo.)* ¡Niégalo! ¡Anda, atrévete! ¡Niégalo y te aplasto como a una cucaracha! ¡Te aplasto el hocico! (*Llaman al dictáfono.* ECHECOPAR, *arrastrando consigo a* BENTÍN, *que lucha por deshacerse.*) ¡Hable!

SOTO

(Por el dictáfono.) ¿Echecopar?

ECHECOPAR

Sí, ¿Soto? ¿Adónde estás?

SOTO

¡Qué importa ahora adónde estoy! ¿Sabes lo que acabo de ver en este momento?

ECHECOPAR

No sé nada; ¡habia!

SOTO

¡Por Dios, qué bruto eres! ¿No se te ocurre?

ECHECOPAR

(Colérico.) ¿Es algo de la laguna, o no?

SOTO

No, Echecopar; ¡en Collacocha no pasa nada! ¿Sabes lo que acabo de ver en este momento? ¡El camión, Echecopar!

ECHECOPAR

¿El camión?...

SOTO

El primer camión que une por nuestro camino la costa con la selva...

ECHECOPAR

¿El camión, Soto? ¿El camión está llegando?

BENTIN

(Forcejeando por deshacerse.) ¿El camión?...

SOTO

¡Acaba de entrar al túnel!

BENTIN

(Logra soltarse, va hasta la entrada del túnel y grita.) ¡Kammionmi chekamunam! *(Afuera, murmullos de la gente que llegó con el tren.)* ¡Kammionmi chekamunam!

UNA VOZ

(Afuera.) ¡Kammionmi chekamunam...! *(Crece el murmullo.)*

UNA VOZ

(Más lejos.) ¡Kammionmi chekamunam...!

VOCES

(Afuera, acercándose cada vez más.) ¡Kammionmi chekamunam! ¡Kammionmi chekamunam! ¡Kammionmi chekamunam! *(Las voces crecen y se acercan, ellas deben continuar mientras ocurre la siguiente escena.)*

ECHECOPAR

(Asomándose a la entrada del túnel.) ¡Kammionmi chekamunam! *(Algunos indios ingresan del túnel y se reparten por la pared derecha del escenario gritando.)*

INDIOS

¡Kammionmi chekamunam!, etc.

ECHECOPAR

(Tomando consigo a BENTÍN *y acercándose a la boca del escenario.)* ¡Máquinas y medicinas para la selva!

BENTIN

¡Alimentos y maderas para la costa!

ECHECOPAR

¿Te das cuenta, monigote de mi alma?

BENTIN

Me doy cuenta..., me doy cuenta; ¡no hay distancias en el mundo! Y donde las hay, los valientes las salvan. *(Los gritos decrecen.)*

ECHECOPAR

¡Eso me gusta, Bentincito! ¿Quién construyó el camino? ¿Los derechos del hombre? ¿Tus sanguinarios plutócratas, desgraciado?

BENTIN

Un ingeniero, ¡usted salvó las distancias!

ECHECOPAR

¿Yo? ¡No, hombre, no! *(Señalando a los indios.)* ¡Ellos! Ellos hicieron el camino... *(Avanzando hasta los indios y palmoteándolos.)* ¡Estos pestíferos amados de mi corazón! Sin comer, sin dormir, sin quejarse, noche y día, día y noche, mientras tú y yo roncábamos, ellos hicieron el camino, ellos horadaron los túneles y tendieron los puentes!

BENTIN

(Declamatorio.) ¡Caminos de amor y confraternidad!

ECHECOPAR

¡Calla, imbécil, que me recuerdas al cretino de mi hijo!

FERNANDEZ

(Apareciendo.) ¿Qué pasa aquí? ¿Se han vuelto todos locos?

BENTIN

Locos, locos de remate...

ECHECOPAR

El camión está llegando, ¿entiendes? ¡El primer camión que viene de la selva!

FERNANDEZ

(Entusiasmado.) ¡Es formidable! *(Se abrazan.)*

ECHECOPAR

(Va hacia el fondo y habla hacia el túnel.) Pero ¿qué pasa aquí? ¡Todo el día se lo pasan amarrando el macho y tocando quena! ¿Y ahora nada? *(Una quena comienza a sonar.)* ¡Al viento las quenas de Collacocha! *(Más quenas se unen a la primera en un aire festivo y recio.)* ¡Tokaychik kenakunata! *(Aumenta el coro de las*

quenas. También tocan los indios de la escena y comien-
zan a bailar. Se escucha el taconeo de la gente que baila
en el túnel. ECHECOPAR *quita la quena a uno de los in-*
dios e ingresa, tocando él mismo, a la barraca, FERNÁN-
DEZ *y* BENTÍN *lo siguen.)*

BENTIN

(Al dictáfono.) ¡Aló, central uno!

SANTIAGO

(Por el dictáfono.) Central uno.

BENTIN

¿Santiago? Habla Bentín.

SANTIAGO

¿Dónde está usted, que hay tanto estrépito?

BENTIN

Santiago, ¡el camión está llegando!

SANTIAGO

¿El camión de la selva?

BENTIN

El camión de la selva. ¡Avisa al todo el campamento!
(Corta.)

ECHECOPAR

(Dejando de tocar y palmoteando la pared de roca
de la ventana del abismo.) ¡Ande, ande! ¿A qué te estará sabiendo esto?

UNA VOZ

(Afuera.) ¡Kammionmi chekamunam! *(Las quenas*
dejan de tocar.) ¡Kammionmi chekamunam! *(Se hace*
un gran silencio. A través del silencio aparece el ron-
quido del motor del camión. Gran expectativa en todos
los rostros. El ruido crece y crece, hasta que se oye al
camión detenerse en el túnel. Se apaga el motor. Golpe
de cierre de la portezuela. Todos gritan unánimemente.)

TODOS

(*Jubilosamente.*) ¡Ahhhhhhhhh...! (*Seguido de muchos indios, ingresa al escenario* JACINTO TAIRA, *quien entra a la barraca y se detiene en la puerta.*)

TAIRA

(*A* ECHECOPAR, *llevándose la mano a la gorra.*) ¡...días, patrón! (*Los tres le devuelven el saludo con la mano.*)

ECHECOPAR

¿Cómo te llamas?

TAIRA

Jacinto Taira.

ECHECOPAR

Jacinto Taira... ¿De dónde eres?

TAIRA

De San Pedro de Lloc.

ECHECOPAR

De San Pedro de Lloc... ¿A qué hora comenzaste a subir?

TAIRA

En la madrugada.

ECHECOPAR

¿Y a qué hora piensas estar abajo?

TAIRA

P'al anochecer.

ECHECOPAR

¿Oyes, Fernández? ¿Oyen todos? ¿No es acaso formidable? Jacinto Taira, de San Pedro de Lloc, comenzó a subir a la madrugada y al anochecer estará ya abajo.

TAIRA

Así es, patrón.

ECHECOPAR

(*Parándose delante de* TAIRA.) Así es, Jacinto Taira, de San Pedro de Lloc. ¡Todo un cholo con sus patas cortas, su bufanda y su pucho. ¡Un trago para Jacinto Taira! (*Busca con la mirada.*) ¡Ah, ya se fue el desgraciado de Díaz! ¡Un premio para Jacinto Taira! Fernández, ¡jajajá, tus binoculares para Jacinto Taira, de San Pedro de Lloc! (*Cuelga del cuello del chófer los binoculares de* FERNÁNDEZ, *que estaban sobre su escritorio. Quitándose su reloj de pulsera.*) ¡Y mi reloj, para Jacinto Taira!

FERNANDEZ

Taira, es usted el primer hombre que cruza este camino...

TAIRA

Se hace lo que se puede, señor...

ECHECOPAR

¡Se hace lo que se puede! ¡Eso es! ¿No es cierto, Fernández? Se hace lo que se puede... y allí están los túneles, allí están los puentes, allí están los camiones, doblando las abras. ¿Y cómo está ese camino, Jacinto Taira?

TAIRA

Cómo va a estar, pues, patrón: como un espejo. Cuando arregle usted el arroyo a la entrada de este túnel...

ECHECOPAR

(*Interrumpiéndolo, a todos.*) ¿Han oído? ¡Como un espe...! (*Se interrumpe, gira violentamente hacia el chófer y le pregunta, extrañado.*) ¿Un arroyo, dices? ¿De qué arroyo estás hablando?

TAIRA

Ese que hay aquí no más, patrón, en la quebradita entre este túnel y el otro...

BENTIN

(A TAIRA.) Te aseguro que la próxima vez que pases por aquí no habrá arroyo que te fastidie...

ECHECOPAR

(Que está demudado, al chófer y a los indios.) Salgan... *(Estos obedecen solo lentamente.)* ¡Que salgan, digo! ¡Fuera! ¡Afuera todos! *(Todos salen extrañados.* ECHECOPAR *cierra la puerta y queda detenido junto a ella, de cara al público, ensimismado y muy angustiado.* FERNÁNDEZ *y* BENTÍN *se miran desconcertados.)*

FERNANDEZ

(Acercándose a ECHECOPAR.) ¿Se siente usted mal, ingeniero?

BENTIN

(También acercándose.) Tiene usted mala cara... ¿No se siente bien?

ECHECOPAR

(Después de una pausa, como para sí mismo.) El arroyo..., las grietas..., la laguna... ¡La laguna!... *(De pronto grita, mirando en torno suyo.)* ¡Sotoooo! *(Abre la puerta y grita afuera.)* ¡Sotoooo! *(Avanza hacia la entrada del túnel y vuelve a gritar.)* ¡Sotoooo! *(Entra al túnel y se le oye llamar una vez más.* BENTÍN *y* FERNÁNDEZ *se miran, encogiéndose de hombros.)*

TELON

ACTO SEGUNDO

El escenario, como en el acto anterior. FERNÁNDEZ y BENTÍN están sentados.

BENTIN

(Casi en son de mofa.) «El arroyo, las grietas, la laguna...» Verdaderamente, no sé qué demonios pueda significar eso.

FERNANDEZ

Algo debe de significar para él, porque cuando lo dijo estaba demudado.

BENTIN

¿Qué cree usted que sea?

FERNANDEZ

¡Cómo lo voy a saber yo!...

BENTIN

Usted comprende que, por más grande que sea un arroyo, jamás puede llegar a formar una laguna que amenace el camino. Después de todo, cualquier indio de acá sabe cómo se hace un drenaje.

FERNANDEZ

El ingeniero Echecopar no me parece un hombre que se deje impresionar así no más por cualquier cosa.

BENTIN

Quizá. Pero en el fondo creo que así son estos hombres que se pasan la vida vociferando. Un arroyito, y salen volando como alma que lleva el diablo.

FERNANDEZ

Esa no es mi impresión. Pero, en fin, usted lo conoce mejor que yo...

BENTIN

¿Cree usted que es muy cuerdo ponerse a gritar:
«¡Soto, Soto!», y largarse hacia el campamento, cuando aquí todo el mundo sabe que Soto trabaja en la
central de Collacocha?

FERNANDEZ

Puede haberse ofuscado. Se dará cuenta de su error
y volverá.

BENTIN

Hace ya diez minutos que se fue y aún no hay in-
dicios de que vuelva. Más bien creo que, por si acaso,
nos podríamos ir largando también. ¿Le parece?

FERNANDEZ

No. Mejor no. Esperemos.

BENTIN

Pero ¿por qué? ¿No se ha ido él mismo?

FERNANDEZ

Estoy seguro de que volverá. Por lo menos, esperemos un rato más.

BENTIN

(Indicando el ambiente.) Esto no me gusta. Hay un
ambiente especial. No me gusta.

FERNANDEZ

(Cambiando de conversación.) ¿Cuánta gente trabaja aquí?

BENTIN

En este campamento son cerca de cuatrocientos. Entre los dos campamentos, más de mil.

FERNANDEZ

Y, por lo general, ¿cuánto gana un obrero?

BENTIN

De catorce a veintiocho soles.

FERNANDEZ

Es poco. Muy poco. Cuando pienso en la cantidad de veces que he gastado veintiocho soles sin necesidad...

BENTIN

Mire: yo también soy un hombre de ideas avanzadas. Pero no hay que ser sentimental. Doblarles el sueldo sería duplicar las borracheras. Viven como bestias.

FERNANDEZ

No les hemos enseñado a vivir en otra forma.

BENTIN

¡Oh, son muy malos alumnos!

FERNANDEZ

O tienen muy malos profesores. *(Entra precipitadamente* ECHECOPAR, *que queda parado en la puerta. Está sumamente agitado.)*

BENTIN

Ingeniero...

ECHECOPAR

(Interrumpiéndolo y para sí mismo.) ¡Sánchez, eso es! ¡Sánchez! *(Al dictáfono.)* ¡Central tres! ¡Central tres! ¡Sánchez, responde o te mato!

SANCHEZ

(Por el dictáfono.) Sí. ¿Ingeniero? Diga.

ECHECOPAR

Sánchez, di a toda persona que esté trabajando en el túnel dos que deje lo que esté haciendo; que todos

abandonen lampas, picos, ropa, todo, ¿entiendes?...,
todo y que vuelen al campamento. Pero que vuelen,
¿entiendes? ¡Que vuelen!

SANCHEZ

¿Ocurre algo grave, ingeniero?

ECHECOPAR

¡Gravísimo! Sánchez, por Dios, ¡que vuelen!

SANCHEZ

En el acto. (ECHECOPAR *corta.*)

BENTIN

¿Qué ha dicho usted?

FERNANDEZ

¿Qué es lo que ocurre?

ECHECOPAR

(Como distraído.) ¿Qué es lo que ocurre? No... Aún
no ocurre nada. Pero puede ser que...

BENTIN

¿Qué...?

ECHECOPAR

Puede ser que, dentro de unos minutos, no quede
nada de todo esto.

FERNANDEZ

(Entre asustado y colérico.) Echecopar, explíquese.
Está usted hablando con personas mayores y juiciosas.

ECHECOPAR

Bien, escuchen: ¿No han oído al chófer hablar de
un arroyo a la salida de este túnel?

BENTIN

Sí, habló de un arroyo...

ECHECOPAR

Pues ese arroyo no existía esta mañana. *(Pausa, durante la cual* FERNÁNDEZ *estudia el mapa de la pared.)*

FERNANDEZ

(Volteando violentamente hacia ECHECOPAR.*)* ¿Quiere usted decir que el agua de la laguna está saliendo a la quebrada en la que termina este túnel?

ECHECOPAR

Exactamente.

BENTIN

(Comprendiendo, atemorizado.) Entonces, ¿estamos perdidos...?

ECHECOPAR

(Encogiéndose de hombros.) Nosotros no podríamos evitarlo. Ante un aluvión, el hombre es un grano de polvo en la tormenta. *(Sobreponiéndose.)* Pero muy bien puede no ocurrir nada. O todo puede ocurrir dentro de cien o dentro de mil años, o nunca. Nuestro país es así. Pero, en todo caso, yo debo actuar como si el peligro fuese inminente, y pónganse a salvo en los cerros. Eso sí, tienen que ir a pie; el tren debe esperar a los obreros que vienen del túnel dos, que han trabajado toda la noche y estarán agotados.

FERNANDEZ

(Asombrado.) Pero ¿piensa usted quedarse aquí?

ECHECOPAR

¡Naturalmente!

BENTIN

¡Eso es una locura, ingeniero!

FERNANDEZ

(Enérgico.) ¡No se lo permitiremos!

ECHECOPAR

(Tranquilo y decidido.) Tengo que vigilar la salida de la gente. Tengo que estar en comunicación con Soto...

BENTIN

(Interrumpiendo.) ¡Pero si usted no sabe dónde está!

ECHECOPAR

Me acaban de decir que ha ido a su central. Tengo que estar en comunicación con Soto para que me avise lo que ocurre en la quebrada. Porque, si fuese necesario, volaría el túnel, para entretener un rato el aluvión, mientras la gente que huye y la del campamento se pone a salvo.

BENTIN

Pero ¡usted puede volar el túnel a la salida del campamento!

ECHECOPAR

¡Nunca! Eso sería alargar el camino de huida de los que vienen del túnel dos.

BENTIN

(Como buscando una escapada.) ¡Piense en su familia, ingeniero!

ECHECOPAR

Mi familia son estas piedras, estos indios, esta oscuridad.

FERNANDEZ

Además, usted no puede hacer solo todo lo que se propone.

ECHECOPAR

Tendré que hacerlo. Lo intentaré.

FERNANDEZ

(Decidido, acercándosele.) ¿Puede usted necesitarme aquí?

ECHECOPAR

(Sorprendido y casi con ternura.) Sí, podría necesitarte. Un hombre como tú es siempre útil. Pero ponte a salvo. Eres joven y no le debes lealtad a esta obra ni a esta gente.

FERNANDEZ

El valor no tiene edad, Echecopar. (ECHECOPAR *le palmea el hombro.)*

BENTIN

(Tímido.) También me quedaré yo, ingeniero, si usted quiere...

ECHECOPAR

(Admirado.) Sí, quiero. Ya es tiempo de que expongas el pellejo por tus trabajadores. *(Entusiasmándose.)* Después de todo, los aluviones no son las peores cosas del Pacífico... Bentín, da orden a los trabajadores de que se retiren, que huyan. Explícales el peligro. Pero el tren se queda aquí. (BENTÍN *se dispone a salir.)* ¡No, aguarda! Antes de ello, tú, Fernández, avanza el autocarril con la dinamita hasta unos doscientos metros antes de la quebrada. *(Entregándole un rollo que toma de la pared.)* Lleva mecha. Al salir, te vienes desenrollándola, ¿entendido?

FERNANDEZ

Entendido. *(Toma el rollo y sale apresuradamente.)*

ECHECOPAR

(A BENTÍN, *que está decaído.)* ¿De dónde sacaste valor?

BENTIN

No sé. A su lado me siento tranquilo. Además, con su actitud me ha hecho usted reflexionar sobre mí mismo.

ECHECOPAR

¿No prefieres irte? (BENTÍN *niega con la cabeza. Se*

oye encenderse y alejarse el autocarril de FERNÁNDEZ.)
Ya pasó Fernández. Háblales ahora.

BENTIN

(Sale de la barraca y habla hacia el túnel.) ¡Oigan
todos! *(Murmullo de gente que se acerca.)* ¡Oigan todos!
Hay un derrumbe en la quebrada. Deben salir del túnel inmediatamente, pero en orden. *(Murmullo de voces
alarmadas.)* Cuando lleguen al campamento pónganse
a salvo, con sus cosas, sobre los cerros. *(Afuera, agita-
ción tumultuosa.)* ¡No, no! ¡Deben ir a pie! *(A* ECHECO-
PAR.) ¡Ingeniero, se están subiendo al tren! *(Hacia afuera.)* ¡Baje todo el mundo del tren!

ECHECOPAR

(Desde la puerta de la barraca.) ¡El tren no parte
de ninguna manera! ¡Llámame al maquinista!

BENTIN

¡Quispe! ¡Quispe! *(A* ECHECOPAR.) ¡Lo están subiendo a la fuerza a la locomotora! Es inútil: ¡están como
locos!...

TAIRA

(Entra tropezándose, como perseguido.) ¡No, no!
¡Patrón, yo me quedo con usted!... *(Entran algunos*
OBREROS, *que lo cogen y arrastran afuera.)* ¡No!... ¡Pa-
trón!... ¡Patrón!... *(Ruido del tren, que parte. Pausa.)*

BENTIN

Y nosotros..., ¿cómo vamos a salir de aquí?

ECHECOPAR

Pero si estás tan aterrado, ¿por qué no te largas
con ellos?

BENTIN

No puedo..., no puedo... *(Ruido del camión que se
aleja.)*

ECHECOPAR

(Imitándolo.) ¡No puedo!

BENTIN

Tengo una ideología, ingeniero...

ECHECOPAR

¿Y qué me importan a mí las ideas? ¡Me importan
los hombres! ¡Solamente los hombres! Sé generoso, honrado y valiente, y piensa como te dé la gana. ¡Ideologías!... Ahora, por ejemplo, eres una ideología que tiembla aterrada. ¿De qué me sirve a mí eso? ¡Lárgate, que
el camión estará aún cerca! *(Llaman al dictáfono.)* Aló,
central dos.

SOTO

(Por el dictáfono.) Habla Soto. ¿Echecopar?

ECHECOPAR

Sí, en este momento te iba a llamar. ¿Qué ocurre?

SOTO

¿Piensas estar en la oficina a las cuatro de la tarde?

ECHECOPAR

Sí..., nadando...

SOTO

¿Cómo?

ECHECOPAR

Nadando..., n-a-d-a-n-d-o...

SOTO

No entiendo qué quieres decir con eso.

ECHECOPAP

Dime, Soto: ¿te has vuelto ciego?

SOTO

¿Ciego? ¿Por qué?

ECHECOPAR

Toma tus prismáticos y mira hacia el camino que bordea la quebrada.

SOTO

Un instante.

ECHECOPAR

(A BENTÍN.*)* ¡Ideologías, bah! Se nos está viniendo un aluvión encima; a ver, ¡detenlo con tus ideas! ¿No puedes? Pues yo sí lo voy a detener y, con todo, no tengo partido político. ¿Por qué no vas a la laguna y le cuentas lo que me estabas diciendo de los derechos del hombre?

SOTO

¡Echecopar, el camino se ha inundado en un tramo de casi veinte metros! El fondo de la quebrada está cubierto de agua.

ECHECOPAR

¡Ajá!

SOTO

Dos indios están tratando de cruzar; van con el agua a la cintura. ¿Puedes mandarme un caterpillar?

ECHECOPAR

(Furioso.) ¿Un caterpillar? ¿No quieres que te mande mejor una caja de cintitas celestes? *(Cambiando de tono.)* Oye, Soto: ¿recuerdas lo que me dijiste hace un rato de la laguna?

SOTO

¿Crees que...?

ECHECOPAR

Exactamente; eso creo.

SOTO

Entonces, ¡estamos perdidos!

ECHECOPAR

¿También tú te vas a poner a llorar como Bentín?
Escucha: naturalmente, puede sobrevenir una catástrofe de un momento a otro. Pero ni tú ni yo podemos
movernos de aquí hasta haber puesto en seguridad a
los indios que están trabajando en el túnel dos.

SOTO

Temo que, dentro de unos momentos, no será posible vadear la quebrada...

ECHECOPAR

Les he hecho avisar con Sánchez. Antes que hayan
pasado, no nos podemos mover ni tú ni yo, ¿entendido?

SOTO

Bueno, bueno... Pero, si ocurre algo, ¿cómo salgo
yo de aquí?

ECHECOPAR

Te lo voy a decir, Soto: cuando la quebrada se haya
puesto absolutamente intransitable, cuando sea del todo
imposible que una persona más pueda salvarse, me lo
dices, y yo vuelo el túnel, para entretener un rato al
aluvión, mientras la gente del campamento y de los
pueblos del valle se pone a salvo sobre los cerros. Cuando oigas la explosión, huyes por las punas a Huarmaca
o a cualquier otro caserío, ¿entendido?

SOTO

Que sea como Dios quiera...

ECHECOPAR

Tenme al tanto de todo lo que ocurra.

SOTO

Pierde cuidado.

ECHECOPAR

Espera hasta lo último para darme la voz de volar.

SOTO

Sí, sí...

ECHECOPAR

Y cuando oigas la explosión, huyes por las punas.

SOTO

Muy bien.

ECHECOPAR

Otra cosa: nunca he dudado de tu valor. Acuérdate, ahora, de que el verdadero valiente es el que defiende a los demás.

SOTO

Puedes confiar en mí.

ECHECOPAR

Adiós, entonces.

SOTO

Adiós.

ECHECOPAR

(Siempre al dictáfono.) ¡Aló, aló: Central del campamento!

ROBERTO

(Por el dictáfono.) Central del campamento.

ECHECOPAR

Habla Echecopar.

ROBERTO

¿Qué tal, ingeniero? Habla Roberto.

ECHECOPAR

Roberto, ocurre algo sumamente grave.

ROBERTO

¿Algo grave, dice?

ECHECOPAR

Sí. Es muy probable que estemos ante un aluvión.

ROBERTO

¿Un aluvión? ¡Aquí no notamos absolutamente nada!

ECHECOPAR

No, es un aluvión que viene de la laguna. Roberto, da orden a toda la gente del campamento que se ponga a salvo en los cerros.

SANCHEZ

(Desde muy lejos, grita con desesperación.) ¡Echecopaaaar!...

ECHECOPAR

(Que un momento ha quedado, extrañado, escuchando el grito de SÁNCHEZ.*)* Algo más, Roberto: te suplico, te ruego por tu madre, o por lo que más quieras en el mundo, que tomes un autocarril y des la noticia a todos los pueblos del valle.

ROBERTO

Sí, sí, así lo haré.

ECHECOPAR

¿Me lo juras?

ROBERTO

Se lo juro, ingeniero.

ECHECOPAR

Eres un gran cholo, Roberto. ¡Buena suerte!

SANCHEZ

(Más cerca, grita.) ¡Echecopaaaar!... ¡Echecopaaaar!

ROBERTO

Buena suerte. Pero... ¿usted se queda?

ECHECOPAR

Sí.

SANCHEZ

(Más cerca, mientras ya se oyen sus pasos acercarse a la carrera.) ¡Echecopaaaar!

ROBERTO

Muy bien. Hasta la vista, ingeniero.

ECHECOPAR

Ojalá.

FERNANDEZ

(Entrando y señalando hacia afuera.) Por allí viene un loco...

SANCHEZ

(Más cerca.) ¡Echecopar!

ECHECOPAR

(A FERNÁNDEZ.) ¿Está la mecha perfectamente colocada?

FERNANDEZ

Puede usted encenderla delante de la puerta.

SANCHEZ

(Irrumpe, gritando aterrado.) ¡Echecopaaaar! ¡Echecopar!

ECHECOPAR

Sánchez, ¡repórtate! ¿Qué es lo que ocurre?

SANCHEZ

(Hablando con voz apagada y temblorosa.) ¿No han oído? *(Se lleva un dedo a la boca, como pidiendo silencio.)* ¿No han oído?

FERNANDEZ

No, no hemos oído nada.

BENTIN

¿Qué es lo que ha oído usted?

SANCHEZ

(Gritando, presa del espanto.) ¡Fue como si la tierra se rajara! ¡Como si las montañas estuvieran estru-

jando lentamente el túnel! ¡Es horrible, horrible, horrible!

ECHECOPAR

(Removiendo a SÁNCHEZ *por los hombros.)* ¡Es el miedo! ¡Aquí no hemos oído nada!

SANCHEZ

¡Sí, sí! ¡Como si un río subterráneo arrastrara grandes piedras!

SANTIAGO

(Por el dictáfono.) Aló, aló: ingeniero Echecopar...

ECHECOPAR

¡Hable!

SANCHEZ

(Grita.) ¡La tierra se está hundiendo! ¡Las montañas nos aplastan!

ECHECOPAR

(Tratando de hacerse entender.) ¡Aló..., ¿cómo?... ¡aló!...

SANCHEZ

¡Nos aplastará como a gusanos..., como a gusanos!

ECHECOPAR

(A BENTÍN *y* FERNÁNDEZ, *señalando a* SÁNCHEZ.*)* ¡Tápenle la boca a ese! (FERNÁNDEZ *y* BENTÍN *obedecen.)* ¡Aló!

SANTIAGO

Ingeniero, habla Santiago, de la central uno. La gente que ha pasado en el tren hacia el campamento se ha vuelto loca...

ECHECOPAR

No, Santiago; el túnel está gravísimamente amenazado.

SANTIAGO

Iban colgados del tren y de la locomotora. Dos de ellos han caído delante de mi puerta y el tren los ha deshecho. ¡El túnel está lleno de gritos de heridos y de alaridos de locos!...

ECHECOPAR

Vete, Santiago, vete inmediatamente y ponte a salvo en los cerros. *(A* FERNÁNDEZ *y* BENTÍN.) ¡Suéltenlo! *(A* SÁNCHEZ.) ¡Lárgate!

SANTIAGO

(Angustiado, por el dictáfono.) ¡Ingeniero! ¡Ingeniero Echec...

ECHECOPAR

(Cortándolo.) ¡Santiago! ¿No te has ido?

SANTIAGO

¡El túnel se está anegando! ¡A dos metros de mi puerta se ha abierto un gran chorro en el techo! ¡Salgan inmediatamente! ¡No pierdan un segundo!

ECHECOPAR

Ya..., ya... ¡Vete, Santiago, vete...!

SANCHEZ

¿Lo oyen? ¿Lo han oído? ¡Estamos atrapados en el centro de la tierra! *(Sale, se le oye alejarse por el túnel, gritando.)* ¡Estamos atrapados!... ¡Estamos atrapados!... ¡Estamos atrapados...! (BENTÍN *se ha sentado tapándose los oídos. Pausa larga.)*

FERNANDEZ

¿Qué vamos a hacer ahora?

ECHECOPAR

Aguardar.

FERNANDEZ

¿No cree usted que ya sea el momento de irnos? Aguardar es temeridad, es locura, Echecopar.

ECHECOPAR

Vete tú, si quieres. Pero puedes saber que irse ahora es traicionar, es asesinar. Yo me quedo hasta que pasen los obreros, o reviento con el túnel.

BENTIN

Pero... y si no pueden pasar, ¿a qué aguardarlos?

ECHECOPAR

Eso nos lo dirá Soto. *(Al dictáfono.)* ¡Aló, Soto!

SOTO

(Por el dictáfono.) Sí, ¿Echecopar?

ECHECOPAR

¿Algo nuevo?

SOTO

Los obreros están pasando en este momento.

ECHECOPAR

¿Cuántos son?

SOTO

Unos sesenta o setenta.

ECHECOPAR

¡Faltan muchos!

SOTO

Sí. Hay una cuadrilla casi al final del túnel dos. Esos van a demorar todavía.

ECHECOPAR

¿Y la inundación?

SOTO

Sigue igual. Ni sube ni baja.

ECHECOPAR

Cualquier cosa que pase, me avisas, ¿eh?

SOTO

Ya. *(*ECHECOPAR *corta.)*

BENTIN

(Tras una pausa.) Pero algo tiene que haber visto Sánchez para haberse puesto así...

ECHECOPAR

¡Aquí no pasa nada! ¿Has oído lo que ha dicho Soto, o estás sordo?

FERNANDEZ

¿Qué quiere usted que hagamos?

ECHECOPAR

Aguardar, como si no pasase nada. Siéntense. (FERNÁN-DEZ *y* BENTÍN *se sientan.)* Fúmense un cigarro. Eso tranquiliza. *(Ofrece un cigarro a* BENTÍN.)

BENTIN

No fumo.

ECHECOPAR

¡Fuma! (BENTÍN *coge un cigarrillo.)* ¿Tiemblas?

BENTIN

Sí.

ECHECOPAR

(Encendiendo a BENTÍN *el cigarrillo.)* Yo también. Mira mi mano. *(Ofrece y enciende un cigarrillo a* FER-NÁNDEZ *y le dice.)* Y tú, ¿por qué no tiemblas?

FERNANDEZ

No tiemblo, pero tengo miedo.

ECHECOPAR

Es natural.

BENTIN

(*A* FERNÁNDEZ.) ¿No le dije hace un rato que no me gustaba el ambiente?

ECHECOPAR

(*A* BENTÍN.) Bueno, no se puede decir que el ambiente sea encantador, ¿no? (*Animándose.*) Pero, a ver, ¿qué es lo que ocurre? Bentín, ¿qué es lo que pasa? En realidad, no pasa nada. Casi nada...

FERNANDEZ

¿Nada? ¿Y el arroyo que se ha formado en la quebrada?

ECHECOPAR

No podemos volvernos locos por cada arroyito que nos manda Dios, hombre.

BENTIN

(*Esperanzado.*) ¿Cree usted de verdad...?

FERNANDEZ

¿Y el chorro de agua?...

BENTIN

(*Cortando a* FERNÁNDEZ. *Asustado, a* ECHECOPAR.) ¡Sí! ¿Y el chorro de agua que se ha formado en la central uno? ¿No lo acaba de decir Santiago?

ECHECOPAR

(*A* BENTÍN.) ¿Y las veinte mil filtraciones que has visto ya acá? ¡Ah! Una filtración puede desaparecer más rápido de lo que aparece. ¿O no?

FERNANDEZ

Bueno. Si es así..., entonces..., ¿qué es lo que ocurre? En realidad, nada grave.

BENTIN

(A FERNÁNDEZ, *agresivo.)* ¿Nada grave? ¿Nada grave, no?... *(Confuso.)* Pero... sí. En verdad... no ha ocurrido nada grave... *(A* ECHECOPAR, *como buscando apoyo.)* ¿No es verdad, ingeniero? Usted, que es un hombre experimentado, puede decirlo...

ECHECOPAR

Unas gotitas de agua, Bentín; ¿o has visto más tú?

BENTIN

Unas... *(Ríe nerviosamente.)* Pero eso ha sido todo, en efecto. ¡Unas gotitas de agua! *(Ríe fuerte y largamente, con nerviosas carcajadas.* ECHECOPAR *ríe con él. Callan.* BENTÍN, *que ha quedado un momento abatido, se pone en pie violentamente y dice, tomando a* ECHECOPAR *por los hombros:)* Pero ¿y Sánchez? ¿Y lo que dijo Sánchez? *(Con súbito pavor.)* ¡Fue como si la tierra se rajara, gritó Sánchez! ¡Fue como si la tierra se rajara!

FERNANDEZ

Pero nosotros no hemos oído nada. Puede haber sido el miedo...

ECHECOPAR

El miedo o un temblor, maldita sea... *(A* BENTÍN.) ¿No has oído un temblor en tu vida? ¿Qué clase de peruano eres, que nunca oíste un temblor?

BENTIN

Un temblor, sí..., un temblor... O el miedo, quizá...

ECHECOPAR

Además, ¿quién te agarra aquí? Lárgate y se acabó el asunto.

BENTIN

Perdónenme... Estoy muy nervioso, eso es todo. Perdónenme.

FERNANDEZ

No hay nada que perdonar, ¿no, ingeniero? Yo también casi pierdo los papeles. Lo confieso. Debe de ser el ambiente. Estar encerrado entre estas montañas. Es asfixiante.

ECHECOPAR

Es cuestión de acostumbrarse. Y cuestión de pantalones también.

BENTIN

(A ECHECOPAR.) Pero, entonces, ¿por qué dio usted la alarma? ¿Por qué les dijo a los obreros que se fueran? ¡Usted sabía algo!

ECHECOPAR

Yo no tengo que darte explicaciones a ti.

BENTIN

Dos personas han muerto en el pánico. Santiago lo dijo.

ECHECOPAR

Eso es asunto mío. ¡Y tú te callas!

BENTIN

Además hay heridos. Si no pasa...

FERNANDEZ

(Impaciente, interrumpiéndole.) ¡Por Dios! ¿No entiende que debe callarse?

ECHECOPAR

(A BENTÍN.) Mira: o te callas o te largas. Una de dos. No soy tu institutriz, ¿entiendes?

BENTIN

Es el ambiente, sí, Fernández. Tiene usted razón. Ojalá... Es el estar sepultado entre estas montañas, en medio de esta oscuridad.

ECHECOPAR

Si lo sabes, piensa en algo más alegre y déjanos en paz.

BENTIN

(Sentándose.) En algo más alegre... *(Se tapa los ojos con las manos.)* No es tan fácil... Pero no es difícil tampoco... Ahora, con los ojos cerrados, veo la campiña de Tarma..., los altos eucaliptos perfilándose contra los cerros rosados..., la retama al viento... Y esto ¿qué es? *(Destapándose los ojos.)* ¿Dónde lo he visto? ¡Claro, claro! En Canchaque. ¡Los naranjales de Canchaque, los campos de café a la luz de la tarde! ¡Cuánta luz tiene el Perú! ¿Verdad, ingeniero?

ECHECOPAR

¡Oh, la tierra es buena y hermosa en todas partes! Depende de los ojos.

FERNANDEZ

Es verdad. ¡Ah, oigan! Hace poco hice un viaje por la costa. El crepúsculo nos sorprendió poco antes de llegar a Chala...

BENTIN

(Con entusiasmo.) Yo también he visto eso.

ECHECOPAR

También yo. Es inolvidable.

FERNANDEZ

Era un universo fugaz de colores increíbles. El mar se pone rosado...

BENTIN

Las dunas, violeta...

ECHECOPAR

El horizonte, rojo. Y hay rocas negras. Toda la playa blanca de espuma...

FERNANDEZ

No había formas. Todo era color... Parecía un jardín de colores suspendido en el aire. No, no hay como los crepúsculos de la costa...

BENTIN

Usted habla así porque es costeño. Pero ¿ha visto usted en la sierra, cuando pasa la tormenta y sale el sol? Todo se pone dorado. Y la tierra humea y cruje de vigor. *(A* ECHECOPAR.) Usted tiene que haber visto eso, don Claudio.

ECHECOPAR

Sí, es verdad. Pero también es verdad lo que dice Fernández. ¡Hum! En cuanto a mí, será porque hace años que vivo metido en túneles y en quebradas sin luz, áridas; pero ¿saben cuál es el paisaje que añoro? ¿Conocen esas abras de los Andes, desde donde se divisa toda la selva? ¡Toda la selva, con su exuberancia tibia, infinita! Y uno presiente la marcha quieta de los grandes ríos, la vida apacible de los pueblos ribereños...

BENTIN

Una vez navegué por el Ucayali...

FERNANDEZ

¿Y los pueblecitos de la costa? La plaza desierta en la tarde... La iglesia cerrada... Un burro amarrado a un árbol..., el raspadillero. Y, en una banca, un cachaco dormido. *(Todos ríen.)*

ECHECOPAR

No, no; país no nos falta. ¡Nos faltan hombres! *(Los tres quedan callados, pensativos.)*

FERNANDEZ

Verdaderamente, nuestro país es, a veces, un paraíso y, a veces, un infierno.

BENTIN

(Nervioso.) Un infierno, sí. Como ahora... Un infierno de silencio, frío y oscuridad.

ECHECOPAR

Eso que tú llamas silencio, frío y oscuridad son también flores del jardín de Dios.

BENTIN

¡Con tal que Dios no quiera regarlo ahora con un cataclismo!... Esas gotitas...

ECHECOPAR

¿Vas a comenzar de nuevo? (BENTÍN *niega con la cabeza.)*

SOTO

(Por el dictáfono.) ¿Echecopar?

ECHECOPAR

Sí. ¿Soto?

SOTO

¿No crees que el resto de los obreros se está demorando mucho?

ECHECOPAR

¿No pasan todavía?

SOTO

Todavía. ¿Qué hacemos?

ECHECOPAR

¿Qué hacemos? Pues esperar.

SOTO

Ya. (ECHECOPAR *corta.)*

BENTIN

¡Esperar! ¡Esperar...!

ECHECOPAR

(Tras una pausa.) Fernández, ¿en qué colegio estuviste?

FERNANDEZ

En la Recoleta. ¿Y usted, ingeniero?

ECHECOPAR

En Guadalupe. ¿Y tú, Bentín?

BENTIN

(Que estaba ensimismado.) ¿Yo? ¿Qué?

ECHECOPAR

¿En qué colegio estuviste?

BENTIN

Yo estuve en... *(Se oye un ruido terráqueo sordo y lejano.)* En..., en...

ECHECOPAR

¿Dónde? ¡Dilo inmediatamente o... *(De nuevo el ruido. Al dictáfono.)* ¡Soto!

SOTO

(Por el dictáfono.) ¿Echecopar?

ECHECOPAR

¿Has oído?

SOTO

Sí.

ECHECOPAR

¿Algo nuevo?

SOTO

No, pero la quebrada se sigue llenando...

ECHECOPAR

Tú me avisas, ¿eh?

SOTO

Sí, yo te avisaré. *(Pausa. Silencio. A* BENTÍN *se le ve tembloroso y agitado.* FERNÁNDEZ *da cuerda a su reloj de bolsillo.)*

ECHECOPAR

¿En qué colegio dijiste, Bentín?

BENTIN

(Volviendo en sí.) En Tarma... Recuerdo...

ECHECOPAR

¿Qué?

BENTIN

(Evocando.) El patio..., los árboles..., el aula..., la campana...

ECHECOPAR

Eso es: ¡la campana! También yo recuerdo ahora la campana de mi colegio. Era algo fundamental... Llena toda la infancia la campana del colegio..., ¿no? *(Como esperando una respuesta.)* Y otra cosa: ¡qué país descomunal! ¡También por él se puede reventar! ¿Sí o no? ¡Respondan! *(Pausa.)*

BENTIN

(Grita, angustiado.) Pero si en este momento..., si precisamente en este momento estuviera...

FERNANDEZ

(Estallando.) ¡Cállese! ¡Cállese o lo mato!

ECHECOPAR

(Acercándose a BENTÍN, *casi paternalmente.)* Escucha, Bentín, oye bien: había algunos indios que huían con el fango a la cintura. Eran indios pobres, miserables, harapientos, borrachos..., ¿me oyes? Y había tres hombres, tres hombres, Bentín, ¿no es extraordinario? Hubieran podido irse, huir, y nadie les habría dicho nada, porque los otros eran tan solo unos indios mi-

serables y harapientos, iguales a los que mueren por
centenares todos los días, sin que nadie sepa por qué
ni por quién... ¿Y qué hicieron, Bentín? ¿Qué hicieron? Escucha: ¡se quedaron! ¡Se quedaron, Bentín!
¿No es como para llorar?

BENTIN

¡Sí..., se quedaron..., se quedaron! Pero ¿qué hacer? ¿Qué hacer? Que venga el aluvión, ¡no importa!
Pero esperar..., ¡esperar!...

FERNANDEZ

(A ECHECOPAR.) Es usted un gigante, Echecopar...
¡Bendita sea la hora en que nació!

ECHECOPAR

*(Después de una pausa, va hacia la ventana y se dis-
pone a regar las flores.)* Nunca te perdonaré, Fernández,
que arrancaras una flor de mi jardín. Te imaginas... *(Se
oye de nuevo el ruido anterior, algo más fuerte. Algunas piedrecillas caen sobre el techo de calamina de la
barraca. Durante el ruido se ve que la barraca toda
tiembla un momento. Mientras dura el ruido,* ECHECO-
PAR, *como para opacarlo, habla cada vez más fuerte.)*
¿Te imaginas el esfuerzo que les costaría crecer entre
estas piedras, en medio de esta oscuridad? Es muy in-
teresante, Bentín, todo lo que nos contabas de los árboles, los patios, el aula, la campana... Pero, sobre todo,
¡los patios!..., ¡los patios, al mediodía, abandonados al
sol..., callados!... *(El ruido cesa.)*

FERNANDEZ

(Tras una pausa.) Ha reventado la cuerda de mi
reloj...

BENTIN

(Se pone en pie, pálido, aterrado, y grita:) ¡Nooooo!
*(Afuera se oyen pasos de gente que se acerca a la ca-
rrera. Algunos indios entran al socavón y quedan allí
jadeantes.)*

ECHECOPAR

(Desde la puerta les grita:) ¡Corran, corran! *(Los indios desaparecen y se oyen sus pasos a la carrera.* ECHECOPAR *desaparece casi hacia el túnel, gritando:)* ¡Corran! ¡No se detengan! ¡No se detengan!

SOTO

(En el dictáfono, grita, angustiado:) ¡Echecopar! ¡Echecopar!

ECHECOPAR

(Al escuchar la llamada de SOTO, *corre hacia la barraca. Casi al entrar en esta, una gran cantidad de tierra cae, desde lo alto, a su lado. Al dictáfono.)* ¡Sí, Soto! ¿Qué hay?

SOTO

¡Echecopar, por todas las grietas de la quebrada está saliendo agua y lodo! ¡Esto se hunde dentro de pocos minutos!... ¡Yo me voy, Echecopar!

ECHECOPAR

(Apaciguador y convincente.) ¡No, Soto, no! (BENTÍN *se desliza hacia la puerta.)*

SOTO

(Casi claudicante.) Sí, Echecopar..., sí...

ECHECOPAR

¿Ha entrado alguien más en el túnel?

SOTO

Sí, una muchacha, hace un momento. Pero es imposible que llegue.

ECHECOPAR

Tenemos que esperarla, Soto. ¿Cómo la vamos a encerrar?

SOTO

¡Vuela el túnel, Echecopar! ¡Vuela el túnel! ¡Que es una vida, comparada con miles de vidas?

ECHECOPAR

¿Quién lo sabrá, Soto, quién lo sabrá? Unos momentos más, Soto, a ver si llega la última patrulla. ¡Solo tú puedes decirme lo que ocurre en la quebrada! Solo tú puedes decirme si alguien más se puede salvar, ¿no te das cuenta?

SOTO

Bueno, Echecopar. Pero solo unos instantes. (ECHECOPAR *corta. Levanta la cara y sorprende a* FERNÁNDEZ, *que está mirando a* BENTÍN, *que ya está en la puerta. Se vuelve violentamente hacia este.*)

BENTIN

(Con voz apenas perceptible.) Yo..., yo... *(Abre la puerta y sale de prisa. Se le oye alejarse a la carrera.)*

ECHECOPAR

(Después de haberse mirado un momento con FERNÁNDEZ, *como sondeándose.)* Fernández, eres todo un hombrecito. Pero si quieres... *(Le señala la puerta.)*

FERNANDEZ

(Terminante.) No. ¿Y usted?...

ECHECOPAR

No.

FERNANDEZ

¡Pero usted tiene hijos...!

ECHECOPAR

Mis hijos son estos indios, esta india que está llegando, a la que no conozco. *(Pausa, en que pasea la habitación. Deteniéndose ante* FERNÁNDEZ.) ¿Qué tiene tu reloj, dijiste?

FERNANDEZ

Con los nervios, le he reventado la cuerda...

ECHECOPAR

No entiendo nada de relojería... *(Pausa.)* ¿Tienes novia?

FERNANDEZ

Sí.

ECHECOPAR

¿Y no crees que ella...?

FERNANDEZ

Ella siempre estuvo de acuerdo con todo lo que yo hacía...

ECHECOPAR

¿Te das cuenta, Fernández? ¡Si en el Perú hubiese mil hombres como tú!

FERNANDEZ

O como usted.

ECHECOPAR

(Sonriente, pero con un acento de tristeza.) No, como yo; mejor, no. He sido demasiado solitario. Ahora comprendo que no se puede vivir solitario en medio de los hombres. Tú me lo has enseñado. *(Se oyen pasos menudos que se acercan a la carrera.)*

MUCHACHA

(Desde afuera, cada vez más cerca.) ¡Taita!... ¡Taitaaa!... ¡Taitaaa!...

ECHECOPAR

(Corre hacia la puerta y grita.) ¡Súbete al autocarril! ¡Sube! ¡Sube!

SOTO

(Por el dictáfono.) ¡Echecopar!

ECHECOPAR

Sí, Soto.

SOTO

¡Toda la pared del lado de la laguna se está inclinando! ¡Todo se hunde! ¡Todo se hunde!

ECHECOPAR

¿Y los demás?

SOTO

¡No han llegado!

ECHECOPAR

¡Deben de haberse ido por otro lado! ¡Huye, Soto, huye! *(Corta. A* FERNÁNDEZ.*)* Fernández, ahora escucha bien: tú te sientas en el autocarril, al comando. Yo enciendo la mecha. Cuando te grite: «¡Ya!», ¡arrancas! Ya veré yo la manera de treparme. *(Salen rápidamente. Se oye encenderse el motor del autocarril. Luego, la voz de* ECHECOPAR.*)* ¡¡Yaaa!! *(El autocarril arranca. Pasa a la carrera. Se escucha un ruido sordo, las luces titilan, la barraca tiembla.)*

SOTO

(Por el dictáfono.) ¡Todo se hunde, Echecopar! ¡Todo se hunde! ¡¡Estoy perdido, Echecopar!! *(El ruido se hace mucho más fuerte. De lo alto caen grandes cantidades de tierra por todas partes. El plano de la pared se desprende. Piedras sobre el techo de calamina.)* ¡¡¡Echecopaaaar!!! *(Cae tierra sobre el techo de la barraca y esta se hunde.)*

TELON

ACTO TERCERO

Escenario igual a los actos anteriores. El dictáfono ha sido retirado y los muebles son distintos, aunque su distribución es la misma.

Al levantarse el telón está el MUCHACHO indio colocando vasos y una botella encima de un escritorio. Se oye el ruido de un autocarril que se acerca y se detiene a la puerta de la barraca. Entran FERNÁNDEZ y BENTÍN. Aunque jóvenes aún, en su aspecto se nota que han pasado algunos años. FERNÁNDEZ está vestido de campo, BENTÍN lleva ropa de viaje. El MUCHACHO sale, cerrando la puerta tras de sí.

BENTIN

(Deteniéndose, sorprendido y después de haber observado todo lo que le rodea.) Pero..., Fernández..., ¡esto es idéntico a como era antes!...

FERNANDEZ

Parece. Si miras bien, te darás cuenta de que todo es distinto. Nuestra barraca debe de haberse podrido ya en algún lugar del Océano Pacífico.

BENTIN

¡Es increíble! ¿Te acuerdas de lo que pasamos aquí hace cinco años?

FERNANDEZ

Eso nunca lo podremos olvidar.

BENTIN

Ese día conocí el terror...

FERNANDEZ

También yo. Pero no pensemos más en eso. Estamos aquí para festejar.

BENTIN

(*Mirando detenidamente la silla del escritorio de* Echecopar.) Sí..., esta silla no es la misma. (*Reparando en que falta el dictáfono.*) Y falta el dictáfono. Fuera de eso, todo parece exacto.

FERNANDEZ

Ese fue el deseo de Echecopar, o el «Viejo de las Montañas», como se llama ahora en la región. Lo primero que hizo al llegar fue pedirme que aquí mismo hiciera una barraca igual a la que había antes. En realidad nunca me he atrevido a decirle que va a obstaculizar el tránsito de los vehículos en el túnel. Pero ¡qué quieres! Las obras de Collacocha están ahora a mi cargo. El no ha aceptado ningún trabajo. Pero, en el fondo, es y seguirá siendo siempre mi jefe.

BENTIN

Has hecho muy bien, Fernández. Es necesario que Echecopar tenga aquí todo lo que necesite para ser feliz.

FERNANDEZ

Es lo que trato siempre. ¿Te tomas un trago?

BENTIN

Esperemos mejor a que llegue él. Además, no me siento muy bien. Con los cinco años en Lima me he desacostumbrado un poco a la altura.

FERNANDEZ

¿No quieres sentarte?

BENTIN

(*Sentándose.*) Antes que llegue Echecopar, háblame de él. Tus cartas han sido siempre muy lacónicas ¿Cómo llegó aquí? ¿Qué piensa de la catástrofe, de los muertos? ¿Qué hace? ¿Cómo ha cambiado en los cinco años que no lo he visto?

FERNANDEZ

Bueno..., bueno; vamos por partes...

BENTIN

Antes de verlo, quiero saber algo de él. Es el hombre que más aprecio en el mundo.

FERNANDEZ

Pues bien: llegó aquí..., sí, el mes entrante hará dos años.

BENTIN

¿Y de dónde venía? ¿Dónde estuvo metido estos tres años?

FERNANDEZ

Yo mismo no lo sé muy bien. Tú sabes que él nunca cuenta nada de sí mismo.

BENTIN

Sí, eso es verdad.

FERNANDEZ

Creo que venía de la selva. A veces, refiriéndose a Collacocha y a los Andes en general, me dice: «Fernandito—así me llama ahora—, este sí es un paisaje de hombres verdaderos. A mí no me vengan con cafetales perfumados ni bosquecitos de naranjos.»

BENTIN

¡Me parece oírselo decir! Por lo que veo, no ha cambiado mucho.

FERNANDEZ

Sí, sí ha cambiado mucho. Físicamente es casi un anciano. Pero es muy fuerte todavía.

BENTIN

Alguna vez me escribiste algo de eso. Pero también me decías que te preocupaba..., no sé..., algo de su carácter.

FERNANDEZ

(Tras una breve pausa.) Mira, Bentín: tú y yo somos amigos, ¿no es verdad?

BENTIN

¡Hombre! Así lo creo. *(Pensativo.)* A veces bastan unos minutos para conocer y llegar a querer a una persona, Fernández.

FERNANDEZ

Así es. Y, además, uno no puede callar algo toda la vida, ¿no?

BENTIN

Claro que no. Pero ¿qué es lo que quieres decir?

FERNANDEZ

(Casi angustiosamente.) Bentín: Echecopar es, en el fondo, un hombre absoluta y totalmente desesperado. El corazón me lo dice.

BENTIN

¿Cómo? ¿El?

FERNANDEZ

Sí, él. Desde el día del aluvión, Echecopar está roto por dentro, ¿entiendes?, partido, liquidado. *(Con rabia.)* Y eso no se puede tolerar. Porque las ciudades están llenas de canallas y de sinvergüenzas que son felices y tienen todo.

BENTIN

Nadie puede remediar eso. Los que vimos lo que ocurrió aquí, jamás podremos librarnos del recuerdo. Pueden pasar muchos años, diez, veinte. Es igual.

FERNANDEZ

No, no. No es eso. El no es el hombre al que un aluvión pueda destruir. Todavía hay en él la fuerza para agarrarse a patadas con los Andes durante mucho tiempo.

BENTIN

Ya sé qué es lo que debe de tenerlo desesperado. Una vez que lo vi en Lima, me dijo: «Estoy harto de todo esto. Harto de vagar por los ministerios y los directorios. Harto de que tanto rufián ignorante me hable de patriotismo y de moral.»

FERNANDEZ

No, no es eso tampoco. Son los muertos. Sobre todo, Soto. Echecopar se siente responsable de la muerte de Soto.

BENTIN

¿El? ¿Y por qué demonios precisamente él?

FERNANDEZ

(Recordando.) ¡Ah, no! Es que tú no puedes saberlo. Tú ya te habías ido... (Se detiene, sabiendo que el recuerdo debe de ser penoso para BENTÍN, quien, en efecto, se ha tapado la cara con las manos.) No he querido herirte...

BENTIN

¡Qué cobarde fui! ¡Qué cobarde!

FERNANDEZ

(Convencido.) ¿Cobarde? Pero ¿qué disparate estás hablando? Tuviste los riñones de quedarte casi hasta el final.

BENTIN

Pero ustedes dos, hasta el final mismo.

FERNANDEZ

Esas son otras quinientas. Echecopar y yo sabíamos por qué nos quedábamos. Tú, no. Reconócelo. Uno no se puede engañar a sí mismo toda la vida.

BENTIN

Quizá... *(Entusiasmándose.)* Pero una cosa te aseguro, Fernández: mis ideas no han cambiado, pero vivo
y siento en otra forma. «Sé generoso, honrado y valiente, y piensa como te dé la gana», me dijo Echecopar
el día del aluvión... Pero, a propósito del aluvión, ¿qué
es lo que pasó, cuando yo ya me había largado?

FERNANDEZ

Soto quería irse de su puesto. Veía que los cerros
comenzaban a hundirse alrededor de su central. Y Echecopar lo convenció de que se quedara. Y se hundió con
las montañas.

BENTIN

Sí, lo supe todo. Pero el deber de Soto era quedarse.
¿Quién si no él podía avisar el movimiento de los obreros? El era el único que podía dar la voz de volar el
túnel. Echecopar tenía que exigirle que se quedara.

FERNANDEZ

(Queriendo interrumpirlo.) Claro..., claro...

BENTIN

Y fue porque Soto se quedó que se salvaron casi
todos los obreros del túnel dos...

FERNANDEZ

Naturalmente...

BENTIN

Y la muchacha...

FERNANDEZ

Eso lo sabemos perfectamente tú y yo. Pero él mismo lo duda, ¿comprendes?

BENTIN

¡Pero si es absurdo...!

FERNANDEZ

Lo sé tan bien como tú... Pero él, en el fondo, se pregunta si tenía el derecho de decidir quiénes se deberían salvar. Lo mismo me pasaría a mí, o a ti.

BENTIN

Es verdaderamente grave...

FERNANDEZ

Claro que es grave. Si no lo fuera, no haría la vida que hace.

BENTIN

¿Qué vida hace?

FERNANDEZ

Echecopar se ha construido, con su propia mano, una casa en la quebrada, es decir, en lo que antes era la quebrada, al lado del cementerio de las víctimas de la catástrofe.

BENTIN

Pero ¿cómo has podido permitir que viva así?

FERNANDEZ

¿Permitir? ¿Y quién soy yo para decidir sobre su destino? Además, nunca pasa un mes sin que le llegue alguna propuesta de las mejores firmas constructoras.

BENTIN

¿Y?

FERNANDEZ

¿Y? ¡Nada! Una vez, en su casa, después de haber roto una de esas cartas, me dijo, señalando hacia el cementerio: «Claudio Echecopar aquí, junto a sus cholos.»

BENTIN

¡Qué hombre extraño!

FERNANDEZ

Con sus propias manos cuida y limpia las tumbas. Y se ha hecho una para sí mismo. Fuera de eso, su modo de ser es igual que antes. Todas las mañanas entra a los túneles. Desde aquí oigo sus gritos: «¡Buenos días, buenas noches, buenos túneles, hombres del futuro!» Bromea con los obreros, carga piedra, vocifera, se ríe a carcajadas y manda a todo el mundo: hasta a mí mismo.

BENTIN

¡Qué hombre formidable!

FERNANDEZ

¡Ah, y los domingos! Ahí va don Claudio por los cerros, por las punas, por las gargantas, por el cementerio, rodeado de todos los niños del campamento. Cuando los veo sentados todos en torno de él, ya sé que les está contando cómo era Soto, cómo eran Sánchez, Roberto. Lo adoran.

ECHECOPAR

(De lejos.) ¡Echecopaaaaaaaar...!

BENTIN

¡El!

FERNANDEZ

Sí, él.

BENTIN

¡Qué emoción, Fernández! Después de cinco años...

FERNANDEZ

Bueno, bueno, no te enternezcas demasiado. Estamos aquí para celebrar. Hoy hace cinco años que nacimos de nuevo los tres. Y, para celebrarlo, te tengo una sorpresa.

BENTIN

¿Para mí? Bueno, suéltala.

FERNANDEZ

Todo a su debido tiempo, amigo. Todavía tienes que esperar un rato. *(Se escuchan, desde afuera, los pasos de* ECHECOPAR. FERNÁNDEZ *sale a recibirlo. Un momento después, ingresan ambos al socavón. Allí permanecen unos instantes, en los que* ECHECOPAR, *entre riendo solo y gruñendo, contempla las paredes, los instrumentos de trabajo. Luego entran a la cabaña.* ECHECOPAR *viste de poncho. Tiene la barba y el pelo grises y muy crecidos. Lleva en la mano un grueso bastón. Le falta un brazo.)*

ECHECOPAR

(A FERNÁNDEZ, *sorprendido al reparar en* BENTÍN.*)* Fernandito, ¿es esta la sorpresa de que me hablaste ayer?

FERNANDEZ

No. Esta es otra.

ECHECOPAR

(Señalando a BENTÍN.*)* ¡El campeón mundial de los monigotes! ¡El tirifilo máximo de la historia americana!

BENTIN

¿De modo que nunca se resolverá usted a tomarme en serio?

ECHECOPAR

(Extendiendo el brazo.) Ven para acá, muchacho. *(Se abrazan largamente.)* ¿Y qué nos vas a contar hoy de la situación europea de principios de siglo, eh? Y, sobre todo, ¿cómo están tus hermanitos de Beluchistán, eh?

BENTIN

Siempre me mandan saludos para el «Viejo de las Montañas». Bueno, Fernández, sirve copas. Quiero tomarme unos tragos con el constructor de Collacocha.

ECHECOPAR

(*Entre colérico y sombrío.*) Yo no soy el constructor de Collacocha. Y si has venido aquí para hacer bromas estúpidas, tómate tu trago y lárgate.

FERNANDEZ

(*A* ECHECOPAR.) ¿Me puede usted decir quién construyó Collacocha, si no fue usted?

ECHECOPAR

(*A* FERNÁNDEZ.) ¡Ajá! ¿De modo que tú también, entonces? Si quieres saberlo, tus directores de Lima, don Alberto Quiñones y Quiñones. (*A* BENTÍN.) O los Derechos del Hombre, me es igual. Yo soy el asesino de Collacocha.

FERNANDEZ

Echecopar, no hable así, por favor.

ECHECOPAR

El asesino, sí. Los médicos asesinan a sus pacientes, los generales asesinan a sus soldados y yo asesiné a mis obreros. ¿Tiene eso algo de raro? A todos ustedes se lo dije: Estoy dispuesto a asfaltar este camino con mis huesos y con los de ustedes. ¿Recuerdas, Bentín?

BENTIN

Sí, recuerdo.

ECHECOPAR

¿Lo hice o no?

BENTIN

No.

ECHECOPAR

Sí, sí lo hice. Y si yo no morí, no es culpa mía.

FERNANDEZ

¿Puede alguien tener la culpa de estar vivo?

BENTIN

Ningún valiente puede avergonzarse de estar vivo.

ECHECOPAR

Pero, si fuese necesario, lo volvería a hacer todo igual. ¿Entienden? Lo que pasa es que hoy nadie quiere ofrecer su felicidad por nada. Ya solo hay héroes a foetazos. ¿O no? Todos viven con el terror de perder un puesto, un sueldo, una casa, una reputación. Yo expuse mi vida por el progreso de un país casi salvaje, a merced de todos y de todo. Y el que expone su propia vida puede exponer la felicidad de uno cuantos para asegurar la felicidad de muchos, su redención de la muerte y la enfermedad y la miseria.

BENTIN

Eso no puede ser... Su filosofía es inadmisible...

ECHECOPAR

¡Cómo! ¿Eres tú un apóstol de las multitudes, o un profesor de filosofía?

FERNANDEZ

Tampoco creo que la felicidad de unos hombres pueda camprarse con la desgracia de otros. Usted mismo se lo dijo a Soto: «¿Puedes fijar el precio de una vida inocente?»

ECHECOPAR

¿Y no eran inocentes las vidas que devoraba la tuberculosis, y el paludismo, y la fiebre amarilla, y la lepra, y la miseria, a la misma hora en que ejércitos de holgazanes no sabían cómo matar el tiempo? ¿Cuál era su pecado? ¿Haber nacido en la miseria? El Destino también asesina..., y el que no hace nada contra el destino es cómplice de sus crímenes. Porque para dejar morir se necesita tanta crueldad como para matar... No, ustedes no han descubierto la capacidad de fe a que puede llegar el hombre.

FERNANDEZ

(*Acercándosele.*) Y, con todo, es con fe que estamos reabriendo el camino que usted trazara... (*Pausa.* ECHE-COPAR *queda como arrobado, soñador. Los otros le contemplan.*)

ECHECOPAR

(*A* FERNÁNDEZ, *sin mirarle.*) Fernandito, ¿es verdad que uno de estos días...?

FERNANDEZ

Sí, Echecopar; uno de estos días, cuando terminemos un tramo que queda a cosa de setenta kilómetros, comenzarán a pasar por aquí autos y camiones...

ECHECOPAR

¡Es sencillamente extraordinario! Hay una laguna; un cerro la aplasta. Luego un río se lleva al cerro. Un año después, allí está la laguna, un kilómetro más allá... ¡Qué quieren! Es el país. Mil hombres hacen un túnel. Trabajan ocho años..., y el túnel los aplasta. Y otra vez los cataclismos lo borran..., y otra vez los hombres lo perforarán en la entraña de la tierra. Así hasta que un día el hombre habrá dominado su suelo y estará parado firme y para siempre sobre él. ¡Es grandioso, fenomenal! Los que vendrán después no lo sabrán. ¡Qué se va a hacer! Hay que trabajar no solamente para nosotros, sino también para los hombres del futuro.

FERNANDEZ

Hay que tener paciencia unos cuantos días más...

ECHECOPAR

Y desde ese mismo día, el «Viejo de las Montañas»...

BENTIN

(*Interrumpiéndole.*) ¿Se retirará usted a descansar, supongo?

ECHECOPAR

¿A descansar yo? ¿Con este puño que me queda todavía? ¿Y de qué quieres que descanse? No. Desde ese
día comenzaré a trabajar de nuevo.

BENTIN

No entiendo.

FERNANDEZ

Tampoco yo.

ECHECOPAR

(Confidencial.) Desde ese día, amigos, mis buenos y
únicos amigos, el «Viejo de las Montañas» será un hombre feliz...

FERNANDEZ

¿Qué es lo que piensa usted hacer?

ECHECOPAR

(Soñador, como hablando para sí mismo.) Me sen-
taré a la puerta de mi casa, en Collacocha, y observaré
el lento despertar de mi camino a la vida. Seré el testigo de la justificación de todo. Y cada mañana, al levan-
tarme, me diré: «Ayer pasaron sesenta camiones..., ayer
pasaron ciento cincuenta camiones. Llevaban fruta, medicinas, madera, maquinaria...» ¿Comprenden ustedes
eso?

FERNANDEZ y BENTIN

Sí.

ECHECOPAR

Veré cómo, d'a a día, todo se anima, cómo todo crece y crece y crece, cómo el alma del país circula sobre
los cadáveres de ayer... Las cáscaras, los periódicos y
los cigarrillos que arrojen los chóferes al pasar irán cu-
briendo las tumbas de Collacocha... *(Pausa.)* Los motores zumban..., los hombres pasan... Van a conocerse,
a casarse, a negociar... *(Animándose.)* Los chóferes su-
birán a visitarme. Les invitaré a un trago. Les conta-
ré..., les hablaré de ustedes... ¡Ah! Cuanto más viejo
me hago, tanto más me doy cuenta de que no se puede

vivir solitario en medio de los hombres. (*Se interrumpe. Enfureciéndose.*) ¡Qué hombres! ¿Adónde estaban? Solo había piedras, y silencio, y frío, y oscuridad... ¡Había que gritar en el túnel para que los oídos no se pudrieran de silencio! ¿Entienden? Cada vez que pase un camión, le gritaré: «¡En Collacocha no ha pasado nada!» Después de todo, ¿tengo yo la culpa de estar vivo?

FERNANDEZ

No.

ECHECOPAR

No, claro. Pero, mientras lo esté, quiero ser testigo de la justificación de todo.

BENTIN

Pero ¡si no hay nada que justificar! ¡El país es así!

ECHECOPAR

¿No hay nada que justificar? ¿De modo que ciento ochenta vidas no son nada?

MUCHACHO

(*Desde afuera, mientras se oyen sus pasos acercarse a la carrera.*) ¡Taitas..., taitas..., taitas..., taitas! (*Entra, jadeante, señalando hacia afuera.*) Taitas, ¡kammionmi chekamunam! ¡Kammionmi chekamunam! (*Se oye llegar, de muy lejos, el ruido del camión que se acerca.*)

ECHECOPAR

(*Que había quedado como paralizado.*) ¿El camión? ¿Qué camión, Fernández?

FERNANDEZ

(*Desbordante de alegría.*) ¡El primero que viene de la selva! ¡Esa es la sorpresa: desde hoy está expedito nuestro camino! ¡De la selva al mar: se dice en dos palabras!

ECHECOPAR

(Como quien no puede comprender.) ¿El camión? ¿El camión está llegando?

BENTIN

Sí, «Viejo de las Montañas»: ¡kammionmi chekamunam!

ECHECOPAR

(Dando furiosos golpes de puño sobre un escritorio.) ¡El camión está llegando! ¡¡El camión está llegando!! ¡Soto, el camión está llegando! ¿Lo oyes? *(Hablando por la ventana del abismo, hacia afuera.)* ¿Lo oyen todos? *(Va hacia el lugar en donde estaba antes el dictáfono y hace como si hablara por él.)* Aló, aló..., ¡todas las centrales!, ¡todas las centrales! Central uno, central tres, central del campamento, central de Collacocha, centrales del túnel dos y, sobre todo, central del cementerio..., oigan todos, los vivos y los muertos..., Soto, Sánchez, todos: ¡en Collacocha no ha pasado nada! ¡Absolutamente nada!

FERNANDEZ

¡Nada! Simplemente, la vida se ha instalado...

BENTIN

¡Nada más! Unos hombres han abierto un camino...

FERNANDEZ

¡Nada más! *(El ruido del camión ha ido creciendo y cubre ya las voces. Se detiene en la puerta. Se apaga el motor. Golpe de cierre de la portezuela.)*

TAIRA

(Entrando y después de saludar con la mano.) ...tardes, patrón...

ECHECOPAR

(Se le acerca lentamente y le pone la mano sobre un hombro.) Jacinto Taira, de San Pedro de Lloc... El mis-

mo que hace cinco años comenzara a subir a la madrugada..., el que debió llegar abajo al atardecer... ¡Qué demonios! ¡Aquí está el mismo, ahora, hoy, al mediodia de hoy... ¡Es como si no hubiera pasado nada! Jacinto Taira...

TAIRA

El patrón no se ha olvidado de mí...

FERNANDEZ

Antes nos olvidaríamos de nosotros mismos...

BENTIN

Claro.

ECHECOPAR

Eso. Porque tú, Jacinto Taira, eres el hombre que cantó el himno al progreso donde nunca antes se escuchara...

TAIRA

(Avergonzado por el elogio.) ¡Patrón...!

ECHECOPAR

(Entusiasmado.) Tú pasarás hoy el primero por estas punas desoladas y estos caseríos ateridos, por estos tremendos abismos y estos túneles helados. Y por donde pases, tu motor, rugiendo y gimiendo, cantará nuestro esfuerzo y embellecerá nuestra miseria y nuestra muerte.

BENTIN

¡Un trago para Jacinto Taira, el caballero rodante!

ECHECOPAR

Eso es: un trago para todos antes que partas. (BENTÍN *se dispone a servir y repartir copas.)* Y, Taira, ¿qué traes en tu camión?

TAIRA

Platanito, patrón. *(Señalando a* FERNÁNDEZ.*)* Es un regalo del ingeniero para un hospital de Lima (ECHECO-

PAR *mira a* FERNÁNDEZ *con honda ternura. Este, al repa-*
rar en ello, baja la vista.)

BENTIN

Este es un día inolvidable, Fernández...

ECHECOPAR

Bueno, ¡salud! *(En el momento en que se aprestan*
a beber se oye un lejano y débil temblor. Todos bajan
los vasos, sin haber bebido, y se miran.)

TAIRA

(A ECHECOPAR, *algo asustado, pero tranquilo.)* ¿Qué
fue eso, patrón?

BENTIN

Ha sido un temblor.

FERNANDEZ

Un temblor como hay muchos por acá.

ECHECOPAR

¡Claro! Es la Tierra, que brinda con nosotros. *(Ver-*
tiendo al suelo unas gotas de su vaso.) ¡Salud, Pachama-
ma! *(Otro ligero temblor de tierra. Acariciando el suelo*
con el bastón.) Bueno, ya callando, vieja. Tú dedícate a
tu yuca y a tu trigo y déjanos beber en paz. ¡Salud,
todos! *(Todos beben.)*

FERNANDEZ

Taira, tienes que seguir ya. Hay treinta y dos camiones esperando el paso. *(*TAIRA *saluda con la mano y*
sale. El motor se enciende y el camión se aleja.)

ECHECOPAR

(Tomando la botella y regando su contenido, prime-
ro en el suelo y luego, a través de la ventana, hacia el
abismo.) Un trago para Jacinto Taira y ciento ochenta
tragos para todos..., para todos...

FERNANDEZ

(Que desde la puerta de la barraca ha estado despidiendo con la mano al camión que se alejaba, entusiasmado.) Recién ahora lo comprendo... Lo verán pasar por los pequeños pueblos..., los pastores lo señalarán..., la gente se parará al lado del camino y le dirá adiós con la mano... Y si es de noche, los hombres se incorporarán sobre sus pellejos y se dirán unos a otros: «Oye..., oye: ¡el primer camión está pasando!»

BENTIN

Y el cholo Taira, con la bufanda hasta la nariz, ¡rumbo al Pacífico!

ECHECOPAR

Un poco de tierra, un poco de amor, un poco de sudor y fe, ¡y millones se entrelazan en nuestro Perú amado *(Señalando hacia el abismo.)* y terrible!

BENTIN

¡Ojalá!

FERNANDEZ

(Convencido.) Sí, así será. *(Cambiando de tono.)* Bueno, ahora tenemos que ir a la Alcaldía; los notables nos esperan.

ECHECOPAR

(Extrañado.) ¿Adónde?

FERNANDEZ

A la Alcaldía. A las doce hay un gran banquete.

ECHECOPAR

Yo no voy.

FERNANDEZ

¡Cómo! ¡Tiene usted que tomarse una copa de «champagne» con todos!

ECHECOPAR

¡¡Yo beber con esa banda de ladrones!!

BENTIN

Tiene usted que venir. Sería un desaire imperdonable...

ECHECOPAR

Los que yo quería que me perdonaran me han perdonado ya.

BENTIN

¡Es usted intolerable!

FERNANDEZ

Otra vez comienza usted...

ECHECOPAR

¡Otra vez, sí, otra vez! Miren: yo hice un túnel..., un aluvión se lo llevó, y tú, Fernández, volviste a abrirlo. ¿Es eso motivo para que cuarenta cretinos se pongan a discursear en el vacío? No voy, y se acabó el asunto. Soy un hombre libre, que hace lo que le da la gana; tan libre, que he preferido morirme de hambre por mi propia voluntad a que otros me obliguen a ser feliz. ¡Lárguense! (BENTÍN y FERNÁNDEZ *se miran, se encogen de hombres y salen.*)

BENTIN

(*Regresando, desde la puerta.*) Adiós, gigante de Collacocha... (ECHECOPAR *le amenaza con el bastón.* BENTÍN *sonríe y se retira. Se enciende el motor del autocarril y se escucha alejarse a este.* ECHECOPAR *apaga la luz. La iluminación de la barraca se torna irreal.* ECHECOPAR *se asoma a la ventana del abismo. Pausa.*)

VOZ DE SOTO

(*Habla pausadamente, casi alegre, pero con un matiz de irrealidad.*) Buenos días, ingeniero... (ECHECOPAR *gira violentamente hacia el centro de la barraca.*) Buenas noches, ingeniero...

ECHECOPAR

¡Soto!...

VOZ DE SOTO

Buenos túneles, mejor... *(Ríe suavemente.)*

ECHECOPAR

Soto..., ¡por fin llegas! Eras el único que faltaba...
Todos los demás habían venido ya a mí...

VOZ DE SOTO

¿No riegas hoy tus flores, viejo amigo?

ECHECOPAR

¡Ya no hay flores en Collacocha, Soto!... ¡Ya no
hay flores en la ventana del abismo!...

VOZ DE SOTO

(Con unción profética.) Volverán a salir... ¿Te imaginas el trabajo que les costará crecer entre estas piedras, en medio de esta oscuridad?

ECHECOPAR

¿Y llegará el día en que nuestros huesos confundi-
dos serán una piedra olvidada entre las piedras de la
tierra...?

VOZ DE SOTO

Eran seis..., pero Fernández arrancó una.

ECHECOPAR

Y el aluvión...

VOZ DE SOTO

Y el aluvión arrancó todo lo demás...

ECHECOPAR

¿Y llegará también el día en que todo un pueblo
joven se acercará por nuestro camino para encontrarse
en la fiesta del amor verdadero?

VOZ DE SOTO

Ese día llegará. Duerme hoy tranquilo, Echecopar.

ECHECOPAR

¡Entonces el anillo se ha cerrado! Lo que vivió y murió ha nacido nuevamente. El eterno ciclo se ha cumplido y Echecopar es un hombre feliz.

VOZ DE SOTO

¿Oyes los camiones? (*De lejos se escucha acercarse el ruido de motores y bocinas de la caravana que se acerca.*) Son exactamente treinta y dos camiones que van a pasar. Sobre ellos vienen treinta y dos tractores para cultivar la selva.

ECHECOPAR

¡Es grandioso y fenomenal! ¡Soy un hombre feliz!

VOZ DE SOTO

¡Ah, pero la laguna se está formando de nuevo!

ECHECOPAR

¡Qué importa! Vendrá otro hombre, y otro, y otro, y muchos más. Y un día nuestros hijos estarán parados firmes y para siempre sobre el suelo que supimos conquistar.

VOZ DE SOTO

Ya veo las luces del primero.

ECHECOPAR

Y quedará instalada la era de las cosas buenas y hermosas..., ¿verdad?... ¡Soto!... ¿Verdad? (*El estrépito de los camiones, que comienzan a pasar al lado de la barraca, apaga su voz. Los faros pasean su luz por el escenario.* ECHECOPAR *sale de la barraca y, agitando el brazo hacia el túnel, grita:*) ¡En Collacocha no ha pasado nada! ¡Absolutamente nada! (*Telón.*)

FIN DE

«COLLACOCHA»

Y DEL

«TEATRO PERUANO CONTEMPORANEO»

INDICE

INDICE